LES AURORES BORÉALES

CRITIQUES ÉLOGIEUSES POUR
LA FEMME DU CAPITAINE DE LISA TAWN BERGREN
PREMIER TOME DE LA SÉRIE LES AURORES BORÉALES

« Lisa Tawn Bergren a un style direct, évocateur, qui rend ses personnages des plus vivants. Ils entrent littéralement dans votre cœur. »

— Francine Rivers, auteure

« Quel récit d'aventure incroyable ! Même avec une toile de fond aussi vaste, l'auteure de *La femme du capitaine* réussit à braquer sa lorgnette sur des personnages auxquels vous vous attacherez profondément, de la première à la dernière page, alors qu'ils luttent contre les tentations de l'esprit et de la chair que nous connaissons tous trop bien. Les talents d'écriture de Bergren se dévoilent dans ce roman historique passionnant — je l'ai adoré ! »

— Liz Curtis Higgs, auteure

« Mon coup de cœur du mois. 4½ étoiles ! Lisa Tawn Bergren est une écrivaine de fiction historique de rare talent. Dans un style exquis, elle plonge ses lecteurs choyés dans ce monde d'émotions puissantes que vivent ses riches personnages. Ne manquez pas le prochain tome de cette trilogie enlevante. »

— *Romantic Times*

« Lisa Tawn Bergren entremêle habilement les destins de ces immigrants appelés à vivre bonheurs et malheurs dans leur pays d'adoption. Les personnages nous prennent au cœur et continuent d'occuper nos pensées, même une fois le livre refermé. *La femme du capitaine* est un récit qui fera tanguer l'imagination du lecteur ! Une saga triomphale ! »

— *The Literary Times*

CRITIQUES ÉLOGIEUSES POUR
À BON PORT DE LISA TAWN BERGREN
DEUXIÈME TOME DE LA SÉRIE LES AURORES BORÉALES

« Le deuxième roman historique de la trilogie Les aurores boréales devrait remporter à tout le moins autant de succès que le précédent, *La femme du capitaine.* Bergren réussit ce tour de force en nous faisant suivre cette fois-ci ses émigrants norvégiens dans la vallée Skagit du territoire de Washington vers la fin des années 1880. Bergren plante le décor pour une conclusion qui sera attendue avec impatience par les lecteurs, jusqu'à la publication du dernier roman de la série, *Le soleil de minuit.* »

— *Marketplace*

« 4½ étoiles ! La saga des compatriotes de Bergen (ces personnages qui ont quitté la Norvège pour l'Amérique dans le premier tome) se poursuit dans ce roman rempli d'action, qui les fera déménager de la côte est au territoire de Washington, au grand plaisir des lecteurs qui en auront le souffle coupé — et qui devront attendre avec impatience la parution du troisième tome de la série. »

— *Romantic Times*

« Idylles, aventures et personnages multidimensionnels foisonnent dans cette lecture divertissante. »

— *Booklist*

« Ce roman très bien écrit vous transportera dans des endroits où vous n'êtes jamais allé. Les douleurs et les joies de ces femmes vous empêcheront d'interrompre votre lecture et vous laisseront dans l'expectative jusqu'à ce que vous puissiez mettre la main sur le troisième tome de la série. »

— *Rendezvous*

LES AURORES BORÉALES

LISA TAWN BERGREN

TRADUIT DE L'ANGLAIS PAR
CATHERINE VALLIÈRES

Éditeur : François Doucet
Traduction : Catherine Vallières
Révision linguistique : Féminin pluriel
Correction d'épreuves : Nancy Coulombe, Fannie Legault Poisson
Montage de la couverture : Matthieu Fortin
Mise en pages : Sylvie Valois
ISBN livre : 978-2-89752-086-1
ISBN PDF : 978-2-89752-087-8
ISBN ePub : 978-2-89752-088-5
Première impression : 2014
Dépôt légal : 2014
Bibliothèque et Archives nationales du Québec
Bibliothèque Nationale du Canada

Originally published in English under the title:
The Captain's Bride by Lisa Tawn Bergren
Copyright © 1998 by Lisa Tawn Bergren
Published by WaterBrook Press
an imprint of The Crown Publishing Group
a division of Random House, Inc.
12265 Oracle Boulevard, Suite 200
Colorado Springs, Colorado 80921 USA

International rights contracted through:
Gospel Literature International
P.O. Box 4060, Ontario, California 91761-1003 USA

This translation published by arrangement with WaterBrook Press, an imprint of The Crown Publishing Group, a division of Random House, Inc.

French edition © 2013 Editions AdA, Inc.

Éditions AdA Inc.
1385, boul. Lionel-Boulet
Varennes, Québec, Canada, J3X 1P7
Téléphone : 450-929-0296
Télécopieur : 450-929-0220
www.ada-inc.com
info@ada-inc.com

Diffusion

Canada :	Éditions AdA Inc.
France :	D.G. Diffusion Z.I. des Bogues 31750 Escalquens — France Téléphone : 05.61.00.09.99
Suisse :	Transat — 23.42.77.40
Belgique :	D.G. Diffusion — 05.61.00.09.99

Imprimé au Canada

Participation de la SODEC.
Nous reconnaissons l'aide financière du gouvernement du Canada par l'entremise du Fonds du livre du Canada (FLC) pour nos activités d'édition.
Gouvernement du Québec — Programme de crédit d'impôt pour l'édition de livres — Gestion SODEC.

Catalogage avant publication de Bibliothèque et Archives nationales du Québec et Bibliothèque et Archives Canada

Bergren, Lisa Tawn
[Captain's Bride. Français]
La femme du capitaine
(Les aurores boréales ; 1)
Traduction de : Captain's Bride.
ISBN 978-2-89752-086-1
I. Vallières, Catherine, 1985- . II. Titre. III. Titre : Captain's Bride. Français.
PS3552.E71938C3714 2014 813'.54 C2014-941423-4

Pour Dan, Cara et Madison Grace Berggren

Avec amour

De nouveaux horizons

JUIN – SEPTEMBRE 1880

Chapitre 1

Elsa Anders savait qu'elle se souviendrait des moindres détails de cet instant, même une fois devenue vieille et courbée. L'odeur de la mer et des trèfles sauvages, la vue des sept sommets aux alentours, la sensation du vent froid cinglant de la mer du Nord qui lui laisserait les joues gercées et rosies jusqu'au lendemain matin. À cette hauteur, le froid lui faisait couler le nez. Elle voulut sortir son mouchoir, mais comme d'habitude, son père devança ses intentions et lui offrit plutôt le sien. Elle le prit avec gratitude, se rendant compte au fond d'elle-même qu'il ne lui tendrait peut-être plus jamais rien d'autre par la suite. Car elle partait. Très loin et pour toujours, lui semblait-il.

Papa était singulièrement silencieux, ce soir-là, songeait Elsa. Il appréhendait sans l'ombre d'un doute ce moment qu'elle-même redoutait, celui des adieux. Dans deux jours, elle allait épouser son Peder bien-aimé. Son cœur se mit à palpiter à cette seule pensée, et sa respiration devint encore plus difficile.

« Peder, ah Peder. »

Son chéri, qui rentrait finalement chez lui pour qu'elle devienne sienne ! Son cœur se gonfla de fierté. Peder se tenait si dignement à la barre du *Herald*, à son entrée dans le port la semaine précédente ! C'était un homme dans toute sa virilité. Bien qu'Elsa fût déjà de haute stature, il la dépassait de plusieurs centimètres. Ses longs cheveux bruns légèrement ondulés, parcourus de mèches blondies par le soleil comme c'est souvent le cas chez les marins, lui donnaient un air désinvolte. Il s'était absenté durant un an. Son visage avait mûri. Les rides de ses yeux s'étaient creusées, et sa peau était maintenant d'une belle couleur bronzée. Comment une telle joie pouvait-elle être accompagnée d'une telle douleur ? Comment pourrait-elle, auprès de lui, quitter toute sa famille et le seul chez-soi qu'elle ait jamais connu durant les vingt années de sa vie ?

Elsa regarda vers l'ouest, puis vers l'est, implorant Dieu en silence.

« S'il te plaît, Père, dis-moi que j'ai pris la bonne décision, dis-moi que c'est bien. »

C'était une nuit sans lune, mais Elsa n'avait pas besoin de lumière. Elle connaissait le paysage par cœur. Un million d'étoiles scintillaient bien au-dessus des montagnes qui surplombaient Bergen ainsi que la côte sombre et sinueuse de Byfjorden. En contournant l'affleurement d'un rocher, elle put apercevoir en contrebas la vieille ville de Bergen, ses lumières chaleureuses qui vacillaient doucement. La ville avait déjà été le plus gros port commercial de la Norvège, surpassant même Copenhague au Moyen Âge. Depuis quelques années, ses activités avaient ralenti, il y avait eu un déplacement du trafic maritime, et Bergen en était réduite à trouver sa voie dans une nouvelle ère.

Silencieusement, Elsa et son père atteignirent leur lieu de destination, une grosse pierre plate sur laquelle ils s'assirent avant de lever les yeux au ciel. Les deux s'étaient déjà déplacés un nombre incalculable de fois à cet endroit, qu'Elsa avait surnommé « Notre rocher » alors qu'elle était une enfant. Son père, un homme mince de qui Elsa avait hérité l'ossature, prit la douce main de sa fille dans sa propre main flétrie, déformée par l'arthrite. Elsa songea que si elle avait pu voyager dans le temps quarante ans en arrière, leurs doigts auraient été presque identiques : longs et minces, mais solides. Parfaits pour une carrière de charpentier de marine, l'emploi que son père avait occupé durant des décennies, à imaginer, à concevoir et à construire des bateaux. Le désir qu'elle avait de faire ses propres plans — ou quoi que ce soit d'autre, en fait — la saisit alors qu'elle observait les étoiles. Mais son destin en avait décidé autrement. Elle allait devenir madame Peder Ramstad, et c'est sous ce titre qu'elle allait s'épanouir. Pourtant, les bateaux dans le port l'interpellaient. Plusieurs vaisseaux majestueux y étaient ancrés, et Elsa les voyait en imagination, braves et redoutables, fendre les pires vagues de cyclone…

Son père s'éclaircit la gorge comme s'il allait parler, ce qui eut pour effet de ramener Elsa à la réalité du moment. Comment pouvait-elle quitter son cher vieux père ? Son cœur menaçait de se briser à cette idée. Mais pourquoi ses parents ne pouvaient-ils pas les accompagner en Amérique ? Pourquoi, pour aimer quelqu'un d'autre, devait-elle quitter les personnes qu'elle aimait ?

Elsa l'entendit inspirer, puis, après un moment, soupirer profondément. Vieux concepteur de bateau qui avait épousé sa Gratia bien-aimée des années après la plupart des couples, Amund Anders avait fondé sa famille à un âge tardif. En quelque sorte, Elsa savait intuitivement que c'était donc plus difficile pour lui de laisser aller un membre de sa progéniture. Et elle allait partir. Son cœur se remit à battre trois fois plus fort en y pensant. Elle serait mariée dans deux jours. Et le jour d'après, Peder et elle s'embarqueraient pour l'Amérique.

Son père essaya une autre fois de lui faire entendre raison.

— Elsa, ma douce, de nombreux dangers t'attendent. Es-tu certaine d'emprunter le bon chemin ?

— Aussi certaine que je puisse l'être, papa. Je sais que j'aime Peder de tout mon cœur.

Amund se racla la gorge, puis resta silencieux un moment. Il ajouta ensuite :

— L'amour constitue certes un noble sentiment dans le cœur de la jeunesse. Mais ce n'est pas toujours la meilleure boussole pour ce qui est de trouver le cap. Cette..., continua-t-il en cherchant le mot juste, fièvre de l'immigration, c'est comme la petite vérole. Elle menace Bergen à la manière des vilaines cloques que dépose cette maladie sur la peau.

— Ou peut-être s'agit-il simplement de la fièvre scarlatine, répondit Elsa avec précaution, qui fait apprécier différemment la vie lorsqu'on en guérit.

Il hocha la tête, savourant la plaisanterie de sa fille. Elsa savait que leurs joutes verbales manqueraient à son père. Sa sœur aînée, Carina, semblait nullement capable de la moindre réflexion, tandis que sa sœur cadette, Tora, était toujours trop occupée pour prendre le temps de profiter des plaisirs d'une conversation et d'une discussion.

— Papa, reprit-elle en observant de nouveau le ciel, je dois savoir : avez-vous des griefs contre Peder ?

— Si j'ai des griefs, se moqua-t-il. Je n'aime vraiment pas qu'il m'enlève ma fille chérie. Je n'aime vraiment pas m'imaginer que tu ne seras pas à mes côtés pour prendre soin de moi dans ma vieillesse. Mais pour ce qui est de ce garçon comme tel ? Je n'ai aucun grief contre lui. Ce garçon... cet homme est pour moi un fils, dit Amund en se tournant vers Elsa pour lui prendre la joue dans sa main. Je suis si heureux pour toi, Elsa. Je suis content que tu aies trouvé ton bien-aimé, comme moi j'ai jadis trouvé ta mère. Mais permets-moi d'avoir de la peine. Je te promets que le jour de ton mariage, je célébrerai votre union et cesserai d'être triste. Mais ce soir, laisse s'il te plaît un vieil homme éprouver un peu de chagrin.

Une grosse boule se forma dans la gorge d'Elsa, et des larmes lui montèrent aux yeux. Comment savoir si elle prenait la bonne décision ? Connaissait-elle vraiment encore Peder ? Enfants, ils étaient inséparables, mais il avait tout de même passé les dix dernières années en mer. Pourtant, quand il était rentré, tous les vieux sentiments étaient remontés à la surface, avec cette fois-ci quelque chose de plus. Leur amour, construit sur une amitié de toujours, était empreint d'une maturité et d'une solidité qui s'étaient davantage développées au cours des trois dernières années à la faveur des lettres qu'ils s'échangeaient régulièrement. Oui, Peder était l'homme de sa vie, son bien-aimé.

— Vous n'avez pas repensé à l'idée de nous accompagner, dit-elle prudemment.

— Non. Tu connais mes sentiments, ma fille. C'est ici, à Bergen, que je suis né. C'est ici que je vais mourir. Ta mère, tes sœurs et moi sommes là où nous devons être. Toi, ma douce, tu as été appelée à suivre un chemin différent.

Elsa connaissait la réponse de son père par cœur. Il l'avait formulée trois années auparavant lorsque leur pasteur, Konur Lien, avait proposé pour la première fois de partir en grand groupe vers la « nouvelle terre promise », comme il disait. Ensemble, ils seraient plus forts, ils connaîtraient le succès. Il avait agité une lettre de Peder, dans laquelle celui-ci promettait de les emmener en Amérique. Leur date de départ avait été prévue pour juin 1880. L'arrivée de cette lettre avait jeté l'émoi dans toute la ville, en raison non seulement de la proposition qu'elle renfermait, mais aussi de l'audace pure et simple que manifestait ce commandant en second désireux de devenir capitaine.

Les gens s'étaient mis à affubler Peder Ramstad du surnom de « prétentieux futur capitaine ». Elsa l'avait défendu, le nez en l'air comme pour leur signifier qu'ils ne savaient pas de qui ils parlaient, mais elle s'inquiétait secrètement qu'ils aient raison. Qu'était devenu Peder ? Et ses mots tendres, écrits d'une calligraphie assurée, masculine, témoignaient-ils d'une fantaisie passagère ou d'un amour bien enraciné ? Graduellement, Elsa avait puisé de la force dans sa confiance en l'homme qui trouvait le moyen de rentrer chez lui pour venir la visiter au moins une fois par année. Tout de même, elle avait attendu et s'était posé des questions durant des années en observant la mer, espérant chaque jour, en dépit de tout, que Peder rentrerait pour de bon ou qu'il l'emmènerait avec lui la prochaine fois qu'il partirait.

— Quels sont tes souhaits pour l'avenir, mon enfant ? lui demanda son père, interrompant ainsi ses rêveries.

— Mon avenir ? dit-elle, prenant une pause pour réfléchir avant de répondre. Un mariage heureux avec Peder, beaucoup d'enfants, un bon chez-soi.

« Et peut-être une carrière, comme charpentière de marine ou artiste », songea-t-elle silencieusement, incapable cependant de le dire de vive voix.

La carrière d'une femme n'était jamais sujet de conversation chez les Anders. Elle soupira. Peut-être ne serait-ce pas bien vu non plus dans la maison de Peder.

— Ce sont de nobles aspirations, acquiesça-t-il. Tu vas nous rendre fiers, ta mère et moi.

Ses inhabituels compliments firent encore une fois monter les larmes aux yeux d'Elsa. Elle le regarda de côté et essaya de deviner ses sentiments à son expression, mais il faisait trop sombre.

Soudainement, une lumière verte rayonna à l'horizon, éclairant toute la chaîne de montagnes.

— Papa, regardez !

D'autres lumières jaillirent, laissant échapper vers le sud, en direction d'Amund et d'Elsa, des rayons entrecoupés de vagues de rouge et de violet, rappelant à cette dernière l'irisation de l'intérieur d'un coquillage. Ce mouvement de va-et-vient lumineux avait l'aspect d'une petite vague qui peine à gravir le sable d'une plage dans un mouvement de flux et de reflux.

— Ah oui ! cria son père qui, bondissant sur ses pieds, entreprit de se livrer à une petite gigue. Ça ne pouvait mieux tomber que ce soir. Te souviens-tu de ce que je te racontais quand tu étais petite ?

Elsa se mit debout à côté de lui et plaça son bras autour de la taille de son père.

— Oui. Vous disiez que ces lumières représentaient un message chuchoté par Dieu à mon endroit.

— Oui, acquiesça-t-il en hochant la tête. Elles sont un aperçu de la splendeur du paradis.

Il était maintenant davantage visible, dans cette douce lumière nordique. Des larmes scintillantes coulaient sur chacune de ses joues usées, et lorsqu'elle les vit, Elsa sentit sa gorge se serrer d'émotion.

Ils restèrent debout en silence un moment à observer le fjord qui réfléchissait, en des teintes surnaturelles, les aurores boréales.

— Je vais toujours chérir ces souvenirs, ma fille. Merci de remplir de joie la vie d'un vieil homme.

— Oh, papa…

— Souviens-toi de ton vieux père lorsque tu reverras ces lumières, d'accord, Elsa ?

— À condition que vous vous souveniez vous aussi de moi.

Il se tourna vers elle.

— Elsa, je ne passerai jamais une journée sans penser à toi. Je vais quotidiennement prier pour toi et les tiens, tout comme ta maman.

— Et je ferai de même pour vous.

Le père et la fille s'enlacèrent tandis que là-haut, très haut dans le ciel, les aurores boréales continuaient à danser au-dessus d'eux.

Kaatje Janssen souriait en pensant à ses amis chers qui se mariaient le lendemain, aux belles aurores boréales dont elle avait été témoin la veille avec son mari, elle et lui étendus sous le ciel d'une nuit printanière, et au sermon que le pasteur Lien prononcerait le matin même. Ce serait son dernier sermon à Bergen. Après avoir terminé ses tâches dans la cuisine, au moment de se préparer en vue de la messe à l'église, elle caressa ce léger renflement sous son tablier. Son ventre durcissait et ses hanches élargissaient de jour en jour. La veille, elle aurait juré que son mari découvrirait finalement de ses chaudes mains amoureuses le précieux secret qu'elle portait en elle.

Elle n'avait pas manqué de prier le Père céleste pour que Soren soit enchanté d'apprendre la nouvelle ! Peut-être était-ce exactement ce dont ils avaient besoin pour solidifier leur mariage. Soren cesserait peut-être alors de faire les yeux doux auprès des premières filles venues. Elle avait fini la vaisselle du petit déjeuner et essuyé ses mains sur son tablier, souriant encore tandis que ses doigts effleuraient son ventre. C'est aujourd'hui qu'elle allait informer son mari. Si elle attendait qu'ils soient à bord du bateau, il serait peut-être fâché.

En vidant à l'extérieur de leur petite chaumière son seau en bois rempli d'eau de vaisselle, Kaatje jeta un coup d'œil vers la grange, située juste derrière la maison. Son douillet chez-soi et leur petite ferme allaient lui manquer, mais Soren et elle avaient à n'en pas douter besoin d'un nouveau départ, pour eux-mêmes et pour leur bébé. Une fille ? Ce serait bien. Mais ce serait également si utile d'avoir un garçon qui pourrait aider son mari à labourer la terre de cette nouvelle contrée dont on disait qu'elle était aussi fertile que celle de l'éden. Au moins, un garçon pourrait aider dans cinq ou six ans. Mais elle voyait trop loin. Pour l'instant, il lui fallait trouver Soren !

En souriant, elle s'attacha les cheveux, qu'elle avait d'un blond crémeux, et se dirigea vers la grange pour aller chercher Soren. Il ne lui restait que quelques minutes pour se laver et se changer avant qu'ils ne se rendent tous les deux à l'église. En fredonnant, elle s'avança sur l'herbe, sentant contre sa peau les froides et humides brindilles qui en ce printemps montaient plus haut que ses pantoufles. De faibles voix en provenance de la grange la firent s'arrêter subitement. Elle avala de travers.

Un petit gémissement, un rire coquin. La voix rauque de Soren, comme celle qu'il faisait entendre lorsqu'il désirait Kaatje. Non.

« S'il vous plaît, Seigneur, mon Dieu. Pas encore. »

S'armant de courage, elle saisit la porte de la grange et l'ouvrit. Les craquements et grognements qui en résultèrent firent cesser les bruits et les mouvements du couple, tandis que Kaatje balayait des yeux l'intérieur sombre du bâtiment, luttant pour s'habituer à la faible lumière. Ce qu'elle vit confirma ses pires craintes. Dans une stalle, son beau Soren, l'homme à qui aucune femme ne semblait pouvoir se refuser, se tenait tout près de Laila, qui regardait Kaatje d'un air horrifié. Les bretelles de son tablier de traite lui tombaient des épaules, ses cheveux noirs s'étaient dénoués. Kaatje ne mit qu'une demi-seconde à comprendre ce qui s'était passé.

— *Elskling!* commença Soren, tout à fait consterné. Mon amour, ce n'est pas ce que tu crois.

En trois puissantes enjambées, il parcourut la distance le séparant de Kaatje, qui ne trouvait plus la force de bouger. Elle se sentait engourdie comme un oiseau gelé dans la neige. Il avait mis les mains sur ses épaules, puis il lui avait saisi les bras, comme s'il avait l'intention de la retenir sur place jusqu'à ce qu'elle comprenne. Mais elle comprenait. Elle ne comprenait que trop bien.

— Oh, Soren, fit-elle en soupirant.

Kaatje leva la tête pour apercevoir ses yeux bleus flamboyants, habituellement si brillants et gais. Mais son regard révélait cette fois qu'il était déjà prêt pour la dispute qui allait certainement éclater. Un soudain accès de fureur sortit Kaatje de sa rêverie.

— Tu m'avais dit que c'était terminé ! Qu'il n'y en aurait plus jamais d'autres ! lança-t-elle, voulant lui cracher au visage et se débattant pour se libérer de ses larges mains. Lâche-moi ! Tes mains sont souillées ! Tu ne mérites pas de me toucher !

Ses mots semblaient avoir brisé l'armure de son mari, dont les joues d'abord devenues rouges dans l'énervement de la situation passèrent soudain au gris pâle. Il baissa la tête et la regarda comme un écolier pris en faute sur le point de se confesser à sa maîtresse. Il savait que cet air faisait toujours fondre le cœur de Kaatje. Des larmes apparurent dans ses cils.

— Tu as raison, *min kœre*, dit-il humblement.

Derrière lui, Laila s'était esquivée furtivement par la porte, avant de partir en trombe jusque chez elle. Elle avait à peine plus de seize ans, quatre de moins que Soren et Kaatje, mais l'âge ne semblait pas importer pour ce dernier. Il avait en lui la force du vent, capable semble-t-il de faire tomber à sa guise les cœurs des femmes, d'entourer ces dernières, de les attirer et de les libérer de leurs amarres. Et il semblait avoir une nette préférence pour les brunettes.

— Non, dit Kaatje en repoussant des mèches de son visage, c'est fini, Soren. Je ne te pardonnerai pas, dit-elle en secouant la tête comme pour rire d'elle-même. Quand tu as voulu engager une trayeuse, j'ai combattu mes sentiments pour ne pas succomber à mes peurs et à mes doutes. Mais j'avais tort ! Ce n'était pas des peurs... c'était Dieu ! Le Seigneur essayait de m'avertir que tu ne peux résister à l'attrait de la moindre femme à portée de vue ! Pour que tu puisses me rester fidèle, il nous faudrait être tout seuls à cent, non, à mille kilomètres à la ronde !

Elle se retourna et s'éloigna de lui à pas lourds, les larmes l'empêchant de bien voir où elle marchait.

« Pas encore, Seigneur ! Je ne peux pas le supporter ! »

— Kaatje ! cria Soren, sa voix se brisant comme celle d'un enfant effrayé.

Un moment plus tard, il la reprenait dans ses bras. Il parlait d'un anglais laborieux alors qu'elle se débattait pour s'éloigner.

— Je suis désolé ! Je suis si désolé ! Je ne sais pas quel est mon problème ! C'est comme une maladie ! Je suis malade. Tu dois m'aider à guérir.

En larmes, il se mit à genoux devant elle, ses boucles blondes appuyées contre l'abdomen de sa femme. Kaatje, qui tremblait toujours de colère, résista à l'envie de lui caresser la tête. Soren en revint au norvégien pour la supplier de lui pardonner.

— S'il te plaît, Kaatje. S'il te plaît, pardonne-moi. Tout ira mieux, en Amérique. Je te le promets. S'il te plaît, s'il te plaît.

Ses sanglots et leur langue maternelle — qu'ils ne parlaient à peine plus qu'à la maison depuis qu'ils s'étaient engagés à partir pour l'Amérique et qu'ils avaient commencé à suivre des cours d'anglais — déchirèrent le cœur de Kaatje d'une manière qu'elle n'avait jamais éprouvée. Elle ne l'avait jamais vu aussi complètement désespéré. Tout en elle l'incitait à le réconforter. Mais il avait mal agi, après tout ! Était-ce simplement une nouvelle tactique ? Juste à ce moment-là, elle aperçut la silhouette de Laila qui disparaissait au loin au sommet d'une colline. Kaatje tenta de se dégager des mains de Soren, impatiente de s'éloigner de lui.

Mais il était trop tard. Les yeux de Soren s'illuminèrent derrière les larmes, et il regarda Kaatje avec émerveillement. Elle fit un autre faible effort pour se libérer, mais sa force semblait l'avoir quittée. Elle avait attendu si longtemps le bonheur de cet instant ! Les larges mains inquisitrices de son mari se promenaient sur son ventre. Soren cherchait à deviner, à comprendre. Il la regarda une autre fois dans les yeux, et il eut dès lors la réponse à toutes ses questions.

Soren se remit debout en poussant un immense cri de joie, puis il se pencha pour la soulever dans les airs, la faisant tournoyer jusqu'à ce qu'elle se sente étourdie. Son exubérance fit fondre la colère qu'elle avait ressentie. Un sourire inattendu se dessina sur ses lèvres.

— Soren, dépose-moi, dit-elle avec lassitude.

— Oh, oui, oui, dit-il d'un air penaud, obéissant immédiatement. Je dois faire attention à toi. À vous deux.

Elle détourna le regard — mal à l'aise de lui pardonner encore une fois —, et comme elle s'apprêtait à se diriger vers la maison, Soren la reprit dans ses bras. Kaatje céda à son étreinte, désirant tristement être rassurée, auprès de lui. La tête contre sa poitrine, Kaatje ne put retenir ses larmes lorsque que Soren lui promit encore une fois fidélité éternelle.

— Père, vous devez me laisser partir, pesta Tora Anders en faisant les cent pas tandis que son père, assis à la table du petit-déjeuner, buvait sereinement son café.

Elsa ferma derrière elle la porte de leur modeste maison et demeura silencieuse à écouter sa sœur et son père ressasser une querelle devenue courante. Il était inutile de tenter de traverser furtivement la pièce sans les déranger. L'entrée avant était visible de la cuisine, et tant son père que Tora avaient aperçu Elsa.

— Non, Tora. Tu as seize ans et tu vas faire ce que je te demande jusqu'à ce que tu te maries et que tu aies un bon époux pour prendre soin de toi. Je ne t'enverrai pas là-bas seule et sans surveillance adéquate.

— Sans surveillance adéquate ? Et Elsa ? cria Tora en faisant un geste en direction de la porte, où se trouvait toujours sa sœur plus âgée. Je ne connais personne de plus adéquat.

« Ah, pensa Elsa en dissimulant un petit sourire, elle a changé de tactique. »

Tora avait d'abord tenté d'amener son père à partir avec toute la famille, puis elle avait essayé de le convaincre qu'elle était assez vieille pour s'occuper d'elle-même. Elle avait maintenant choisi une nouvelle stratégie — le persuader de la confier aux bons soins d'Elsa, une pensée qui faisait auparavant frissonner Tora.

Silencieusement, Elsa observait le père et sa fille. Tora avait hérité de la peau olive de papa et de ses cheveux châtain foncé de l'époque de sa jeunesse, ainsi que de ses grands yeux expressifs souvent plus éloquents que des mots. Dans ceux de son père, Elsa voyait un nuage d'orage menaçant qui réussissait toujours à la faire changer d'idée. Mais pas Tora, qui ne se laissait jamais démonter.

— Nous n'allons pas encore en reparler, Tora. J'ai pris ma décision.

— Tu as pris ta décision? dit Tora d'une voix forte et aiguë.

Elle était debout, les mains sur les hanches. Sa peau avait blêmi, et, par contraste, ses cheveux semblaient prendre la couleur de la nuit. Sa sœur et elle n'avaient qu'un trait physique en commun : des yeux d'un bleu étonnant hérités de leur mère. Maintenant que Tora était fâchée, ils semblaient avoir la couleur d'une mer d'hiver déchaînée.

— Comment pouvez-vous décider? Je partirai peut-être tout de même, malgré votre décision. Que diriez-vous de ça? le défia-t-elle en rejetant sa tête vers l'arrière.

Son père se leva d'un bond, renversant sa chaise. Même après des années passées penché sur ses dessins, il avait conservé une stature forte. Tora resta sur ses positions, le défiant ouvertement du regard. Ce fut à ce moment que leur mère choisit d'entrer dans la cuisine et de se glisser doucement entre les deux.

— Tora, mon ange, la raisonna Gratia, je sais que c'est difficile pour toi. Mais Elsa va commencer une nouvelle vie. Elle doit passer quelque temps seule avec Peder avant d'assumer des responsabilités familiales, expliqua-t-elle, avant que son visage ne prenne soudain un air joyeux. De plus, elle aura peut-être bientôt un bébé. Elle ne peut s'occuper de toi en plus.

— Ha, lança Tora, frustrée, serrant fort les poings à s'en blanchir les jointures. Vous me traitez tous comme une enfant! Je vais aller en Amérique. Vous allez voir. J'irai d'une façon ou d'une autre!

Sur ces mots, elle sortit en contournant sa sœur et claqua la porte derrière elle.

La mère d'Elsa soupira, et son père s'assit lourdement.

— Elle est incroyable, celle-là, dit Gratia, comme si elle commentait les tactiques espiègles d'elfes plutôt que celles de leur fille.

— Je devrais peut-être lui permettre d'y aller pour que je puisse mieux dormir la nuit, commenta Amund, le regard noir. Mais qu'ai-je donc fait au bon Dieu pour devoir élever trois filles ? demanda-t-il en gesticulant vers le plafond.

Sa femme l'ignora.

— Venez, dit-elle, s'adressant tant à lui qu'à Elsa. Nous devons y aller si nous voulons arriver à l'église à temps. Bon, où est Carina maintenant ?

— Puis-je conduire, père ? demanda Peder Ramstad en touchant doucement l'épaule de Leif Ramstad.

Leif se tourna vers son fils, le regarda droit dans les yeux, puis il fit un bref signe d'approbation. Se penchant pour éviter le toit à franges, il monta immédiatement dans le deuxième magnifique grand siège du surrey, où s'étaient déjà installées sa femme, Helga, et leur fille, Burgitte. Ils étaient tous habillés élégamment, comme il fallait s'y attendre des membres d'une riche famille de Bergen le dimanche matin. Le frère aîné de Peder, Garth, fils héritier de l'empire maritime des Ramstad, s'assit à l'avant avec Peder.

— C'est ta dernière journée à la maison, hein, petit frère ?

Il lui tapa le dos tandis que Peder secouait les rênes pour faire avancer d'un trot rapide l'attelage de deux hongres vers l'église.

Derrière eux se trouvait la grande demeure familiale située en bordure des chantiers navals, face à la mer du Nord. Peder se retourna pour jeter un coup d'œil à la maison, qui avait été construite à l'italienne au retour d'un voyage inspirant de son père en Europe. Peder riait en songeant que chez lui, il s'ennuyait de la mer, alors que lorsqu'il traversait le Pacifique, l'Atlantique, l'océan Indien ou qu'il était ailleurs, ses pensées le ramenaient souvent à la maison. En mer, il pouvait mentalement se représenter la toiture basse et les avant-toits en surplomb avec leurs consoles décoratives, la tour de l'entrée, les fenêtres rondes aux moulures de bois, le porche en forme d'arche et sa chambre au deuxième étage.

C'était dans cette chambre qu'il avait observé, alors jeune garçon, la construction et la mise à l'eau d'impressionnants bateaux aux chantiers Ramstad, à bord desquels il aurait chaque fois souhaité s'embarquer. Au cours de la dernière décennie, c'est exactement ce qu'il avait fait. Maintenant, à vingt-quatre ans, à un âge exceptionnellement jeune, il avait atteint son deuxième objectif : devenir capitaine de son propre bateau. Et il avait réussi cet exploit en refusant obstinément un poste à bord de tout bateau Ramstad ; il n'avait jamais voulu que qui que ce soit puisse attribuer son succès à autre chose que son dur labeur et des récompenses bien méritées. Le *Herald*, un clipper trois-mâts, était fièrement amarré aux quais de Bergen, attendant les émigrants qui partiraient avec l'équipage deux jours plus tard pour l'Amérique. Mais le passager le plus important serait sa femme.

Il sourit en s'emplissant les narines de cet air doux réconfortant de la côte tandis que le surrey filait sur la route de macadam qui menait à la ville. Il semblait qu'Elsa Anders n'avait jamais quitté ses pensées. Comme pour la maison de son enfance, il était irrésistiblement attiré par Elsa. Au cours de toutes ces années qu'il avait passées loin de Bergen, elle avait meublé ses nuits de rêves extravagants. En mer, lors des longues périodes dans les régions de brumes opaques, Peder avait rempli ses journées en faisant des plans précis pour l'avenir. Dans les eaux calmes, observant la mer une fois passés les quarantièmes rugissants, il avait imaginé sa bien-aimée en sirène, ses blonds cheveux soyeux ondulant magnifiquement de chaque côté de son visage sculptural, ses yeux bleus rappelant la mer autour d'elle, lui faisant signe de la rejoindre. Il avait décidé il y a bien longtemps de rentrer à Bergen pour proclamer qu'Elsa serait désormais sienne. Mais pas avant d'avoir atteint un poste important. Pas avant d'être capitaine et de pouvoir lui bâtir une maison décente. Il avait tellement prié pour que le cœur d'Elsa ne se mette entre-temps à pencher pour quelqu'un d'autre !

Peder était rentré aussi souvent qu'il l'avait pu, s'embarquant sur des bateaux dont les routes faisaient escale à Bergen. Et chaque fois, il avait trouvé Elsa plus belle que dans ses souvenirs, tant intérieurement qu'extérieurement. Il était parti la dernière fois un an plus tôt, lui promettant de revenir juste pour elle comme capitaine de son propre bateau. Les autres avaient ri, mais pas Elsa, sa bien-aimée. Elle avait acquiescé d'un signe de tête en disant : « Je te reverrai à ce moment-là, mon futur mari. » Le secret était ensuite resté le leur jusqu'à une quinzaine de jours plus tôt. C'était à ce moment que tout Bergen avait appris que le capitaine était revenu pour sa fiancée.

La voix bourrue de Leif sortit Peder de ses rêveries.

— Tu ne devrais pas repartir, mon fils. Tu as fait tes voyages et vécu tes aventures. Garth pourrait mettre à profit aux chantiers Ramstad ton expérience en mer. Ensemble, entre frères, vous pourriez mener l'entreprise vers de nouveaux sommets.

Peder jeta un coup d'œil à Garth, qui croisa son regard. Il s'adressa par-dessus son épaule à son père, tout en continuant de conduire :

— Garth en sait bien assez pour diriger l'entreprise familiale. Et autant j'aimerais diriger mes propres chantiers navals, autant je veux que ce soit en Amérique. Père, vous devriez voir ce pays...

— Pff, s'exclama son père. Qu'est-ce que l'Amérique peut offrir de plus que Bergen ? Ici, nous avons un port de plus de quatre cents ans. Là-bas, le pays est à peine centenaire. Qui peut avoir confiance en un gouvernement aussi jeune ?

— Les gouvernements vont et viennent, comme nous l'avons vu ici, répondit Peder. Moi, je vous le dis, j'adore la constitution démocratique des États-Unis, et je donnerais ma vie pour la liberté qu'on y trouve, expliqua-t-il en déglutissant, avant de continuer sur un ton plus bas. Je veux faire quelque chose par moi-même, père. C'est ce que j'ai toujours voulu. J'ai d'abord été capitaine de mon propre bateau. Je veux maintenant bâtir d'autres chantiers Ramstad. En Amérique. Je vais vous rendre fier, père, tout comme Garth continuera de vous rendre fier ici.

Garth donna une tape sur l'épaule de Peder en arborant un sourire compréhensif.

— Je t'envie, petit frère. Une telle liberté.

Leif grogna sur le siège arrière.

— Vous n'êtes pas conscients de ce que vous avez, jeunes hommes. Lorsqu'Amund, Gustav et moi étions en mer, nous devions réfléchir sur la manière de fonder notre propre entreprise alors que nous n'avions rien. Vous, au moins, vous avez déjà le pouvoir et l'argent. C'est là un avantage que j'envie. Pas la liberté.

— Et pourtant, vous êtes un vieil homme qui a eu sa part de liberté, intervint la mère de Peder, Helga, une femme forte et robuste qui avait beaucoup à voir dans le succès des chantiers Ramstad.

Elle se pencha entre ses deux fils à l'avant, posant une main sur chacun.

— Il parle comme un grand homme, mais il a déjà eu des rêves aussi frivoles que ceux d'un enfant.

Leif émit un son étouffé d'indignation pendant que le reste de la famille s'esclaffait. Sous des dehors rudes, le grand homme était aussi doux et tendre qu'une vieille dame aimante.

— Au moins, vous, les hommes, vous avez le choix de partir ou non, dit Burgitte, s'immisçant dans la conversation. Je trouve très injuste d'avoir à attendre qu'un homme m'emmène.

— Te connaissant, Burgitte, dit Peder en souriant, tu vas trouver l'homme parfait qui t'emmènera exactement là où tu veux aller.

— Oui, renchérit Garth en se tournant. Toi, ma petite sœur, tu es aussi faible et idiote que notre chère mère.

Souriant à son tour, Burgitte repoussa la main de son frère, qui menaçait de la pincer.

— Je sais ce que je veux. Est-ce un péché ?

— Oh non, répondit Peder en apercevant sa fiancée dans la cour de l'église. Au contraire. C'est une qualité.

Karl Martensen prit le beurrier en bois courbé des mains de son père, puis étendit le mélange blanc et crémeux sur les petits pains fraîchement sortis du four qu'avait fait cuire sa mère. Sonje Martensen finit de déposer la nourriture sur la table et observa son fils de ses yeux vifs.

— Qu'est-ce qui te préoccupe, mon fils ?

— Mère, je ne suis pas un enfant. Je suis un homme de vingt-quatre ans.

Sa mère continua de l'examiner tandis qu'il regardait ailleurs. Il savait qu'elle mémorisait ses traits comme si elle n'allait plus jamais le revoir. Les trois Martensen avaient tous une ossature robuste et les cheveux d'un blond cendré, mais c'était à son père, Gustav, que Karl ressemblait le plus. Ce dernier jeta un coup d'œil à son père qui, penché sur son assiette, portait silencieusement la nourriture à sa bouche. Il avait l'impression de regarder un miroir qui lui reflétait une image qui serait sienne trente ans plus tard. Il espérait ne pas perdre ses cheveux comme son père. Le nez de Gustav s'affaissait un peu à son extrémité, et ses joues tombaient comme si elles étaient lourdes. La mère de Karl, même si elle montrait elle aussi des signes de vieillesse, avait encore néanmoins de rondes joues roses et de fines rides de sourire autour des yeux et de la bouche. Karl promenait son regard d'un parent à l'autre. Il espérait tenir de sa mère plutôt que de son père en vieillissant.

« Je dois sourire davantage », se reprocha-t-il intérieurement.

Comme s'il désirait commencer tout de suite à suivre cette résolution, il sourit à dessein et demanda :

— Allez-vous toujours me considérer comme un petit garçon ?

— Oui, mon fils, répondit Sonje en se penchant vers lui pour lui prendre doucement le bras. Tu vieillis, mais moi aussi. Alors, je me sentirai toujours vieille et toi toujours jeune, expliqua-t-elle avant de prendre un air sérieux. Dis-moi donc ce qui te préoccupe.

Une image d'Elsa Anders lui traversa rapidement l'esprit. Elle se tenait sur la montagne de la péninsule lorsque Peder et lui avaient fait accoster le *Herald* au port. Même de loin, Karl avait reconnu sa stature fière et ses cheveux dorés qui flottaient au vent, une cape bleu foncé sur les épaules pour se protéger de la fraîche brise du large en cette soirée de début d'été.

« Disparais de mes pensées », se dit-il, soucieux de chasser cette image.

« Disparais. »

Il se concentra plutôt sur l'instant présent.

— C'est… c'est juste que…, commença-t-il en cherchant les bons mots, désireux d'afficher une belle confiance, voilà, je me suis converti au christianisme.

Gustav Martensen leva les yeux vers son fils pour la première fois et cessa de mastiquer. Comme dans un geste de dégout, il laissa tomber bruyamment son couteau dans son assiette.

— Jamais un de mes fils ne deviendra un minable chrétien hypocrite à deux visages.

Karl souleva le menton et fixa son père sans cligner des yeux, refusant de détourner le regard comme lorsqu'il y était obligé encore enfant.

— Je suis désolé, père. J'ai bien peur d'être adulte et maître de mes décisions. Et je suis désolé que la foi chrétienne soulève en vous tant de souvenirs de colère. Ce n'est pas ce à quoi vous pensez. Ça n'a rien à voir avec grand-père et ce qu'il était à l'époque. Vous devriez comprendre, puisque vous avez des amis chrétiens tels qu'Amund et Leif.

Gustav se leva, tremblant de rage. Il agita le doigt en direction de son fils.

— Tu ne manqueras pas de respect envers tes parents dans ma maison !

— Je ne veux pas vous manquer de respect, précisa Karl en s'essuyant la bouche avec une serviette en tissu rugueux avant de la déposer méthodiquement à côté de son assiette. Merci pour le petit-déjeuner, mère. Voudriez-vous m'accompagner à l'église ? Il est tard, mais il est toujours possible d'arriver à temps.

Il la regarda, mais elle semblait figée, muette. Il adoucit son regard et son ton.

— Je suis désolé, mère, j'aurais dû vous le dire il y a quelques jours. Mais le moment ne me semblait jamais bon. Nous sommes dimanche, le jour du Seigneur. Je dois faire mes dévotions.

Son père lui jeta un regard noir comme s'il voulait lui cracher au visage. Ses traits se déformèrent tandis qu'il essayait de trouver les bons mots.

— J'ai toujours regretté n'avoir qu'un fils. Maintenant, je sais pourquoi. Je n'aurais pas couru le risque de ne plus en avoir aucun lorsque mon seul et unique garçon m'aurait déshonoré.

Sur ces paroles, il sortit, faisant claquer la porte de la maison derrière lui.

Karl ferma les yeux.

« Père céleste, laisse-moi le comprendre et l'aimer malgré tout, pria-t-il. Fais un geste vers lui. Touche-le au cœur comme tu l'as fait avec moi. »

Lorsqu'il rouvrit les yeux, il vit le doux regard de sa mère.

— J'ai déjà été chrétienne, commença-t-elle.

Chapitre 2

ELSA OBSERVA DU COIN DE L'ŒIL LA FAMILLE RAMSTAD QUI ARRIVAIT dans son élégant surrey, ne manquant pas de remarquer le luxueux cuir marocain et le riche satin de la voiture. Le père de Peder, Leif, après des années de difficultés financières, cédait fréquemment à de folles dépenses et menait grand train, comme en témoignaient leur maison et leur véhicule. En comparaison, la famille Anders avait toujours vécu plus simplement, acquérant certes une plus grande maison une fois les filles devenues grandes, mais ne vivant jamais au-dessus de ses moyens. Les Anders n'étaient pas aussi à l'aise que les Ramstad, car même si le père d'Elsa avait toujours été partenaire au sein de l'entreprise de son ami, ses actions se limitaient à dix pour cent. Comment Elsa, en tant qu'épouse de Peder, saurait-elle composer avec la fortune des Ramstad ?

Elle se passa nerveusement les doigts dans ses longs cheveux, attachés sur le dessus de la tête, mais qui tombaient librement à l'arrière. À la vue de Peder, Elsa sentit son cœur s'emballer et un petit frisson lui parcourir l'échine. Le lendemain, cet homme magnifique au large sourire serait son mari !

Kaatje Janssen s'approcha d'Elsa et lui serra la main. Elsa baissa les yeux vers son amie, puis regarda de nouveau Peder.

— Oh, Kaatje, comment puis-je être si chanceuse ?

— C'est un homme merveilleux. Je suis si heureuse pour toi, mon amie.

Quelque chose dans la voix de Kaatje attira l'attention d'Elsa. Qu'était-ce ? Du chagrin ? Non, Kaatje souriait légèrement, comme si elle détenait un secret.

— Qu'y a-t-il, Kaatje ?

— J'ai du nouveau, dit-elle, souriant maintenant jusqu'aux oreilles. J'attends un enfant.

Elsa poussa un petit cri et enlaça son amie, beaucoup plus petite qu'elle.

— Quelle bonne nouvelle ! Une nouvelle vie dans un nouveau pays ! Oh, Kaatje, que pourrait-on demander de plus ? Où est donc ton mari ? Je dois le féliciter !

Elle regarda à la ronde et aperçut Soren en grande discussion avec sa sœur Tora. Ses yeux se plissèrent, et elle jeta un coup d'œil réprobateur à Kaatje.

Cette dernière soupira, faisant immédiatement disparaître son sourire.

— J'entretiens un autre espoir pour l'Amérique, dit-elle si doucement qu'Elsa dut se pencher pour l'entendre. Celui que mon mari cesse de regarder d'autres femmes que la sienne.

Elsa ressentit l'immense chagrin de son amie et se mit à se ronger les sangs pour elle. Elle prit la main de Kaatje.

— Peut-être que cet enfant est précisément ce dont il a besoin. La paternité fera de ton mari un homme, dit-elle. Et peut-être que cet homme sera un meilleur mari.

Leur conversation fut interrompue par l'arrivée de Peder et de Garth.

— Si ce n'est pas ma future belle-sœur ! s'exclama Garth.

Il fit un signe de tête amical à Kaatje, puis prit la main d'Elsa dans les deux siennes, levant un sourcil en direction de son frère.

— Je n'aurais jamais cru que tu te marierais le premier. Ni que tu plairais à une femme sur laquelle j'ai toujours eu un œil.

Elsa sentit la brûlure d'un rougissement dans le cou.

— Oh, Garth, arrête. Tu sais très bien que tu ne m'as même jamais adressé la parole. Tu n'as toujours eu d'yeux que pour Carina.

Garth lui lâcha la main et se mit à chercher la sœur aînée d'Elsa dans la cour de l'église.

— En effet, je l'aime bien, dit-il. Elle est simple. Pas compliquée.

Ses yeux s'adoucirent quand il vit soudain Carina.

Carina le remarquerait-elle un jour ? se demanda Elsa. Sa sœur aînée était difficile à cerner sur tous les sujets, en particulier en amour. Peut-être deviendrait-elle vieille fille, vivant avec leurs parents jusqu'à ce qu'ils meurent.

— J'éprouve comme de l'apaisement auprès d'elle, ajouta Garth. Je peux m'imaginer rentrant chez moi pour la retrouver après une dure journée de travail aux chantiers, et ressentir un sentiment de… tranquillité.

Peder donna une tape sur l'épaule de son frère.

— Continue à rêver ainsi, et nous allons considérer la possibilité de vous inclure tous les deux dans un mariage double demain.

— Ah non, répondit Garth en riant. Ce n'est qu'un rêve de jeune homme. Peut-être un jour. Mais j'ai bien peur que tu sois le seul Ramstad à te marier avant un bon bout de temps, dit-il, regardant de nouveau en direction d'Elsa. Carina dégage une belle tranquillité. Ta vie avec sa sœur ici devant moi sera par contre toute une aventure.

Elsa sourit, se sentant rougir une fois de plus.

Peder déposa une main chaleureuse dans le bas de son dos, et elle le regarda, un peu étonnée de son audace en public.

— C'est ce que j'espère, dit-il. Partir à l'aventure avec ma femme à mes côtés.

— Et moi avec toi, dit-elle en reprenant les mots de Peder.

Après avoir jeté un coup d'œil rapide dans la cour, elle se dressa sur la pointe des pieds et lui donna un baiser furtif.

Le pasteur Konur Lien et sa femme, Amalia, accueillirent Kaatje, Soren et chaque paroissien entrant dans le bâtiment qui servait aussi d'école. Ils reviendraient le lendemain pour le mariage. Kaatje sourit en pensant à Elsa et à Peder. Ils allaient bien ensemble, et leur mariage serait sans aucun doute heureux.

Puis son sourire s'effaça lorsqu'elle songea à sa propre vie de femme mariée. Soren et elle retrouveraient-ils un jour l'équilibre ? Quand ils se furent tous deux assis sur les bancs de bois, Kaatje songea au début de leur histoire. Deux années auparavant, Soren et elle semblaient être tout l'un pour l'autre. De toutes les jeunes femmes qui habitaient dans les maisons des environs de Bergen, dans ces hectares de terres agricoles vallonnées, c'est sur elle que Soren avait arrêté son choix. Elle allait être sa femme. Il avait toujours été populaire auprès des filles, et le cœur de Kaatje s'était emballé lorsqu'elle avait appris qu'il voulait la courtiser. Dans sa naïveté, elle ne s'était jamais doutée qu'elle ne serait pas la dernière.

Kaatje déposa inconsciemment sa main sur son ventre et le frotta en petits cercles. Elle détestait devoir quitter le seul chez-soi qu'elle avait connu, mais le travail à la ferme ne permettait jamais de répit, ni d'aspirer à un meilleur sort. La plupart des fermiers qu'elle connaissait travaillaient jusqu'à ce qu'ils n'en soient plus capables, pour finalement donner la plus grosse partie de leurs revenus à de riches propriétaires qui habitaient au cœur de la ville sans jamais apprécier la beauté de la terre qui les entourait.

En Amérique... en Amérique, une personne pouvait se faire attribuer cent soixante acres. Imaginez ! Le pays lui cédait ce terrain et attendait uniquement de ce nouvel Américain qu'il fasse ce qu'elle et Soren avaient toujours voulu faire : travailler sa propre terre. Kaatje soupira, retrouvant espoir en leur avenir. Cent soixante acres constituaient une bonne distance loin de toute autre femme. Mieux encore, peut-être que les autres colons seraient tous des hommes arrivés avant leurs femmes et familles pour d'abord s'installer sur leurs terres et préparer leur venue.

Le service religieux commença par un cantique d'espoir, dirigé par la douce voix claire de soprano d'Amalia Lien et la tonitruante voix fausse du pasteur. Le pasteur Lien était dans une forme éblouissante, cette journée-là, manifestement excité à l'idée de leur voyage imminent. Peder Ramstad avait judicieusement d'abord vendu au pasteur l'idée d'émigrer, et Konur l'avait à son tour aidé à convaincre une bonne partie de ses fidèles. Même s'ils avaient l'intention de se séparer en deux groupes, l'un devant se rendre dans le Maine pour travailler dans un nouveau chantier naval, l'autre au Dakota du Nord pour travailler la terre, ils partaient ensemble en pensée. Et ça ne pouvait que les rendre plus forts.

— Je sais que mon Rédempteur est vivant... Il vit pour essuyer mes larmes ; Il vit pour calmer mon cœur troublé ; Il vit pour calmer mon cœur tourmenté ; Il vit pour transmettre ses bienfaits.

Kaatje puisa de la force dans les paroles de l'hymne qu'ils chantaient, deux vers en norvégien et deux en anglais. Elle se concentrerait sur l'espoir en l'avenir, sur la promesse de son Rédempteur. Son vrai bonheur reposerait sur ces deux thèmes. Kaatje essuya ses larmes tandis que l'assemblée terminait l'hymne et se rasseyait sur les bancs durs.

— Ce matin, je veux présenter le nouveau pasteur à ceux et celles qui resteront ici. J'ai l'honneur d'accueillir le pasteur Maakestad, qui vient tout juste d'arriver de Christiania.

Les fidèles applaudirent et s'étirèrent le cou pour tenter de bien voir le jeune homme. Il semblait vraiment très jeune comparativement à Konur, âgé de cinquante ans. Il devait tout juste sortir du séminaire, songea Kaatje. Elle trouvait réconfortant que le pasteur qui l'avait baptisée à sa naissance parte avec eux dans leur nouvelle aventure. Ils pourraient encore prier ensemble au Dakota du Nord !

Lorsque le nouveau pasteur prit la parole, Kaatje sentit du chagrin au sein de l'assemblée. La moitié des gens partirait en effet bientôt. C'était triste, mais elle supposa que ça faisait partie de la vie. Encore une fois, elle aurait aimé que ses parents aient été encore vivants pour émigrer avec elle. C'aurait été beaucoup plus facile. Elle eut un pincement au cœur. Qui s'occuperait de leurs tombes ? Qui irait leur parler ? Ses pensées ridicules la firent soupirer. Elle pourrait encore leur parler. Ils l'entendraient tout aussi bien de l'Amérique que de Bergen. Et leurs tombes comptaient-elles vraiment pour eux ? Ils étaient maintenant au ciel ! C'était ce à quoi le Dakota du Nord lui faisait penser — c'était presque le paradis.

Elle repensa aux feuillets sur les chemins de fers américains que Soren lui avait rapportés. À en croire ce qui était écrit, elle n'aurait qu'à planter une graine pour obtenir un jardin ! Comment pourraient-ils échouer sur une terre aussi fertile ? Comment ? Ça semblait presque facile d'y entretenir tout un champ !

Le pasteur Lien lut un passage de la Bible, puis fit un sermon sur les recommencements. Un nouveau départ, songea Kaatje. Ce serait comme un printemps — pour eux deux. Elle jeta un coup d'œil souriant à Soren et vit que les paupières de ce dernier s'alourdissaient, comme à son habitude à l'église. Elle pinça les lèvres et lui donna un coup de coude discret dans les côtes. Parfait, pensa-t-elle avec satisfaction lorsqu'il émit un petit « hein ». Oui, ce serait un nouveau départ pour eux.

Tora se sentit si soulagée à la fin de l'office qu'elle courut presque dans l'allée vers la sortie. Elle avait besoin de se retrouver à l'air libre, de penser clairement, d'élaborer ses plans. Elle était presque rendue à la porte lorsque son amie Laila l'appela.

— Tora !

Elle se tourna, cherchant à voir son amie d'école. Les deux se ressemblaient, avec leurs cheveux foncés et leur visage ciselé. Elles s'étaient souvent fait prendre pour des sœurs. Un bref sentiment de chagrin traversa le cœur de Tora. Laila allait lui manquer. Mais elle écarta immédiatement cette pensée. Laila était une pauvre trayeuse. Elle, Tora Anders, serait un jour une grande dame.

Laila la rejoignit, les joues roses.

— J'ai quelque chose à te raconter, annonça-t-elle, excitée, en prenant la main de Tora.

Le cœur de Tora s'emballa. Elle adorait les secrets, et à en juger le visage de Laila, il y avait beaucoup à dire.

— Viens, dit Tora, qui la fit contourner le groupe rassemblé à la porte sans qu'elles prennent la peine de saluer le pasteur Lien ni le nouveau ministre du culte. J'ai quelque chose à te dire moi aussi !

Elles descendirent les marches en courant, ricanant comme des fillettes de douze ans, et elles s'installèrent sous un énorme pin en bordure de la cour. Laila, les yeux grands ouverts, se tourna alors vers son amie.

— J'ai reçu mon premier baiser ! dit-elle.

Tora sourit, se sentant sage et maternelle.

— Eh bien, il était à peu près temps, je dirais. Qui était-ce ?

Le visage de Laila se décomposa.

— C'est ça qui est horrible.

Tora sentit un frisson lui parcourir le bras et devint encore plus intéressée.

— Allez, dis-le ! Qui était-ce ?

Laila parcourut la cour des yeux et s'arrêta sur Soren Janssen, qui parlait avec d'autres fermiers.

— N'est-il pas... magnifique ? J'adore ses cheveux bouclés et ses larges épaules, et tu devrais voir la manière dont il me regarde avec ses yeux d'un bleu profond !

Tora, tout comme Laila, se mit à observer Soren. Quelques secondes plus tard, celui-ci commença à scruter le groupe de fidèles rassemblés à l'extérieur de l'église. Lorsque son regard tomba sur les deux filles, il fit un sourire discret à l'intention de Laila. Mais Tora sentit qu'il l'étudiait des yeux elle aussi. Un autre frisson lui parcourut le dos, et elle eut un mouvement de tête comme si l'idée même de flirter avec cet homme lui paraissait répugnante.

— Il part, Laila, dit-elle. De plus, il est marié.

— Oui, mais je ne crois pas qu'il aime Kaatje, répondit-elle, la voix pleine d'espoir.

Tora se moqua de sa naïveté.

— Laila, il l'aime. Le problème, c'est qu'il a un penchant pour plus d'une femme.

Laila se tourna vers Tora, les yeux écarquillés.

— Plus d'une? Est-ce possible? Je croyais qu'il m'aimait!

— Non, ma chère, dit-elle, ressentant toute la condescendance qu'elle mettait dans son ton. Tu étais là au bon moment, disponible. Mais il part dans deux jours — avec Kaatje.

Le visage de Laila rougit tandis qu'elle retenait les larmes qui lui montaient aux yeux.

— Mais il a dit que j'étais belle! Comme une pêche mûre!

— Évidemment que tu es belle, Laila, dit Tora, surprise d'éprouver un soudain élan de sympathie envers son amie. Quelqu'un d'autre te découvrira bientôt, tu verras.

Laila se retourna pour cacher les larmes qui lui tombaient en cascades sur les joues. Elle les essuya du revers de la main et hocha rapidement la tête.

— Et toi, qu'avais-tu à me raconter? demanda-t-elle après un moment.

— Je partirai aussi à bord du *Herald*, répondit doucement Tora.

Cette fois, elle soutint avec assurance le regard concupiscent de Soren.

Ce jour-là, un pique-nique avait été prévu après l'office religieux en l'honneur des émigrants et pour célébrer un dernier repas avec ceux qui restaient. Peder, qui avait été invité à prendre son repas avec la famille Anders, n'arrivait pas à cesser de sourire à Elsa.

— Madame Anders, ce repas est délicieux, dit-il en se redressant sur sa chaise, repu et satisfait. Je ne peux qu'espérer que ma fiancée soit aussi bonne cuisinière que sa mère.

— Ah, pff, fit Gratia Anders en agitant humblement la main. Rien n'est plus simple que la préparation de ce pique-nique. Je crois que même Tora pourrait préparer ce genre de repas.

La famille éclata de rire, et Tora, pour une fois, sourit simplement avec les autres. Elle était très aimable aujourd'hui, songea Peder avec soulagement. Elsa lui avait raconté les ennuis que suscitait son envie de vouloir partir avec eux, et il était inquiet. Il ne voulait pas l'avoir sur les bras. Elle ne représentait que des problèmes, contrairement à Elsa. Les yeux de Peder se portèrent encore une fois sur sa bien-aimée. Comment serait-ce de la tenir enfin dans ses bras comme un mari tient sa femme ? Comment serait-ce de vivre avec elle au jour le jour ?

Peder mit un autre morceau de pain nordique dans sa bouche et se leva. Les autres hommes rentraient dans l'église pour leur dernière réunion. Dans deux jours, toutes ces personnes seraient à bord du *Herald*. En tant que capitaine, c'est lui qui dirigeait cette dernière rencontre.

Avant d'aller les rejoindre, Peder s'agenouilla, prit la main d'Elsa et la porta à ses lèvres.

— À demain, ma fiancée ?

Elle sourit et baissa le regard de façon charmante. Le cœur de Peder se gonfla de fierté.

— À demain, mon fiancé, dit-elle, en soutenant bravement son regard encore une fois.

Il la regarda dans les yeux un moment, espérant qu'elle puisse lire dans ses pensées et qu'elle en soit rassurée. Comme une fleur, elle commençait à peine à s'épanouir. Comment serait-elle comme épouse et mère ? Il espéra que leurs enfants hériteraient du bleu intense des yeux d'Elsa plutôt que du vert brunâtre des siens.

Peder se releva alors, fit un signe de tête aux autres femmes Anders, puis tendit la main à Amund.

— Monsieur. Merci de m'accueillir au sein de votre famille.

— C'est un plaisir de t'avoir, mon fils. Ma fille a fait un bon choix.

Amund lui tint fermement la main plus longtemps que nécessaire et le regarda intensément droit dans les yeux. Peder n'eut pas de difficulté à lire dans ses pensées.

« Traite-la bien. Je te confie sa vie. »

Peder soutint le regard de son futur beau-père jusqu'à ce que ce dernier relâche enfin sa poigne pour regarder ailleurs. C'était une chose que Leif Ramstad avait toujours enseignée à ses fils : un homme ne recule jamais devant un défi. Et Peder voulait qu'Amund Anders ait confiance en l'homme qu'il était devenu. Peder savait qu'Elsa était la fille préférée d'Amund, même si ce dernier ne l'aurait jamais admis. Et il voulait que tant Amund que Gratia aient confiance qu'elle soit heureuse et en sécurité lorsqu'ils lui feraient leurs adieux du bateau.

Il fit un dernier sourire tendre à Elsa, puis il pivota sur ses talons et monta les marches de l'église. À l'intérieur, il parcourut le plancher de bois jusqu'à l'avant, où il entreprit de faire intérieurement le point sur la situation pendant que les autres prenaient place. Au nombre de ces personnes figuraient Bjorn Erikson, Kristoffer Swenson et Mikkel Thompson, chacun à la tête d'une famille, qui allaient collaborer à l'édification des chantiers Ramstad d'Amérique. Assistaient aussi à la réunion ceux qui se dirigeraient vers l'ouest au Dakota du Nord, soit Soren Janssen — un homme qui dérangeait Peder — et Birger Nelson, un berger qui laisserait ses moutons derrière lui, mais pas sa femme, Eira, une guérisseuse née. De ce groupe faisaient aussi partie Einar Gustavson, un bon et solide fermier, Nels et Mathias, deux jeunes célibataires qui avaient l'intention de se rendre dans les prairies du Dakota du Nord, ainsi que Nora Paulson, qui leur avait tous enseigné l'anglais. Avec les Lien, les enfants et Karl Martensen, ce groupe comptait vingt et une personnes. Ne voyant pas Karl dans l'assistance,

Peder conclut que son ami ne viendrait pas, et il commença la réunion.

Sonje versa une autre tasse de café fort à son fils, puis s'accorda la même faveur tout en regardant par la fenêtre. Comme Gustav était encore absent, elle osa parler ouvertement.

— Ton père, dit-elle en faisant un signe de tête vers la porte comme si elle le revoyait sortir, a peur. Il a peur d'avoir pris la mauvaise décision en déshonorant Dieu il y a si longtemps, mais il est trop orgueilleux pour l'admettre.

— Et vous, mère ? demanda doucement Karl. Comment avez-vous pu tourner le dos au Christ ?

— Je suis une femme mariée et je devais respecter la décision de ton père.

Un accès de rage traversa Karl.

— Comment avez-vous pu ? J'admire votre respect pour mon père, mais comment avez-vous pu ? Si vous avez vu le visage de Dieu, comment pouvez-vous le renier ?

De ses yeux sages, Sonje examina son fils unique.

— Comme toute autre chose, ça devient plus facile au fil du temps. Lorsque j'étais une jeune femme..., commença-t-elle, la voix traînante alors qu'elle regardait par la fenêtre, c'était plus difficile. Gustav et moi allions à l'église chaque semaine. Puis le père de ton père est venu habiter avec nous.

— Je me souviens de lui. Un petit peu.

— Oui, tu étais plutôt jeune. Je suis même surprise que tu en aies encore des souvenirs. En public, il savait dire les bonnes choses, mais en privé, il était un homme méchant qui utilisait la foi de manière diabolique. Même dans son vieil âge, il ne pensait encore qu'à rabaisser ton père, tout comme il l'avait fait avec ta grand-mère. La pauvre. Elle était une femme formidable. Il l'a détruite.

— De quelle façon?

Sonje secoua la tête.

— Ce n'est pas à moi de te donner les détails. Mais je te dirai qu'elle avait semé en Gustav une graine de foi qui commençait à peine à germer durant ses premières années auprès de moi. Loin de son père, il réussissait à cultiver son jardin intérieur — et je m'en rendais compte, raconta-t-elle, les yeux embués de larmes, comme si elle était témoin d'une scène de leur vie d'il y a vingt ans. Je voyais qu'il deviendrait un homme à la foi impressionnante. Ça nous avait rapprochés, continua-t-elle alors que lui coulait sur la joue une larme scintillante dans la lumière de la fenêtre. Puis ton grand-père a tout détruit. J'essaie de ramasser les morceaux depuis — pour que nous restions une famille.

Karl s'étira par-dessus la table et prit les mains ridées de sa mère dans les siennes.

— Mais mère, vous savez que ce n'est pas suffisant, n'est-ce pas? J'apprécie tout ce que vous avez fait pour moi. Mais le Christ ne cesse de nous appeler tous. Ne l'entendez-vous pas? Peu importe la décision de père, vous devez vivre votre foi. Je ne sais pas beaucoup de choses, mais je sais au moins ça.

Sa mère hocha la tête. C'était maintenant deux sillons de larmes qui scintillaient sur son visage.

— Je le sais aussi, Karl, dit-elle en retirant ses mains des siennes pour se diriger doucement vers la fenêtre.

Karl aperçut son père à l'extérieur qui rentrait pour le repas du midi.

— Ça fait un certain temps que j'entends Dieu m'appeler, continua-t-elle. Je suppose que j'ai juste besoin de temps pour trouver la force de livrer ce combat, précisa-t-elle en se retournant vers lui. Pour l'instant, je trouve réconfort dans le fait que tu aies trouvé Dieu. Un jour, tu devras me dire comment tu es arrivé à faire ce choix.

— D'accord.

— Peder a-t-il joué un rôle dans tout ça ? osa-t-elle demander comme Gustav ouvrait la porte.

— D'une certaine manière, répondit Karl en se tournant vers son père, qui lui lança un regard noir.

— Tu es encore ici ! tonna Gustav. Sors ! Immédiatement ! Tu n'es plus le bienvenu chez moi.

Chapitre 3

— C'EST INCROYABLE, DIT ELSA AVEC GRATITUDE, DOS À l'autel, un bras autour de chacune de ses sœurs.

En effet, l'église ingénieusement décorée de fleurs sauvages reproduisait les couleurs des collines environnantes. On y remarquait le rouge rosé des bruyères, le violet des lupins, le doré des boutons d'or et le blanc des marguerites et des carvis. Carina, cette chère Carina, était montée bien haut dans les collines pour y cueillir les fleurs préférées d'Elsa, les épilobes à feuilles étroites roses et violettes. De chaque côté de l'autel s'élevait un petit arbre planté dans un seau de sable et décoré de *prestekrage*, ces fleurs blanches qui ressemblaient au collet clérical du pasteur Lien. Dans chacune des six fenêtres se trouvait une grosse chandelle ornée de fleurs fabriquée par Gratia Anders. Même si le mariage aurait lieu le matin, comme le voulait la tradition, Elsa avait tenu à ce qu'il y ait des bougies.

— C'est magnifique, s'exclama Carina en tapant des mains.

Tora se mit à l'écart, soudainement consciente de sa gentillesse envers sa sœur qui avait pourtant refusé de l'aider. Elsa ne prêta pas attention à son geste, ne voulant pas assombrir cette journée formidable. Le matin, tout avait commencé par un petit-déjeuner traditionnel de mariage chez la future mariée. Un copieux ragoût avait été servi aux Ramstad et aux Anders. Ils avaient bandé les yeux de Peder exprès pour qu'il ne puisse voir sa fiancée avant le mariage. Il avait ri avec les autres, acceptant l'aide de sa mère pour se nourrir, et ce, avec calme et dignité. Chaque fois qu'elle l'avait regardé, Elsa avait senti son estomac se contracter et ses mains trembler, émue de constater la grande beauté à la fois intérieure et extérieure de cet homme sur le point de devenir son mari. Avait-elle déjà ressenti auparavant à l'égard de qui que ce soit ou de quoi que ce soit cette certitude qu'elle éprouvait par rapport à lui ? Elsa croyait que non.

— Viens, dit doucement Carina en tirant sa jeune sœur par la main. Nous devons rentrer à la maison nous habiller. La procession va commencer très bientôt.

Elsa hocha la tête et se mit à marcher derrière ses sœurs, puis elle se retourna une dernière fois pour observer l'église. Elle s'appelait encore Elsa Anders au moment de quitter cette enceinte. La fois suivante, elle s'appellerait Elsa Ramstad.

— Merci, mon Dieu, pour tout ce bonheur ! chuchota-t-elle, remplie de joie.

Rien n'était comparable à l'émerveillement de cette journée.

À la maison, Carina et Tora la poussèrent dans sa chambre pour lui faire enfiler les vêtements que leur mère avait préparés pour elle avec amour. Comme tout le reste des invités et des fidèles, Elsa porterait son *bunad*, le costume traditionnel de Bergen. Et, comme il convenait à une femme adulte, ses cheveux seraient relevés en un chignon gracieux plutôt que tressés, et elle porterait la coiffe de mariage de son arrière-grand-mère — portée avant elle par sa grand-mère et sa mère — ainsi que les broches de mariage transmises de génération en génération.

Elle rit lorsque Carina lui épingla encore un autre *solje* à sa veste, portant le total à six.

— C'est un peu tape-à-l'œil, tu ne crois pas ?

— Tu dis n'importe quoi ! répondit doucement Carina. Les mariées portent toujours tous les bijoux spéciaux qu'elles peuvent trouver.

Elsa se replaça sur sa chaise, et les minuscules ornements d'or et d'argent de chaque broche tintèrent doucement contre les boutons d'étain de sa veste.

— Tu vois ? dit Carina. On dirait les cloches d'un paradis lointain, très lointain.

Tora, juchée sur le lit, émit un grognement.

— Surveille ton attitude, Tora Anders, menaça Gratia en agitant une brosse vers sa benjamine. C'est un grand jour pour Elsa, et je ne veux pas que tu gâches tout.

— Je ne songerais jamais à faire une telle chose, répondit Tora en prenant un air blessé.

— Ne vous laissez pas prendre, mama, dit Elsa. Elle a aidé à décorer l'église, et c'est magnifique.

— Elle s'est même rendue dans les collines chercher les épilobes que tu aimes tant, ajouta Carina.

— C'est Tora qui est allée ? demanda Elsa, surprise. J'étais certaine que c'était toi, Carina. Merci, Tora. Vous voyez, mama ? Elle n'est pas aussi indifférente qu'elle le prétend.

Gratia sourit à l'abri du regard de Tora et termina de peigner les cheveux d'Elsa. Puis, comme elle déposait doucement la coiffe sur la tête de sa fille, des larmes de joie et de tristesse coulèrent de ses yeux.

— Oh, mama, ne put que dire Elsa, sentant sa gorge se serrer.

Gratia essuya ses larmes et fit un sourire à sa fille dans le miroir en face d'elles.

— Et voilà, tu es plus jolie que jamais.

— Ils sont arrivés ! lança Carina, excitée, en se détournant de la fenêtre. Ils sont tous là ! Es-tu prête, Elsa ?

Elsa se sentait envahie par la nervosité.

— Aussi prête que je puisse l'être, dit-elle en avalant sa salive.

Elle prit la main de sa mère, se leva et se regarda encore une fois dans le miroir. Sa longue jupe était faite d'une épaisse laine noire ornée de broderies fines dans le bas. Sa blouse blanche traditionnelle, qui lui couvrait les bras et la poitrine, était recouverte d'une veste assortie à la jupe. Des bas blancs et des souliers noirs complétaient l'ensemble. Mais elle devait l'admettre, avec les bijoux et la coiffe, elle se sentait comme la reine de Norvège.

Et c'était bien qu'il en fut ainsi, car lorsque son père ouvrit la porte à son futur mari, elle trouva que ce dernier avait l'air d'un roi. Peder portait lui aussi le costume traditionnel de Bergen, mais à le voir debout dans le cadre de la porte, son fiancé lui semblait de carrure plus large que dans ses souvenirs. Il revêtait un habit neuf, car celui de son adolescence aurait été beaucoup trop petit. Il ressemblait ainsi aux autres hommes, mais Elsa songea qu'elle n'avait jamais vu de silhouette aussi parfaite. Ses larges épaules remplissaient sa chemise blanche, dont les manches bouffantes se resserraient aux poignets. Il portait également une veste noire ornée de boutons dorés. Sa culotte assortie et ses chaussettes blanches qui montaient jusqu'à la hauteur des genoux mettaient en valeur ses jambes bien musclées. Il portait aussi de grosses chaussures noires et une large ceinture qui était un chef-d'œuvre de décorations métalliques se balançant dans tous les sens.

Amund Anders se détourna de Peder, embrassa sa fille, lui prit la main et la mit dans celle de son fiancé. Ils se sourirent longuement, profitant de ce moment, puis Gratia les poussa hors de la maison. Ils dirigèrent la procession de personnes qui marchaient deux par deux et se parlaient entre elles. Tous et toutes étaient d'humeur festive, et Elsa se sentait très aimée. Comment serait-ce, sans tous ces gens ? Seule la promesse de l'amour de Peder lui donnait la force de continuer d'avancer vers l'église, où le pasteur Lien les accueillit.

— Ô Dieu, nous te confions la garde de ces enfants, pria-t-il après l'hymne d'ouverture. Accompagne-les, Ô Seigneur, durant tous ces jours et toutes ces nuits qu'ils passeront ensemble. Garde-les amoureux d'un amour semblable à celui de ton fils Jésus, et accorde-leur une longue vie et une union fructueuse. Voilà ce pour quoi nous te prions, Père.

— Amen, répondit l'assemblée.

Le pasteur Lien se pencha et sourit au jeune couple devant lui.

— Je te demande donc, Peder Leif Ramstad, en la présence de Dieu et de cette assemblée chrétienne : acceptes-tu de prendre Elsa Anna Anders, ici présente, comme légitime épouse ?

— Oui, je le veux, dit Peder en fixant les yeux d'Elsa.

— T'engages-tu à vivre avec elle en conformité avec la parole sacrée de Dieu, à l'aimer et à l'honorer, pour le meilleur et pour le pire, et à lui être fidèle jusqu'à ce que la mort vous sépare ?

— Oui, je m'y engage, répondit-il, sans cligner des yeux.

Le pasteur Lien se tourna vers Elsa.

— De la même manière, je te demande, Elsa Anna Anders : acceptes-tu de prendre Peder Leif Ramstad, ici présent, comme légitime époux ?

— Oui, je le veux, dit-elle, la voix étonnamment forte et assurée.

Elle voulait que Peder ressente toute la conviction qu'elle éprouvait intérieurement d'avoir pris la bonne décision et de ne rien vouloir d'autre.

— T'engages-tu à vivre avec lui en conformité avec la parole sacrée de Dieu, à l'aimer et à l'honorer, pour le meilleur et pour le pire, et à lui être fidèle jusqu'à ce que la mort vous sépare ?

— Oui, je m'y engage, dit-elle, espérant que ses yeux sauraient transmettre à Peder tout son amour pour lui.

— Attendu que vous avez consenti ensemble à ce mariage devant Dieu et les personnes ici réunies et que vous avez joint votre main droite en guise de preuve, je vous déclare mari et femme. Au nom du Père, et du Fils, et du Saint-Esprit. Amen. Ce que Dieu a uni, que l'homme ne le sépare point.

Le pasteur se tourna vers Peder.

— Les alliances ? chuchota-t-il.

Peder plongea sa main dans sa poche, puis en sortit deux bagues toutes simples.

— Répète après moi, ordonna-t-il à Peder en lui tendant l'anneau d'Elsa. Accepte cet anneau…

— Accepte cet anneau, dit-il, les yeux brillants de joie en la regardant.

— En gage de promesse et de preuve de mon amour et de ma fidélité.

— En gage de promesse, dit-il lentement, comme s'il soupesait chaque mot, et de preuve de mon amour et de ma fidélité.

Comme dans un rêve, à la manière de Peder avant elle, Elsa répéta les mots du pasteur Lien et glissa l'anneau au doigt de son mari. Puis ils demeurèrent l'un à côté de l'autre, à genoux devant leur pasteur, pendant que celui-ci débutait son sermon sur Adam et Ève, sur la lettre de saint Paul aux Éphésiens, et sur la nécessité d'aimer comme le Christ avait su aimer. Elsa n'entendit que des bribes de son homélie, pensant plutôt à sa propre joie d'être la femme de Peder, à sa main dans la sienne et à leur avenir en

Amérique. La main du pasteur Lien qu'elle sentit sur sa tête la ramena dans le présent.

— Prions, dit-il. Seigneur Dieu, Père céleste, toi qui as créé l'homme et la femme, puis les as unis par les liens du mariage, signifiant ainsi le mystère de l'union entre ton fils Jésus-Christ et l'Église son épouse : nous t'implorons dans ta miséricorde infinie de ne pas laisser ton œuvre sacrée échouer parmi nous, mais de la protéger gracieusement. Par Jésus-Christ, ton Fils, notre Seigneur. Amen.

— Amen, répéta Peder dans un élan d'enthousiasme qui fit presque rire Elsa.

— Que la paix soit avec vous, dit le pasteur Lien en leur souriant.

— Et avec vous, dit Peder en hochant la tête.

— Que le Seigneur soit avec vous ! dit le pasteur à son assemblée.

— Et avec l'Esprit ! répondirent ses membres d'une seule voix.

— Que le Seigneur vous bénisse et vous protège. Le Seigneur veille sur vous avec gracieuseté. Il vous soutient et vous apporte la paix. Amen.

Le pasteur Lien fit signe à Peder d'aider Elsa à se lever, puis il mit une main sur leurs épaules tandis qu'ils se retournaient vers l'assemblée. Spontanément, les gens se mirent à applaudir et à crier.

— J'aimerais vous présenter monsieur et madame Peder Ramstad ! cria joyeusement le pasteur Lien par-dessus les cris.

Le repas traditionnel suivant la cérémonie du mariage prit la forme d'un autre pique-nique, qui eut lieu à flanc de colline près du rocher où Elsa et son père s'étaient déplacés tant de fois pour aller observer ensemble les majestueuses aurores boréales. À cet endroit dominant toute la ville, la noce fit la fête par une magnifique journée d'été, au milieu des fleurs sauvages en pleine floraison, sous un ciel bleu qui mettait en évidence les montagnes de granit violet. Beaucoup plus loin en contrebas, du port, des bateaux arrivaient et partaient, mais en cette journée le bruit lié à ces activités commerciales ne parvenait aucunement jusqu'à ces gens rassemblés pour la fête.

— On se croirait au paradis ! s'exclama Elsa en prenant la main de sa jeune sœur.

Tora se dégagea tout de suite, se sentant un peu mal de réagir ainsi, mais elle n'était pas d'humeur à être gaie. Elle aurait bien voulu se laisser aller, célébrer avec sa sœur, mais elle n'arrivait pas à abattre le mur de ressentiment qui l'habitait. Elle se sentait étouffée par cette lourde animosité qu'elle imputait à Elsa. Ils pouvaient bien tous être heureux. Comment aurait-il pu en être autrement ? Ils partaient le lendemain avec la bénédiction de leur famille tandis qu'en ce qui la concernait, elle en serait réduite à se faufiler à bord du bateau comme un vulgaire criminel ! Si Elsa avait pris sa défense, mama et papa auraient cédé. Mais elle n'était pas intervenue.

Elsa lui lança un regard meurtri et se retourna, essayant de toute évidence de ne pas laisser Tora lui miner le moral. Cette dernière se devait d'admettre que sa sœur était ravissante. Le rouge et le noir de son *bunad* faisaient ressortir le bleu de ses yeux et le rose de ses joues. Elle incarnait le parfait exemple de la mariée, des bouclettes de cheveux blanc-blond s'échappant de son chignon sous sa coiffe de mariage et virevoltant, sous la brise, autour de son visage. Son costume traditionnel bien ajusté accentuait sa silhouette enviable. Tora savait heureusement qu'elle n'avait rien à envier physiquement à Elsa.

Elle était plutôt fière de sa propre personne. C'était le nouveau statut de femme de Peder Ramstad que Tora jalousait chez sa sœur.

La mère de Tora s'était placée en un point central, où elle avait étalé sa contribution au festin du mariage. Il y avait du poisson de toutes sortes — de la morue, du capelan, du hareng, du maquereau, du saumon et de la truite — apprêté de diverses manières et refroidi en prévision du pique-nique. Il y avait de plus des gâteaux à la crème fouettée, des tartes, des *smorrebrods*, de la crème épaisse à verser sur des fraises fraîches... Les plats délicieux ne se comptèrent bientôt plus, au fur et à mesure que les autres convives se mirent à étendre leurs propres couvertures, ajoutant leur contribution au buffet. Au final, l'assortiment de plats s'étendait sur plus de cinq mètres pour une noce de peut-être cinquante personnes. Il y aurait beaucoup à manger. Tora se détourna lorsque le groupe entonna le chant de grâces. L'idée de manger ou de prier encore la dégoûtait. Elle avait des plans à élaborer.

Elle scruta la foule, à la recherche d'un jeune homme qu'elle avait repéré un peu plus tôt, un marin du *Herald*. Elle l'aperçut enfin au moment où les convives laissaient tomber le mot « Amen ». Grand, empoté, aux prises avec ses derniers vestiges d'acné, le garçon rougit jusqu'à la racine des cheveux lorsqu'il croisa le regard que Tora maîtrisait si bien — direct, mais plein de coquetterie.

« Ah, ce sera facile, pensa-t-elle. Ce sera beaucoup trop facile ! »

Peder s'étouffa presque avec sa bouchée de saumon lorsque Garth accompagna la chute de sa blague grivoise d'une claque dans le dos de son frère. Burgitte tendit à Peder un autre verre de jus d'airelle et sourit avec bienveillance à ses deux frères. Les Ramstad étaient assis avec les Anders. Les deux familles se mêlaient sans problème comme elles le faisaient depuis des années. Seule Tora était absente ; Peder l'avait vue disparaître au-delà de la colline un peu plus tôt avec l'un de ses marins. La conversation était animée. Amund trouvait logique, en raison de l'amitié de longue date qui unissait les deux familles, que leurs enfants s'épousent.

« C'est certainement une bonne idée », songea Peder.

Il observait Elsa avec tant de bonheur qu'il craignait que des larmes de joie ne lui montent aux yeux. Elle était élégante et ravissante. Et elle lui appartenait. Il chercha du regard leur vieil ami Karl. Il aurait dû se trouver auprès d'eux, songea Peder. Après tout, leur amitié remontait à leur enfance, et après dix ans passés à naviguer sur les mêmes bateaux, Karl était devenu aussi proche de lui que son frère, Garth. Les yeux de Peder repérèrent les Martensen installés un peu plus haut sur la colline. Comme d'habitude, Gustav semblait bougon, même en pleines festivités, et Sonje affichait bravement un faux air joyeux. En croisant le regard de Peder, celle-ci leva son verre pour le saluer. Il articula en silence « Où est Karl ? », et Sonje pointa vers le bas de la colline.

Près d'un vieux pin se trouvait Karl, en pleine conversation avec plusieurs hommes qui partiraient en bateau avec eux — Bjorn, Kristoffer et Mikkel.

« Ils planifient, comme d'habitude », songea Peder en souriant.

Karl deviendrait lui aussi capitaine de son propre bateau sous peu. Il était assurément aussi compétent que Peder. Malgré tous les efforts déployés par Peder pour parvenir seul à ses fins, son nom de famille lui avait procuré certains avantages. Tout de même, ce ne serait pas long avant que Karl ne soit son propre maître. Il était intelligent et ambitieux. Mais ce n'était pas la journée pour réfléchir aux ambitions. Tous étaient réunis pour boire dans la joie — pas pour travailler !

Peder était à se lever pour aller chercher son ami, lorsqu'il fut interrompu par sa mère.

— Peder, attends un instant. Ton père et moi avons quelque chose à vous annoncer, à Elsa et à toi.

Son ton sérieux l'immobilisa.

— Oui, mère ?

Helga regarda son époux, et à ce signal Leif Ramstad prit la parole.

— Ta mère m'a finalement convaincu que tu mérites la même chose que ton frère aîné. Même si Garth arrive dans une entreprise déjà établie, nous sommes disposés à t'aider à financer ton entreprise américaine. C'est le cadeau de mariage que nous t'offrons.

Peder entendit Elsa prendre une courte inspiration, mais il ne se détourna pas de son père.

— Je... je ne sais pas quoi dire, père, mère. Mis à part merci, commença-t-il en secouant la tête. Vous êtes très généreux. Mais je dois en parler avec Karl. Tout ce temps-là, nous avions prévu lancer notre projet en investissant chacun soixante et quarante pour cent des parts. Votre cadeau changerait tout à fait la donne.

Leif hocha sagement la tête et tapota le genou de son fils.

— C'est sage de ta part d'y penser. Mais je ne crois pas que ce serait bien avisé de refuser cette offre et les avantages qu'elle te procurera. Tu tentes de percer dans un domaine où il s'avère de plus en plus difficile de faire des profits. Trouve un moyen de l'annoncer à Karl, mon fils, dit Leif en souriant et en pointant Elsa. Tu as maintenant une femme dont tu dois t'occuper. Peut-être bientôt des enfants. Tu dois tout prévoir.

Peder ravala son agacement. Est-ce que son père le prenait pour un enfant ? Peder n'aimait pas l'idée que son père lui impose un joug en lui remettant ce cadeau en argent, mais ce dernier avait raison. Par les temps qui couraient, il était difficile de lancer une entreprise d'expéditions, surtout à voile. Un homme avait besoin de tous les avantages possibles. Mais Karl serait contrarié. Il n'aimerait pas du tout ça.

En se levant, Peder fit un sourire rassurant à Elsa et replaça doucement l'une de ses bouclettes dorées derrière son oreille.

— Ce ne sera pas long. Je dois simplement lui parler.

— Je comprends, répondit-elle, les yeux souriants.

Peder se retourna et descendit la pente herbeuse vers la pinède où Karl et les hommes discutaient toujours avec animation. Sur son chemin, ses amis s'arrêtaient les uns après les autres pour le saluer, le féliciter ou faire des blagues grivoises sur ses activités maritales. Après des années de vie auprès des marins, ce genre d'humour ne l'offensait pas, mais il n'y participait que rarement lui-même. Plus il s'approchait de Karl, plus il voyait clairement ce qui pourrait se produire si son ami apprenait la vérité. Il pourrait tout aussi bien partir et lancer sa propre entreprise. Après tout, le cœur de Karl penchait pour les navires à vapeur, non à voile, et c'était seulement par amitié et par manque de fonds qu'il restait auprès de Peder et qu'il épousait ses idées. Peder avait besoin de lui. Non, ce n'était peut-être pas le bon moment. Une fois à bord du bateau, il pourrait lui annoncer la nouvelle.

Peder arborait un grand sourire lorsqu'il rejoignit les hommes. Ils le saluèrent bruyamment, et pour la première fois, Peder se rendit compte qu'ils s'étaient servis dans les réserves de nourriture de sa famille. Après un moment, Tomas, le médecin de la ville, arriva à son tour, et Peder se détourna du groupe avec soulagement.

— Bon, docteur, il faut absolument que vous examiniez chaque homme, femme et enfant demain matin, dit Peder qui entendait se pointer dans sa voix le ton impératif qui faisait de lui un bon capitaine. Surveillez particulièrement tout signe de choléra et de phtisie. J'ai vu des cadavres gonfler tellement qu'aucun cercueil ne pouvait les contenir. Je ne veux rien de ça sur mon bateau. Ces gens ne doivent pas être exposés à de nouveaux miasmes avant d'être arrivés en Amérique, dit-il au docteur en faisant référence aux émanations qui transportaient les maladies, ils ne doivent pas mourir à bord du *Herald*.

— Oui, oui, capitaine, dit Tomas avec un sourire amical.

Il se pencha vers Peder avec un air de conspiration affecté, puis il jeta un coup d'œil au bruyant groupe d'hommes à dix pas d'eux.

— Mais je crois sincèrement que la seule maladie à laquelle vous serez confronté sera probablement, poliment dit, le mal de mer.

Karl prit une autre gorgée à même le pichet de Bjorn et, les yeux pleins d'eau, regarda Peder prendre sa femme dans ses bras.

« Père céleste, comment faire pour supporter ce mal ? »

Contrairement à ce que Karl avait espéré, la boisson n'avait aucunement amélioré la situation ; la réalité ne se manifestait que plus crûment. Au lieu de mettre de la distance entre Elsa et lui, la boisson ne faisait que l'attirer encore plus près d'elle et augmentait son désir de la prendre dans ses bras. Comment allait-il faire pour travailler avec Peder ? Pour composer avec la présence d'Elsa si proche ? Et que penser de ce genre d'homme qui tombait amoureux de la femme de son meilleur ami ? Peut-être avait-il développé cette attirance au fil des jours après avoir entendu Peder parler d'elle durant toutes ces années sur les mers calmes ennuyeuses. Après l'avoir entendu vanter ses attributs, lire ses lettres. À un certain moment, Karl s'était probablement imaginé qu'Elsa serait sienne. Pourquoi n'avait-il pas réagi avant qu'il ne soit trop tard ?

Tandis que le soleil descendait dans le ciel et que les gens se rapprochaient pour quelques dernières danses de célébration, la gorge de Karl se serra. La triste vérité était qu'Elsa ne lui avait jamais accordé la moindre attention. Peder avait toujours été son seul capitaine, et Karl ne serait jamais davantage que le second. La logique était respectée : elle était mariée à celui qu'elle avait toujours aimé. Après tout, elle connaissait à peine Karl, l'individu. Ils avaient été amis durant leur enfance, mais c'était Peder qui lui avait fait la cour par l'intermédiaire de lettres durant les trois dernières années et qui lui avait rendu visite lors de ses escales au port. Karl ne connaissait vraiment Elsa que parce que Peder avait si ouvertement décrit son amour pour elle et qu'à la longue il en était aussi tombé amoureux. C'était injuste, mais c'était la vérité. Karl comprenait ce qui s'était passé, mais ça ne lui rendait pas la situation plus facile.

Au début de la fête, elle était magnifique à voir dans les bras de Peder qui la faisait tournoyer au rythme de la danse de mariage traditionnelle de Bergen. Et maintenant, dans la lumière chaleureuse et scintillante que chaque personne contribuait à créer en participant à la danse des bougies, ses yeux brillaient quand elle regardait ceux de Peder. C'en était trop pour Karl. Il ne pouvait plus les observer davantage. Son seul espoir était de se concentrer sur le Christ et de prier — prier du plus profond de lui-même — pour que son Sauveur éloigne de lui ces sentiments qui menaçaient de le détruire. Il se tourna, s'éloigna et fut surpris d'apercevoir son père qui marchait silencieusement à ses côtés.

— Je croyais que vous m'aviez renié, dit Karl sans malice dans la voix.

— En effet. Mais je dois tout de même te faire prendre conscience de tes responsabilités, lui répondit Gustav.

Karl s'arrêta dans une clairière non loin des couples participant à la danse des bougies. Dans l'obscurité, il tenta de discerner le regard de son père.

— Que voulez-vous dire ?

— Je veux dire que tu n'honores pas ta foi en convoitant la femme d'un autre homme.

Était-ce si évident ? Karl détourna rapidement le regard, gêné que son père lise ainsi en lui.

— Je le sais. C'est un obstacle que je vais réussir à surmonter. Je n'ai jamais eu l'intention de m'interposer, je ne veux que leur être utile comme ami. Peder a besoin de moi. Nous allons fonder une entreprise ensemble.

Gustav fit un pas vers son fils.

— Tu es tout aussi hypocrite que mon père l'était. Tu prétends vouloir servir tes amis en restant près d'eux, quand le mieux que tu pourrais faire serait de t'éloigner, dit-il avant de prendre une pause et d'adoucir son ton. Fuis, mon fils. Va-t'en loin. Il est très difficile de combattre l'amour que l'on éprouve pour une femme. Le temps et la distance te guériront.

Karl leva le regard vers son père, étonné du souci que ce dernier manifestait dans son ton. Était-ce le même homme qui l'avait renvoyé du foyer la veille ? Comment lui, Karl, qui se prétendait serviteur du Christ, pouvait-il accepter de se trouver dans une position qui pourrait ultimement mettre en péril le mariage de son meilleur ami ? Mais il était si près de réaliser son rêve ! Peder et lui fonderaient une entreprise qui lui assurerait le succès. Comme partenaire de plein droit. Nullement tributaire des

Ramstad comme son père l'avait été jusqu'à en devenir amer. Karl avait travaillé de longues années pour en arriver là. Où trouverait-il une autre occasion du genre ?

— Vous avez tort, père. Je suis imprégné de la force du Christ. Il a défié Satan ; je vaincrai donc ces sentiments qui m'habitent et je vous prouverai qu'un chrétien peut-être pur et honnête, exempt d'hypocrisie.

Gustav Martensen se mit à rire de dérision.

— Si je vis assez vieux pour en être témoin, nous en reparlerons. Mais prends bien note de ce que je te dis, Karl. Tu es sur une pente dangereuse. Reviens à Bergen dans les prochaines années, montre-moi que tu as pris le bon chemin, et je t'accueillerai à nouveau chez moi. Si tu n'y parviens pas, tu ne seras plus jamais le bienvenu.

Chapitre 4

ELSA JETA UN COUP D'ŒIL À SON AMIE ET LA SERRA BRIÈVEMENT dans ses bras. Kaatje avait l'air aussi effrayée qu'elle devant le *Herald*, un clipper de taille moyenne à trois mâts. Ce bateau, dont Peder était si fier, était tout simplement majestueux.

Kristoffer Swenson, le commandant en second, s'arrêta à côté d'elles et leva la tête vers le bateau.

— Il arborera fièrement ses vingt et une voiles lorsque nous serons au large, dit-il rapidement.

Kristoffer ne faisait jamais de long discours, mais il aurait été difficile de trouver homme plus gentil. Et son amour évident pour le voilier, qui se reflétait tant dans ses mots que sur son visage étroit, fit sourire Elsa et Kaatje.

Tandis que les passagers de Bergen continuaient de monter à bord du bateau, la femme de Kristoffer, Astrid Swenson, enceinte jusqu'aux yeux, s'arrêta à côté de Kaatje.

— Tu n'es pas nerveuse, j'espère ?

— Euh, non, répondit Kaatje. Seulement terrifiée.

— Pff, fit Kristoffer en pointant le *Herald* du côté bâbord. C'est le meilleur bateau que le Maine pouvait offrir à la

Nouvelle-Angleterre. Sa coque d'acier peut braver n'importe quel vent de l'Atlantique. Ne vous inquiétez pas, mesdames, dit-il en entourant Astrid de son mince bras. Je n'embarquerais pas ma femme et mes fils si je n'étais pas certain qu'ils arriveront sains et saufs à Boston.

Kaatje baissa le regard, un peu gênée que Kristoffer fasse référence non seulement à son fils Knut, mais aussi à l'enfant que portait Astrid. Mais il était si exubérant et si convaincu que les femmes reprirent confiance en levant les yeux de nouveau vers le bateau.

Soren rejoignit le petit groupe et fut presque renversé par le petit Knut de trois ans qui courait autour de ses parents, les suppliant de monter à bord. Soren rit de son gros rire contagieux et fit écho à la demande de Knut. Ensemble, les adultes jetèrent un coup d'œil à Bergen puis montèrent sur la passerelle, Kristoffer à leur tête. Tous, sauf Elsa.

Réticente à la séparation, elle se tourna et s'accrocha à sa mère, voulant mémoriser cette sensation d'être dans ses bras. Il s'écoulerait beaucoup de temps avant qu'elles ne se revoient, si tant est qu'elles se revoient un jour. Sa mère ressentait de toute évidence les mêmes émotions, car elle étreignit Elsa au point presque de l'étouffer. Mais Elsa était ravie de sentir cet élan de la part de sa mère. Malgré les adieux déchirants que vivait chaque famille, l'atmosphère était joyeuse et débordante d'excitation. Elsa se faisait violence pour ne pas céder à l'envie de se faire croire qu'ils ne partaient qu'en vacances, elle ne voulait pas oublier un visage important, ne voulait pas oublier de paroles importantes.

— *Adjo*, ma fille, *adjo*, répétait sans cesse sa mère.

Ses adieux répétés brisaient le cœur d'Elsa. En sanglots, Gratia se détacha finalement pour se jeter dans les bras de Carina. Elsa se tourna vers son père. Le vieil homme s'essuya les yeux d'une main presque rageuse, puis il enlaça sa fille de ses bras forts presque aussi intensément que Gratia quelques secondes plus tôt. Elle ferma les yeux et tenta de mémoriser son odeur — un curieux et perpétuel mélange de senteurs de bois, de savon et d'encre. Il lui était toutefois difficile de s'en imprégner, à sa grande tristesse, dans cet air salin des quais où se confondait également l'odeur des poissons. Elle recula tout en gardant les mains de son père dans les siennes. Elle sentit poindre une douleur dans sa gorge, mais ne voulut pas laisser libre cours aux sanglots qui l'inviteraient à rester à Bergen pour toujours.

Elsa baissa le regard vers ces mains flétries, toujours viriles malgré les taches de vieillesse dont elles étaient couvertes, de peur de regarder son père dans les yeux. Au fil des ans, le bout de ses doigts était devenu noir, taché par l'encre qu'il devait utiliser pour son travail de charpentier de marine. Comme ces mains manqueraient à Elsa ! Ces mains rassurantes, cette façon qu'il avait de s'en servir pour communiquer ses sentiments et ses émotions.

— Elsa, dit-il doucement en retirant une main pour lui soulever le menton.

À contrecœur, elle accepta de regarder son père dans les yeux, d'où coulaient maintenant librement des larmes sur son visage. Elle ne put se contenir davantage. Elle tenta de sourire au travers de ses propres pleurs.

— Au revoir, papa, parvint-elle à dire en ayant l'impression de s'étrangler.

— *Adjo*, ma douce. Laisse Dieu te guider. Souviens-toi des lumières des aurores boréales, d'accord ?

Elle hocha la tête. Sa gorge se serra. Elle savait qu'elle devait s'arracher à lui. Elle se devait d'être à bord pour accueillir les passagers pendant que Peder vaquerait à d'autres tâches — un premier geste concret de collaboration dans leur nouvelle vie à deux. Heureusement, il apparut à ce moment-là, et sa simple présence à ses côtés suffit à lui redonner du courage alors que tout semblait s'écrouler en elle. Elle releva le menton, fit un autre câlin rapide à sa mère, puis dit rapidement au revoir à ses sœurs tandis que Peder faisait ses adieux à monsieur et madame Anders. Ensuite, résolue à ne plus se retourner, elle passa devant son mari et entreprit de gravir la passerelle jusqu'à bord du bateau qui la mènerait à sa nouvelle vie.

Karl, qui se trouvait déjà en haut de la passerelle, lui tendit la main pour l'aider à enjamber le rebord et à descendre les trois petites marches donnant accès sur le pont du voilier. Peder dit à Elsa qu'il devait parler à Kristoffer pour vérifier où l'équipage en était rendu dans le rangement des bagages. Elle hocha la tête et se tourna pour accueillir les passagers qui embarquaient. Maintenant, elle ne souhaitait plus que partir. L'attente du départ, devant sa famille et les gens de Bergen qui lui faisaient encore des signes depuis le quai, lui semblait interminable.

— Tu reviendras, va ! dit doucement Karl, dont la voix lui rappelait le timbre d'un violoncelle.

Surprise, elle leva le regard vers lui.

— Que veux-tu dire ?

— Simplement que les capitaines emmènent souvent leur épouse dans leurs voyages. Nous ne partons pas de Bergen pour toujours. Quand les chantiers navals auront pris de l'expansion et que plus de bateaux seront prêts à prendre la mer, il y a fort à parier que meilleures seront les chances de revenir, ne crois-tu pas ?

Son sourire était doux et rassurant.

— Oh, Karl, s'exclama-t-elle en serrant rapidement sa grosse main rugueuse. Tu ne peux imaginer le bien que tu fais à mon cœur ! Crois-tu que Peder me laisserait vraiment l'accompagner ? Et que vous reviendrez à Bergen ? Il m'a dit que le commerce maritime meurt à petit feu ici. De nos jours, tous se tournent vers Copenhague, selon lui.

Une ombre traversa le visage de Karl avant qu'il ne réponde. Puis, comme s'il se forçait à sourire, il dit :

— Je suis sûr que, le moment venu, tu pourras convaincre ton nouveau mari d'à peu près n'importe quoi. Ce sera difficile pour toi d'être au loin, Elsa, mais vois ça comme une aventure. Comme un merveilleux voyage où chaque moment est un cadeau de Dieu. Lorsque tout me paraît difficile, ça m'aide de me le rappeler.

Pendant qu'il observait Bergen, le regard distant, Elsa se mit à s'interroger sur ce vieil ami d'enfance devenu homme au cours de ses années en mer aux côtés de Peder. Elle l'étudia un moment et remarqua que la région des yeux et du nez dégageait toujours un air de jeunesse, par contraste avec sa mâchoire qui avait gagné en virilité. Il s'était laissé pousser de gros favoris bien fournis qui lui allaient bien et il avait la corpulence digne d'un second — non, d'un capitaine. Peder avait raison. Karl semblait prêt à commander son propre bateau. Heureusement, les chantiers Ramstad lui en construiraient bientôt un.

L'attention d'Elsa fut détournée par des pèlerins qui montaient à bord du bateau un par un en transportant des coffres auxquels ils auraient besoin d'avoir accès durant la traversée. Le reste de leurs bagages avait été rangé la veille. En tant que femme du capitaine, Elsa commençait déjà à se sentir responsable des gens de sa ville.

— Je suis si heureuse de voir autant de personnes nous accompagner, déclara-t-elle à Karl après avoir salué Kaatje et Soren avec force sourires, faisant semblant de leur serrer la main de manière officielle. Partir a été difficile, mais l'excitation est indéniable.

— Il y a beaucoup de bons côtés à tous vous embarquer ensemble dans cette aventure, dit-il. Vous allez vous soutenir les uns les autres. Et tu n'en seras que plus reconnaissante. Peder et moi avons vu beaucoup d'émigrants rentrer chez eux, désespérés de s'être retrouvés si isolés de tout ce qu'ils connaissaient. C'est parfois lourd à porter.

— Leurs cours d'anglais les aideront à passer au travers, l'interrompit coquinement Nora Paulson, leur corpulente enseignante d'anglais des trois années précédentes.

Elle inclina la tête, puis, le sourire aux lèvres, elle descendit d'un pas alerte les marches donnant sur le bateau.

— Je voulais que mes premiers pas vers l'Amérique se fassent dans la légèreté, sans appréhension !

Karl se mit à rire, suivi d'Elsa. Derrière Nora, le géant Einar Gustavson, son petit ami, traînait un énorme coffre sur son dos. Il secoua la tête en entendant les plaisanteries de Nora.

— Depuis maintenant des années, dit-il la mine déconfite, mais avec une étincelle dans les yeux, elle me harcèle sans cesse pour que nous allions en Amérique. Je m'embarque finalement, et que dit-elle ? Elle veut que je lui construise une école pour qu'elle puisse enseigner. Une école jouxtant notre belle ferme dans cette terre d'Éden. Elle ne prend même pas la peine d'attendre que je lui demande de m'épouser !

Nora sourit avec bienveillance en se tenant les mains sur les hanches.

— Si j'attends ce moment-là, Einar, je serai devenue vieille et grisonnante. Si tu ne planifies rien, alors je me dois de le faire.

Einar leva les sourcils en sa direction tout en regardant Karl et Elsa. Ils rirent de nouveau.

— Tu ferais mieux de faire la grande demande, Einar, dit Karl. Sinon, Nora finira par le faire.

Nora s'étrangla de rire en entendant ces mots, tandis qu'Einar déposait la malle dans un bruit sourd.

— Ça finira certainement ainsi, rétorqua-t-elle. Et puis non, ce fermier têtu est libre de faire ce qu'il veut. S'il n'agit pas assez vite, je trouverai tout simplement un autre fermier au Dakota du Nord qui sera fier, lui, dit-elle en s'arrêtant pour donner une bonne claque sur l'épaule musclée d'Einar, de s'être trouvé une épouse institutrice.

— Vous voyez ce que je dois endurer ? fit remarquer Einar d'un ton affligé. Comment un homme peut-il faire la grande demande à une femme qui ne lui en laisse jamais l'occasion ? Ça m'empoisonne l'existence depuis des années.

Elsa rit encore de ses blagues, qui contribuaient à la détendre. Profitant de l'exaltation du moment, elle lâcha :

— Eh bien, pour l'amour du ciel, Einar, il n'y aura de toute évidence jamais de moment parfait. Demande-le-lui maintenant.

Nora leva les yeux vers Einar et lui fit un sourire impertinent, comme si elle le défiait de passer à l'acte. D'autres passagers s'étaient massés derrière eux, rigolant de la scène.

Einar jeta un regard à la ronde, presque violet de gêne, si bien qu'Elsa se sentit immédiatement désolée de s'être montrée aussi effrontée. Mais à sa grande surprise, le grand homme se mit à genoux sur place et prit la main de Nora.

— Nora, nous allons dans une nouvelle pays. Un nouvel endroit. Veux-tu être ma nouvelle femme ?

Nora rit nerveusement, de toute évidence aussi surprise qu'Elsa de constater qu'il avait mordu à l'hameçon, puis elle surprit les gens à son tour.

— Nous allons dans un nouveau pays, le corrigea-t-elle d'une voix plus douce qu'elle n'avait jamais fait entendre. Et j'adorerais être ta femme.

Le groupe se répandit en acclamations et fit rapidement passer la bonne nouvelle tout le long de la passerelle. Sur le quai, leurs proches firent écho à ces sentiments de joie.

Elsa sourit. C'était un bon départ pour leur nouvelle aventure. Dieu leur souriait certainement.

Kaatje s'était sentie tout excitée pendant tout le temps qu'avait pris le remorqueur pour tirer le voilier à l'extérieur du port avant de finalement le libérer. Karl avait crié « Déployez les voiles ! », et en quelques minutes, sembla-t-il, l'équipage avait fait sortir le bateau de Byfjorden. Au départ, elle s'était sentie revigorée par l'air salin et la brise vive du large qui gonflait les voiles jusqu'à les faire presque ressembler à d'énormes oreillers de plumes. Mais à l'instant où le *Herald* avait quitté les eaux encore protégées par les fjords et fendu les premières des interminables vagues de la haute mer, son estomac s'était révulsé. C'est à sa grande honte qu'elle avait vomi sur le pont de bois du bateau. Mince consolation, elle s'était aperçue qu'elle n'était pas la seule dans son cas.

Elle gémit tandis que la bile lui montait de nouveau à la gorge. Elle se concentra sur le prisme de verre qui se trouvait au plafond au-dessus d'elle, la seule source de lumière naturelle pour les passagers des ponts inférieurs, et elle pria pour que Dieu lui apaise l'estomac. Karl, que Dieu le bénisse, lui avait prêté sa petite cabine pour qu'elle ait au moins un peu d'intimité dans sa détresse. Elle en était à se demander si la Norvège était toujours à portée de vue, se lamentant de ne pas être sur le pont extérieur pour un dernier salut d'au revoir, lorsque Kristoffer arriva dans la pièce avec Astrid. En jetant un regard au visage de cette dernière, Kaatje se leva sans dire un mot et offrit la couchette du bas à son amie.

Reconnaissante, Astrid s'affaissa sur le lit, trop épuisée pour protester contre la gentillesse de Kaatje. Se sentant à nouveau mal d'être à la verticale, Kaatje lui fit rapidement un petit sourire et grimpa les échelons d'acajou taillés à la main pour s'allonger sur la couchette du haut. Le simple fait d'être étendue sur le ventre les yeux fermés semblait lui apaiser l'estomac et, étonnamment, la proximité du plafond semblait amoindrir l'effet de tangage du *Herald*. Elle écouta Kristoffer rassurer sa femme. Puis, il se leva et se tint à côté des couchettes superposées, sa tête environ à la hauteur de Kaatje.

— Je suis désolé, Kaatje, dit-il en gardant les yeux baissés par pudeur envers elle. Karl m'a mentionné ta présence ici. La cale est pleine de passagers qui supportent la mer à peu près aussi bien que vous deux. J'ai cru que ce serait mieux pour Astrid, étant donné les circonstances, de ne pas être avec autant de personnes malades.

— Non, non, réussit à dire Kaatje en repoussant ses excuses d'un signe de la main, Astrid a autant le droit que moi d'être ici dans cette cabine. Nous allons bien nous entendre. J'imagine qu'ils ont besoin de toi sur le pont.

— Eh bien, oui, dit-il en figeant, de toute évidence mal à l'aise de ne pouvoir aider Astrid qui vomissait dans le seau de fer que Karl avait déposé à côté de sa couchette. Je dois aller délivrer Elsa de notre petit Knut, et Karl est probablement en train de me chercher.

— Va, mon amour, dit Astrid en s'appuyant sur son oreiller. Nous allons nous en sortir. Deux femmes enceintes sauront bien comment gérer leurs estomacs barbouillés.

— Oui, dit doucement Kristoffer. Je vais vous envoyer bientôt quelqu'un avec des seaux propres et des linges frais.

Kaatje ferma les yeux, se sentant un peu triste alors qu'il embrassait doucement Astrid. Soren n'était toujours pas venu la voir.

Ses pensées se bousculèrent dans sa tête lorsqu'elle se mit à songer au mariage d'Elsa et de Peder, ainsi qu'à ses propres noces deux années auparavant. Elle sourit en se représentant Soren : ses nouveaux favoris, comme ceux de Karl, qu'il croyait être à la mode en Amérique, ses cheveux en bataille séparés sur le côté. Kaatje songea que son mari affichait un style beaucoup trop sophistiqué pour un homme qui aspirait à devenir fermier, mais toute nouveauté était la bienvenue. Leur renaissance ne s'en trouvait que davantage soulignée : un nouveau style, de nouveaux choix, un nouveau pays, une nouvelle vie.

Leur mariage n'avait nullement le faste de celui des Ramstad, mais les noces de ces derniers avaient fait renaître en elle des centaines de souvenirs. Soren l'avait-il déjà regardée de ce même regard amoureux de Peder envers Elsa ? Si ! Avait-elle déjà regardé Soren avec toute la confiance et l'admiration visibles dans les yeux d'Elsa ? À n'en pas douter ! Leur flamme pourrait-elle être ravivée après un tel affront, après une telle trahison ? Si, car ils partaient pour le pays des nouveaux commencements. Tout était possible. Quand même, serait-ce assez ? Kaatje décida qu'elle n'avait d'autre choix que de faire confiance en le Seigneur et en son mari. Avec cette pensée en tête, elle plongea dans un sommeil divin.

N'ayant rien entendu depuis des heures, Tora décida qu'elle pouvait maintenant bouger en toute sécurité. Elle sourit intérieurement, on ne peut plus heureuse que son plan ait fonctionné. Comme ses parents et sa sœur seraient surpris lorsqu'ils rentreraient à la maison et découvriraient qu'elle était partie ! Et comme cela avait été facile ! Le jour du mariage, Tora avait contraint Vidar, un jeune marin stupide qu'elle menait par le bout du nez, à l'aider à forger un plan. Étant au fait des us et coutumes à bord des bateaux, il connaissait la meilleure façon de la faire monter clandestinement. Il n'avait fallu qu'un baiser pour le convaincre.

Ils avaient ajouté un vieux coffre aux effets d'Elsa, le plaçant assez près de ses autres bagages pour qu'on puisse penser qu'il faisait partie du lot, mais assez loin pour que la principale intéressée ne le remarque pas. Vidar avait participé au chargement des bagages des passagers pour s'assurer que le coffre dans lequel se trouvait Tora soit placé par-dessus les autres.

— Attention, l'avait-elle entendu dire d'une voix étouffée. Je crois que celui-ci est plein de cristal taillé.

Même si à son avis les marins qui avaient transporté le coffre où elle se cachait n'avaient pas plus de délicatesse que des fermiers transportant des bottes de foin, elle s'était retrouvée dans une position idéale. Dès qu'elle avait senti le bateau tanguer en pleine mer, elle s'était extirpée de ses quartiers exigus, puis à tâtons dans le noir elle avait fini par comprendre où elle se trouvait. Au bout d'un certain temps, après s'être convaincue qu'elle était le seul être vivant dans cette cale de cargaison, à l'exception des poulets qui piaulaient, des cochons qui grognaient, des vaches qui meuglaient et de quelques rats, elle sortit une chandelle de sa poche et l'alluma.

Dans la douce lumière vacillante, elle échappa un petit « oh ». En ce lieu, le bateau semblait énorme et pas le moindrement rassurant. Cette immense cale, qui s'élevait sur une partie des trois ponts, était remplie de caisses, de tonneaux et de coffres de toutes tailles. La cachette de Tora se trouvait au niveau le plus bas, près d'un escalier dont les larges marches menaient aux très grandes portes par où les marins procédaient au chargement et au déchargement du *Herald*. La chandelle ne projetant que peu de lumière, elle ne put s'empêcher d'éprouver des frissons lorsqu'elle entreprit de faire le tour des recoins les plus sombres dans le but de calmer ses inquiétudes.

Elle aurait tellement voulu monter les marches, frapper aux portes et tous les surprendre par sa présence ! Mais non, se dit-elle, elle devait attendre jusqu'à ce qu'elle n'en puisse plus. À ce moment-là, il serait impossible pour Peder de faire demi-tour.

Elle frissonna encore et leva sa chandelle à la recherche d'une autre caisse, remplie de vêtements, que Vidar avait aussi fait transporter à bord. Elle la découvrit deux coffres plus loin et se mit immédiatement à fouiller à l'intérieur pour trouver sa cape et de la nourriture qu'elle y avait cachées. Le quart de nuit n'était pas encore commencé selon elle, car elle n'avait entendu sonner aucune cloche, dont elle présumait pouvoir percevoir le bruit, annonçant le début de cette période de service. Le bruit des cloches serait sa seule manière de savoir l'heure. Elle supposa qu'il devait être environ midi, donc l'heure de manger. C'est du moins ce qu'elle se dirait jusqu'à preuve du contraire.

Elle n'avait jamais dans sa vie goûté à quelque chose d'aussi bon que les restes du festin du mariage d'Elsa, qu'elle avait apportés en cachette avec d'autres provisions. La veille, cette nourriture lui avait semblé sèche et fade ; aujourd'hui, c'était comme de la manne tombée du ciel, comme aurait dit mama. À la pensée de sa mère, elle s'arrêta un moment. Elle était désolée de lui causer de la peine. Mais papa n'avait que ce qu'il méritait. Le vieil homme l'avait forcée à agir ainsi. Oui, aujourd'hui, à son premier jour de liberté et de nouvelle vie, toute nourriture représentait une manne providentielle.

Après le dîner au deuxième soir de la traversée, Peder repoussa son assiette de porcelaine bon marché que s'empressa de ramasser le cuisinier, un homme avec lequel il aimait faire des blagues et qu'il avait embauché sans guère débourser plus que pour la vaisselle. Peder regardait le vieux Chinois s'affairer d'un pas traînant, tandis que Karl et Kristoffer débattaient des potentiels revenus des diverses cargaisons, et que Stefan — le steward de Peder — s'occupait pour sa part d'observer. En dépit de ses talents professionnels limités, le cuisinier s'avérait indispensable. Au cours de toutes ces années durant lesquelles Peder avait voyagé avec cet homme, d'abord comme deuxième second, puis premier second et maintenant comme capitaine, il ne l'avait jamais vu arriver en retard au port ou se dérober à ses tâches de quelque manière que ce soit. Il le reconnaissait volontiers, les Chinois savaient y faire.

Peder détourna finalement le regard vers l'élégante table d'acajou, plus précisément en direction d'Elsa qui écoutait la discussion de Karl et de Kristoffer et qui semblait s'amuser de leurs plaisanteries. Elle était facile à saisir, et il pouvait presque voir ses méninges s'activer lorsqu'elle considérait successivement les raisonnements de l'un et l'autre. Lorsqu'un des hommes lui jetait un coup d'œil, Elsa hochait poliment la tête. De toute évidence, elle écoutait, mais elle ne s'ingérait pas.

Il vit Karl, son premier second, jeter par deux fois un coup d'œil à Elsa. Peder sourit. Il savait que le regard assuré émanant des yeux bleus d'Elsa suffisait à faire reculer n'importe quel homme. Ses yeux se voulaient une invitation à y plonger le regard, comme s'il était possible d'assurer son avenir en admirant simplement leur bleu profond. « Des yeux de gitane », lui avait murmuré Peder au cours de leur première nuit ensemble. Elle s'était opposée, disant que c'était plutôt Tora, la gitane. Mais sous le blond halo qui émanait de ses cheveux à la lueur du chandelier de la cabine, elle était manifestement une gitane. Et les yeux d'Elsa ne représentaient qu'un attribut parmi tant d'autres chez cette femme qui l'attirait telle une sirène.

Comme Elsa baissait les yeux de gêne en constatant que Karl ne détournait pas le regard, Peder s'éclaircit la gorge. L'espace d'un instant, il crut voir un air de culpabilité traverser le visage de Karl lorsque ce dernier leva les yeux vers lui, mais il repoussa immédiatement cette pensée. Il savait que Karl avait toujours eu un petit faible pour Elsa. À Bergen, quel homme la connaissant n'en avait pas eu un ? Mais Karl était le meilleur ami de Peder. Il connaissait ses limites.

— Nous devons vérifier nos provisions, dit Peder à Karl et à Kristoffer, retournant à la conversation en cours. Je veux savoir si nous avons oublié quoi que ce soit avant que nous nous approchions de l'Écosse.

— Pourquoi ne pas le faire maintenant ? demanda Kristoffer.

— Ça pourrait prendre des heures, dit Karl.

— Allons-y, débarrassons-nous de cette corvée, ordonna Peder. Kristoffer, je veux que tu prennes la barre et que tu restes en contact avec les bâbordais. Nous approchons des bancs de sable que nous avons étudiés.

— Oui, oui, capitaine, fit Kristoffer en hochant poliment la tête, avant de se tourner vers Elsa. Si ça ne te dérange pas... si ça ne t'ennuie pas trop, commença-t-il avec un sourire hésitant, pourrais-tu passer voir Astrid ce soir ? Je crois que Kaatje et elle seraient bien enchantées d'avoir une présence féminine à leurs côtés.

— Certainement, Kristoffer. J'avais l'intention d'y aller cet après-midi, mais ton garçon m'a tenu occupée.

— Je te suis reconnaissant de surveiller Knut, la remercia Kristoffer, clairement déboussolé d'avoir à compter sur les autres. Je sais que ce n'est pas l'enfant le plus facile.

— Mais non, mais non. J'adore les petits *gutts*. Ils ne sont pas très différents des grands garçons, tu sais.

Les trois hommes se mirent à rire, puis Karl et Kristoffer lui souhaitèrent bonne nuit en sortant de la cabine. Peder resta pour lui donner un rapide baiser.

— Je ne serai pas parti longtemps, chuchota-t-il.

— Dépêche-toi, répondit-elle en lui jetant un regard éloquent.

Il leva un sourcil à son intention et suivit ses hommes à l'extérieur.

Sur le pont, Karl inspira profondément, appréciant la brise fraîche sur son visage. Ces dîners dans les quartiers du capitaine en compagnie d'Elsa ne pourraient que devenir de plus en plus difficiles. Peut-être suggérerait-il à Peder qu'il serait de bon ton pour le capitaine d'inviter d'autres passagers à venir à tour de rôle prendre un repas dans ses quartiers pour qu'ils se sentent tous les bienvenus. Il poussa un soupir de soulagement. Oui, cette idée plairait sûrement à Peder, et Karl n'aurait plus à se trouver si près d'Elsa.

C'était une belle soirée d'été en mer, et plusieurs passagers se promenaient sur le pont, évitant soigneusement de s'approcher du gréement comme on leur avait demandé. Il n'y avait rien de plus irritant pour les marins que d'avoir des terriens dans les jambes.

Karl fit un signe de tête à deux marins, qui se dépêchèrent de le rejoindre. Sans un mot, de ce simple regard grâce auquel Karl obtiendrait bientôt son propre poste de capitaine, ils débarrèrent les portes de la cale et, d'un « oh ! hisse ! » bien senti, ils ouvrirent une énorme porte, puis l'autre. Un autre marin se dépêcha de remettre une lampe à kérosène à Peder et à Karl, qui descendirent les marches avec précaution. À peine avaient-ils atteint le plancher de la coque que Karl entendit avec certitude un éternuement étouffé.

— As-tu entendu ? commença-t-il.

Peder leva la main pour faire taire Karl, voulant de toute évidence écouter d'une oreille attentive. Mais avec le bruit des vagues contre la coque, le bruit des animaux dans la cale et les voiles qui claquaient au vent sur le pont supérieur, il était difficile d'entendre quoi que ce soit d'autre. Après un moment, Peder haussa les épaules et ils se rendirent à bâbord pour vérifier les stocks de nourriture. Dans l'obscurité, même à l'aide de quatre lanternes, c'était une tâche difficile, fastidieuse.

— Nous devrions peut-être attendre au matin, déclara finalement Peder en soupirant.

Karl pouvait presque voir qu'il pensait à Elsa qui l'attendait dans sa cabine de capitaine.

— Peut-être, répondit Karl évasivement.

C'est à ce moment qu'ils entendirent un autre éternuement étouffé. Peder se retourna vers son premier second, et Karl hocha la tête.

— Bon, c'est ça, donc, dit Peder un peu plus fort que nécessaire. Laissons tomber jusqu'à ce que la lumière du jour puisse nous aider.

— Oui, oui, acquiesça Karl.

Ils remontèrent les marches à pas lourds, de manière à ce que le passager clandestin les entende. Mais juste avant d'arriver en haut, Karl s'assit soudainement, sa lampe éteinte, une pierre à briquet à la main. Comprenant immédiatement son manège, Peder dit :

— Viens avec moi dans mes quartiers, Karl. Je crois qu'il s'est produit un événement intéressant dont je veux te mettre au courant.

Obéissant au geste silencieux de Karl, les marins, perplexes, refermèrent les lourdes portes de la cale en le laissant à l'intérieur. Comme ils replaçaient les gros loquets de fer, Karl redescendit furtivement. Il resta assis une heure dans le noir avant d'entendre des bruissements. Même un rat n'aurait pu en être à l'origine, et ils provenaient d'un endroit beaucoup trop loin des cloisons pour qu'un animal domestique puisse en être la cause. Il y avait clairement un passager clandestin à bord du *Herald*. Mais qui ? Karl, à raison, se tenait sur ses gardes, se demandant si cette personne était en mesure de s'éclairer. Dans la négative, il serait peut-être contraint de passer la nuit à s'arracher les yeux à observer des ombres.

Il perçut soudain un autre mouvement et se mit à brûler d'impatience. Le clandestin était à se frayer un chemin quelque part lorsqu'il se cogna contre un objet lourd. Entendant un petit cri et un marmonnement de jurons, Karl s'écarquilla les yeux de surprise. C'était une femme ! Comme il fallait s'y attendre, elle s'alluma une chandelle et se pencha pour retirer sa chaussure et examiner ses orteils meurtris. Elle était de dos dans la faible lumière, et il lui était donc difficile de voir de qui il s'agissait. Mais elle était petite et bien proportionnée, et Karl était fasciné par la scène qui se déroulait devant ses yeux.

Peder voudrait qu'elle demeure cachée. Ils naviguaient depuis deux jours, et comme ils n'avaient pas de temps à perdre, ils ne pourraient pas retourner à Bergen. Elle remit sa chaussure et se tourna en sa direction. Il eut le souffle coupé. Tora ! Deux personnes maintenant voudraient qu'elle continue à se cacher, songea-t-il.

Avec désinvolture, d'un geste vif, il provoqua une étincelle de sa pierre à briquet et alluma la mèche de sa lampe. Une flamme jaillit et prit de l'ampleur, élargissant de ce fait la portée de sa lumière. Sous lui, Tora se figea. Karl leva un sourcil.

— Je ne crois pas que tu figures au manifeste de la cargaison, mademoiselle Anders. Aurais-tu objection à ce que nous allions rencontrer le capitaine pour que tu puisses lui expliquer la raison de ta présence ici, en bas, parmi les poulets ?

Il se mit debout et fit un pas vers elle.

Tora ferma la bouche, leva le menton et, le visage bien calme, fixa son regard dans les yeux du marin. Karl rit sous cape. C'était toute une diablesse, cette fille. Son regard dépassait en intensité celui de toutes les femmes qu'il avait jamais connues auparavant, et elle n'avait que seize ans.

— Je suppose, puisque tu n'as rien de mieux à faire que de rester ici à espionner d'innocentes femmes, que je serais mieux auprès de mon beau-frère ?

Son regard clair attira une deuxième fois l'attention de Karl. Ses yeux avaient à ce point la forme et la profondeur de ceux d'Elsa que l'espace d'un instant il s'imagina observer cette dernière. Il rit d'un rire froid.

— C'est de toi dont le monde devrait se méfier, Tora Anders, dit-il. Je crois bien que c'est plutôt toi qui s'en prends aux innocents.

Elle secoua la tête comme si elle discutait avec un fou, releva ses jupes, se rendit à l'escalier et monta.

— Appelle tes marins, premier second. Je n'ai pas de temps à perdre dans de vaines plaisanteries avec toi. Nous ferions aussi bien de régler cela tout de… à moins que…, commença-t-elle en se tournant vers lui, le regard séducteur.

Mais cette soudaine attitude n'était guère davantage que celle d'une enfant voulant se donner des airs de femme fatale.

Dégoûté, Karl monta à son tour, la dépassa dans les marches et cogna aux portes au-dessus d'eux.

— Tu as été élevée pour connaître une meilleure vie que ça, commenta-t-il.

Les portes s'ouvrirent, et Tora surgit de la cale, ignorant les regards ahuris des marins. Elle se tourna brièvement vers Karl alors qu'il lui prenait le bras pour l'emmener à la cabine du capitaine.

— Ne t'avise plus de me faire encore la morale, Karl Martensen. Mais tu as raison sur un point : j'ai été élevée pour connaître une meilleure vie que ça. Et c'est en Amérique que je la vivrai.

Les derniers passagers se trouvant toujours sur le pont supérieur cessèrent de les dévisager lorsque Karl frappa vigoureusement à la porte de Peder.

— Capitaine, j'ai trouvé notre visiteur.

Peder ouvrit, le visage sévère. En apercevant Tora près de Karl, il prit un air encore plus sombre. Karl sentit Tora rapetisser à côté de lui ; elle s'appuyait légèrement contre lui comme si sa force l'avait quittée. Il résista à l'envie de céder à cet instinct de protection qui tout à coup le transportait. Les hommes étaient-ils tous andouilles au point de se laisser émouvoir par le moindre petit mouvement d'une jeune femme ?

— Entrez, grogna Peder, les mâchoires serrées.

Ils pénétrèrent dans la confortable cabine à trois pièces, qui n'était pas aussi luxueuse que les quartiers typiques des capitaines prospères de nombreux bateaux, mais elle était tout de même attrayante. Le salon aux murs lambrissés garnis de tablettes pouvant accueillir des livres était éclairé au gaz et comprenait deux chaises rembourrées, une causeuse et un poêle ventru. À droite se trouvait la salle à manger attenante pour six personnes, et à gauche, derrière une porte fermée, la chambre.

Karl entraîna Tora dans le salon et l'assit sur une chaise comme il l'aurait fait avec un enfant. Peder se rendit dans la chambre et en ressortit presque immédiatement avec Elsa.

— Tora ! cria Elsa en portant sa main à sa bouche. Comment as-tu pu ! Quelle enfant effrontée !

Tora baissa le visage de façon charmante en faisant tourner un mouchoir de dentelle dans ses mains.

— C'est précisément pour cette raison que je devais partir, Elsa.

Elle leva la tête en direction de sa sœur, et Karl ne put qu'admirer les larmes théâtrales qu'elle réussissait à faire couler de ses yeux. Elle était tout un numéro.

— Je croyais que de tous et toutes, tu serais la seule qui comprendrait. Ils me prennent pour une enfant ! lança-t-elle en se levant pour faire les cent pas devant le poêle. Mais je suis une femme et je suis capable de prendre mes propres décisions !

Elle parcourut rapidement les quelques pas qui la séparaient de sa sœur, lui prit les mains et regarda son visage avec confiance.

— Oh, s'il te plaît, ne me renvoie pas à la maison, Elsa. Je promets que je saurai me rendre utile, à toi et au cher Peder.

Karl regarda son ami, qui lançait des regards mauvais. Tandis qu'Elsa semblait prise dans un dilemme, comme si elle était émue par le discours de sa sœur et un peu ravie de la présence d'un membre de sa famille, Peder demeurait stoïque.

— Je suppose que si tu es une femme capable de prendre ses propres décisions, tu as donc apporté assez d'argent pour payer ton billet, dit Peder d'un ton grave.

Les sourcils de Tora se crispèrent.

— Non. N'est-ce pas parfaitement horrible ? J'ai supplié papa de me laisser partir. Mais il ne voulait pas ! J'en ai été réduite à... à...

— Embarquer clandestinement, compléta Peder.

— Eh bien, s'il faut appeler ça ainsi, oui. J'ai toutefois apporté ma propre nourriture.

— Assez pour les cinq semaines de traversée ?

Tora chancela, puis, d'un air opiniâtre, releva le menton.

— Je vais m'organiser.

Peder jeta un coup d'œil à Karl, et ce dernier secoua négativement la tête. Il doutait sérieusement que Tora ait emporté assez de nourriture et d'eau pour se rendre de l'autre côté de l'Atlantique.

— Nous allons nous organiser, s'interposa Elsa. Mais écoute-moi attentivement, chère sœur : tu devras sérieusement faire ta part pour que tout aille bien.

Chapitre 5

Dès que le cuisinier eut desservi la table à manger et qu'il s'en fut allé avec les assiettes vides du repas du midi, Nora Paulson s'installa avec Elsa pour une session d'étude dans son livre d'apprentissage de l'anglais comme elles le faisaient trois fois par semaine depuis maintenant trois ans. Une fois à bord du *Herald*, Peder avait décrété que l'anglais serait la langue d'usage pendant la traversée. Cette mesure allait aider les émigrants à se familiariser avec leur nouvelle langue en vue de leur arrivée dans leur nouveau monde. Ce mandat tenait Nora très occupée.

Elsa se pencha sur son livre en compagnie de Nora, familière avec la leçon pour l'avoir déjà faite de nombreuses fois. Bon nombre d'aspects de cette nouvelle langue lui donnaient encore du fil à retordre, mais comme disaient les marins, elle apprenait lentement à démêler les nœuds. Elle jeta un coup d'œil à sa sœur, qui boudait assise dans le coin du salon depuis le début de la matinée. Tora était fâchée qu'Elsa l'ait envoyée dormir dans la cale. Puisqu'elle était la dernière « passagère » à s'être embarquée, elle avait été forcée de dormir dans une couchette de fortune près du mur des quartiers de l'équipage, là où il y avait le plus de bruit.

— Tora, viens ici. Si tu veux faire ton chemin par toi-même en Amérique, tu devras parler la langue du pays.

— J'en sais assez, dit la fille d'un ton impertinent, dans un anglais tout de même parfait. Elsa n'en sait pas plus que je.

Elsa resta bouche bée. Jusqu'à cet instant, elle n'avait jamais entendu sa sœur parler dans une langue autre que leur langue maternelle. Puis elle commença à se rappeler que Tora voulait toujours l'accompagner à ses leçons chez Nora et qu'elle se tenait toujours aux alentours lorsque Nora se déplaçait chez les Anders. Elsa n'avait jamais compris pourquoi ; maintenant tout était clair.

— Elsa n'en sait pas plus que moi, la corrigea Nora. Viens rejoindre ta sœur. Nous allons réviser les pronoms.

— Je ne pense pas en avoir envie, déclara Tora, le menton relevé, en choisissant soigneusement ses mots. Mais il y a quand même certains points que j'aimerais comprendre. On applique de drôles de règles, en anglais. Par exemple, prenons les diverses façons de prononcer les lettres O-U-G-H réunies : « A rough-coated, dough-faced ploughman strode through the streets of Scarborough, coughing and hiccoughing thoughtfully. » C'est dément, comment peut-il y avoir autant de prononciations différentes ? demanda-t-elle, fière de sa maîtrise de la langue.

Tora avait toujours été intelligente, songea Elsa, mais ça c'était vraiment impressionnant. Tout de même, elle était agaçante, avec ses manières hautaines.

Le regard d'Elsa se posa sur Nora, puis revint sur sa sœur.

— Nora, puis-je être excusée ? Un autre passager aimerait peut-être échanger l'heure de son cours avec moi ? Nous pourrions nous revoir plus tard.

— Certainement, répondit Nora.

Tora la dérangeait clairement, autant qu'elle irritait Elsa. Si elle n'avait pas été la belle-sœur du capitaine, Tora se serait assurément fait sermonner par l'enseignante.

Au moment où Nora quittait la pièce, Elsa se leva et prit le temps d'inspirer profondément pour tenter de calmer sa colère. Elle se rappela qu'elle était une femme mariée et tenta d'agir comme telle, contenant donc sa fureur. Elle se rendit dans le salon et s'assit délicatement sur la causeuse rococo richement rembourrée.

— Nous devons nous parler, Tora.

— Parler de quoi ? Ton mari en a dit bien assez hier soir, répondit Tora en détournant la tête, refusant de regarder sa sœur.

— Non, sûrement pas. Tu t'es immiscée parmi nous dans notre récente vie à deux en supposant que je m'occuperais de toi. Pour ajouter au problème, tu es sans le sou. Peder tente de lancer une nouvelle entreprise ; il n'a pas besoin d'une autre bouche à nourrir.

— Je ne m'étais pas rendu compte que je serais un tel fardeau, cracha Tora. Et puis toi, tu te plaignais pourtant d'avoir dû laisser toute ta famille.

Elsa sentit sa gorge se serrer.

— J'ai effectivement laissé toute ma famille. Toi, ma chère sœur, tu n'es rien de plus qu'une passagère clandestine à mes yeux. Ton geste est considéré comme un crime sur la plupart des bateaux. Tu as de la chance que Peder ne prévoie pas te larguer dans un port britannique.

— Ne me fais pas de faveurs, dit Tora, en regardant calmement sa sœur dans les yeux.

Elsa grogna de dégoût.

— Tu es… je vais te dire quelque chose. Non, je ne te ferai pas de faveurs. Tu vas manger de tes propres réserves jusqu'à ce que tu n'en aies plus, et quand tu n'en auras plus, je vais te nourrir parce que je suis une âme charitable.

Tora ne dit rien.

— Tu es une enfant effrontée et obstinée, Tora. Mais tu as pris une décision d'adulte, et je vais faire en sorte que tu en assumes pleinement les conséquences.

— Parfait.

— À la bonne heure. J'espère que tu continueras d'être d'accord avec ce constat. Peder et moi allons te rencontrer ce soir après le dîner. D'ici là, tu peux retourner à ta couchette ou te promener sur le pont. Ne va pas te mettre dans les jambes des marins. En fait, tiens-toi loin d'eux tout court. Maintenant que j'y pense, Peder veut savoir le nom du marin qui t'a aidée à monter à bord.

— Je ne m'en souviens plus.

— Il a l'intention de lui donner dix coups de fouet et de l'abandonner au prochain port. Tu mérites aussi le fouet. Si tu ne lui dis pas son nom, de telles mesures seront peut-être nécessaires contre toi.

— Ne me menace pas, rétorqua Tora, indignée, en se levant les poings serrés.

Elsa soupira.

— Écoute-moi, Tora. Un capitaine est le seigneur de son domaine. Il peut faire ce qu'il veut. Et puisque le *Herald* est un domaine plutôt petit, il doit impérativement maintenir son autorité. Peux-tu imaginer ce qui arriverait si tous les marins décidaient de faire monter leur copine ? Le chaos. Mais ça ne se passera pas comme ça ici, car Peder est un trop bon capitaine pour ne pas intervenir. Dis-moi son nom. Je vais plaider en sa faveur, demander à Peder de simplement l'abandonner sans lui donner de coups de fouet. Ce garçon doit être simplet — c'est évident que tu l'as utilisé.

Elsa vit un sourire victorieux traverser le visage de sa sœur. Avec tout ce qu'elle avait fait, Tora se montrait encore fière d'elle-même. Elsa dut se faire violence pour ne pas l'étrangler.

— Il pense de toute manière savoir de qui il s'agit. Il t'a vue disparaître avec lui aux noces. Papa serait livide s'il savait ! Dis-moi son nom, Tora.

Tora se leva et replaça sa jupe en évitant le regard de sa sœur.

— Il ne représente rien pour moi. Il s'appelle Vidar.

— Je suppose que tu es fière d'avoir utilisé ce jeune homme ?

Tora lui rendit simplement son regard en silence.

— Il n'y a pas de quoi être fière, Tora. Un jour, tes manières vont te rattraper.

N'obtenant pas de réponse, Elsa soupira de nouveau et lui dit qu'elle pouvait partir.

Tandis que sa sœur sortait par la petite porte de la cabine, Elsa marmonna intérieurement :

« Tes manières vont te rattraper plus vite que tu ne le crois, ma chère sœur. »

« Trois jours en mer et mon estomac suit toujours le rythme du bateau », songea Kaatje.

Elle supposa que si elle n'avait pas été enceinte, elle se serait habituée aux mouvements du voilier comme les autres passagers. Mais Astrid et elle essayaient toujours tant bien que mal de digérer le bouillon que diverses femmes leur apportaient et, entre deux siestes, elles tentaient de se divertir en se racontant des histoires. Elle avait toujours aimé Astrid sans bien la connaître ; maintenant elle sentait qu'elles étaient de bonnes amies.

Un petit coup à la porte précéda l'entrée, toujours exubérante, de Soren.

— Bon après-midi, dit-il en s'inclinant galamment jusqu'aux hanches. Puis-je faire quelque chose pour vous, chères rentières ?

Il s'approcha de la couchette de sa femme et embrassa brièvement Kaatje sur la joue.

— Oh, Soren, dit Kaatje. Décris-nous ce que tu peux voir du pont supérieur. Nous nous sentons un peu enfermées.

— C'est merveilleux ! C'est si fantastique que je songe à laisser la terre pour naviguer avec Peder, Karl et Kristoffer. Quelle belle vie !

Kaatje fronça les sourcils.

— Quoi ? Quitter la ferme ? Mais notre terre… nos rêves…

— Ah, Kaatje, je blague, dit-il, les yeux souriants. Mais tu devrais voir ça. Nous approchons de l'Écosse ; on peut l'apercevoir au loin. Elle s'élève des flots gris tourbillonnants à la manière d'une grosse tortue verte.

Kaatje se mit à rire de le voir imiter une tortue de mer avec force gestes extravagants.

— Hier soir, j'ai convaincu Karl de me laisser monter dans le nid de pie.

— Je savais que tu le ferais.

— De cet endroit, on voit à des kilomètres à la ronde ! dit-il. D'un côté, un énorme banc de poissons nageait le long du *Herald*. De l'autre, deux dauphins ! On se serait crû dans l'univers marin du roi Neptune !

Kaatje sourit de le voir si enthousiaste dans ses propos pittoresques. Elle aurait dû s'en douter. Soren était tombé amoureux de la mer comme de chaque nouvelle chose qu'il rencontrait sur son chemin.

— Et tes cours d'anglais, Soren? Apprends-tu avec Nora et les autres?

— L'anglais! Écoute mes nouveaux mots! Lorsque le *sperra*, ou devrais-je dire « spar », se mélange au cordage, on dit « running afoul », commença-t-il en faisant les cent pas, reprenant son souffle et profitant de son auditoire captif. Et « to be all at sea » veut dire « être déboussolé ». Lorsqu'ils peuvent profiter d'un répit, les marins se rassemblent pour « spin a yarn », une expression qui veut dire « se raconter des histoires ». Ah, quel endroit merveilleux, l'Amérique.

Kaatje recommença à rire, énergisée par la simple présence de son mari à ses côtés.

— Nous ne sommes pas encore en Amérique.

— J'ai l'impression que si. Dès que nous sommes montés à bord du *Herald*, j'ai senti que nous étions dans un monde différent.

— Je me sens aussi comme ça, dit-elle en le regardant amoureusement.

C'était comme s'il renaissait, comme s'il se faisait baptiser dans un nouveau pays. Oh, peut-être, peut-être qu'à la fin les choses allaient bien tourner!

— Je ferais mieux d'y aller et de vous laisser vous reposer. Je vais simplement emporter ceci, dit-il en se penchant pour ramasser les seaux.

Astrid protesta faiblement.

— Non, non, dit Soren en souriant. Il n'y a même pas assez de place ici pour y jeter un chat mort, il me faut absolument vous débarrasser de cette puanteur. Je reviens tout de suite.

Dès qu'il eut fermé la porte derrière lui, la faible voix d'Astrid parvint à Kaatje.

— C'est une vraie tornade, celui-là.

— Oui, en effet.

— Comment fais-tu pour arriver à le suivre ?

— J'ai bien peur de ne pas y parvenir. Je m'inquiète parfois de le perdre. Que je n'arriverai pas à le suivre et qu'un jour il va m'échapper, comme un cerf-volant dont le fil se serait cassé. Je rêve souvent que je cours derrière lui pour essayer de le rattraper, mais il disparaît toujours en me faisant son sourire espiègle. Ça me rend presque hystérique. Je me réveille couverte de sueur.

Astrid demeura silencieuse un moment.

— Tu ne peux pas vivre dans la peur de le perdre, Kaatje. Je sais ce que c'est. Voir Kristoffer partir en mer toutes ces années m'a fait craindre Dieu. Les mois d'absence et l'inquiétude qu'il ne revienne jamais menaçaient de me rendre malade. Finalement, le pasteur Lien m'a enseigné une prière qui fonctionne pour moi. Qui m'a apaisée. Elle fonctionnerait peut-être pour toi.

— J'aimerais l'entendre.

Kaatje leva les yeux vers le prisme qui avait l'air d'un énorme diamant taillé. Il avait été placé à l'envers dans le pont de bois au-dessus, à égalité du plancher, pointant vers les passagers du dessous. Chacune de ses six facettes produisait un rayon de lumière, et, d'une certaine façon, ce prisme évoquait en Kaatje la présence du Christ. Quoi qu'il en soit, cette simple pensée la réconfortait.

— Prie avec moi, Kaatje, l'enjoignit Astrid avant de se mettre à prier. Ô Dieu, nous te demandons d'être présent auprès de nos maris, qu'ils soient près ou loin de nous. Protège-les, Père céleste, donne-leur la sagesse voulue qui saura guider chacun de leurs actes. Toi, source de paix, chantre de l'harmonie, toi le fondement de notre vie éternelle, toi que nous désirons servir dans la plus totale liberté, défends-nous, nous, tes humbles serviteurs, contre les assauts de nos ennemis, pour que nous puissions, confiants en ta protection, ne pas avoir peur de la puissance de nos adversaires, par la force de Jésus-Christ, ton fils, notre Seigneur. Amen.

Kaatje sentit sa gorge se serrer. Elle n'avait jamais entendu qui que ce soit prier en étant aussi sûr que Dieu puisse écouter. On aurait dit qu'Astrid s'adressait à Dieu comme à un ami, non pas comme à... Dieu. Kaatje était à rassembler son courage pour lui poser des questions à ce sujet, lorsqu'elle entendit une autre fois des coups à la porte. C'était Soren qui faisait encore son apparition. Il allait ouvrir la bouche pour parler, mais se ravisa soudain et mit plutôt son index sur ses lèvres pour inviter Kaatje à garder silence, pointant sa compagne. De toute évidence, Astrid s'était endormie à la fin de sa prière.

Soren déposa un seau à côté d'Astrid et un autre sur un crochet à hauteur du lit de Kaatje. Une légère odeur d'eau salée lui monta aux narines ; elle lui fit un sourire reconnaissant, les paupières lourdes.

— Tu devrais peut-être aussi te reposer, dit-il.

Kaatje, à moitié endormie, hocha la tête. Une sieste semblait alléchante. Sa conversation avec Astrid l'avait rendue lasse au point d'avoir de la difficulté à rester éveillée. Avant même que Soren ne puisse l'embrasser encore une fois, elle tomba endormie et se mit à rêver à des anges puissants qui volaient autour de son mari, le protégeant de quelque chose qu'elle n'arrivait pas à voir.

Avec l'aide de deux marins qui la regardaient tantôt comme une enfant pénible, tantôt comme une maîtresse invitante, Tora récupéra sa maigre réserve de nourriture. Ce soir-là, elle mangea seule sur le pont. Assise dans le gaillard d'avant, de dos au mât de misaine, Tora pouvait oublier ses problèmes. De son poste d'observation, le seul obstacle la séparant de son rêve américain était un beaupré de fer qui pointait au large, comme pour lui indiquer la direction de son nouveau chez-soi. En vérité, ses provisions n'allaient lui durer que quelques jours. Elle serait forcée d'aller voir Elsa pour lui demander de l'aide. Tora émit un faible juron et appuya sa tête contre le mât. Elsa jouirait indéniablement de ce moment. Elle prenait un malin plaisir à se sentir supérieure à Tora. Quoi qu'il en soit, elle verrait bien laquelle des deux avait rendez-vous avec la réussite. Elle était peut-être la femme du capitaine pour le moment, mais Tora avait des buts grandioses en tête. Un jour, ce serait Elsa qui viendrait la voir.

Pour l'instant, Tora avalait du pain sec avec de l'eau et s'obligeait à songer à l'avenir plutôt qu'à son maigre repas. Regardant au loin, elle observait les divers motifs dans l'eau, causés soit par le vent soit par les courants, elle ne le savait pas. Loin au-devant du bateau, il était plus difficile de discerner la houle qui tourmentait le *Herald*. Si elle continuait à se sentir aussi nauséeuse, elle n'aurait pas besoin de demander des rations de vivres à son avare de sœur. Mais elle appréciait le vent, qui faisait se gonfler le mât de perroquet, le hunier et le cacatois comme des draps propres dans la brise printanière. Ce vent signifiait à ses yeux qu'elle avançait petit à petit vers l'Amérique.

— Pardonnez-moi, mademoiselle, dit un marin à hauteur de son coude.

Elle détacha son regard de l'horizon pour le diriger vers le triste sire.

— Oui ?

— Le capitaine veut vous voir. J'ai ordre de vous escorter immédiatement à sa cabine.

Tora le toisa de haut en bas, se demandant paresseusement s'il valait la peine d'user de flagornerie pour qu'il l'emmène plutôt faire une promenade que d'aller voir le capitaine. Mais le marin avait le visage résolu et il évitait soigneusement de la regarder. Il savait sans l'ombre d'un doute qu'elle était la passagère clandestine responsable du départ imminent de Vidar.

— Très bien, dit-elle en se levant pour le suivre.

Il l'emmena aux quartiers du capitaine, la laissant dans le salon pour immédiatement repartir sans dire un mot. Tora, malgré sa détermination, sentit sa bouche saliver à l'odeur du bœuf rôti, des oignons, des légumes et du pain frais. Elle n'était que plus fâchée des privations imposées par sa sœur. Elle était de sa famille ! Elle aurait dû être traitée comme la princesse de sa sœur la reine !

Tora vit Elsa se pencher à un bout de la table, cachée derrière le mur de la cabine, sans doute pour dire à Peder que sa belle-sœur était arrivée. Elsa s'essuya la bouche avec une serviette en tissu, puis la déposa sur le côté de son couvert. Elle se leva et entra dans le salon, suivie de Peder et de leurs convives, Einar et Nora, ainsi que Birger et Eira Nelson. Après des au revoir polis, le quatuor se retira rapidement comme s'il voulait s'éloigner de la lame de hache du bourreau.

Au moment où la porte se fermait, Peder ouvrit la bouche :

— Vidar a été puni pour ses indiscrétions.

— Je sais. C'est là une pratique barbare à mon sens, répondit Tora avec mauvaise humeur.

Elle regarda Elsa d'un air accusateur, la blâmant de ne pas être intervenue tel qu'elle l'avait promis.

— Je ne suis pas aussi barbare que certains autres capitaines, précisa Peder. J'en ai connu quelques-uns qui l'auraient lancé, et toi aussi, par-dessus bord.

Elle sentit son cœur sursauter.

— Tu n'oserais pas.

— La question n'est pas d'oser, Tora, mais d'agir.

Il la dévisagea, et elle remarqua que les profondes rides de sourire qui ornaient presque toujours son visage brillaient par leur absence. Ses yeux brun-vert la dévisageaient avec lassitude. Ses lèvres tiraient vers le bas. De toute évidence, Peder Ramstad était un homme qu'il ne fallait pas mettre en colère. Tora, même avec son air le plus puissant de petite fille, connu pour faire fondre les hommes les plus forts, ne réussit pas à adoucir son regard. Elle se tortilla et regarda Elsa à la recherche de réconfort.

Sa sœur semblait un peu plus remise de ses émotions.

— J'ai trouvé une solution décente à notre dilemme, commença cette dernière en se croisant les mains sur les cuisses.

Devant le sang-froid manifesté par cette dernière, Tora ne pouvait faire autrement que d'admirer quand même un peu sa sœur. Depuis ses fiançailles, Elsa avait gagné une contenance d'adulte qui la faisait paraître plus sûre, en paix et confiante en elle-même.

— Une solution ? À quoi ? demanda Tora.

— À la manière dont tu vas payer ton passage, comme l'ont fait toutes ces braves personnes à bord du bateau.

— Je vais te rembourser, Elsa. Je te promets…

— Kristoffer Swenson a offert de payer ton passage. En échange, tu vas t'occuper du petit Knut tout au long de la traversée et aider Astrid à en prendre soin et à s'occuper de leur nouvel enfant une fois dans le Maine. Durant six mois.

Tora était abasourdie. Elle réfléchit à toute vitesse dans le but de trouver un bon argument à rétorquer.

— Ce n'est ni plus ni moins de l'esclavage ! cria-t-elle.

— Tu mériterais beaucoup moins de générosité, lui précisa calmement Elsa. Règle générale, les hommes qui embarquent clandestinement et qui ne sont pas jetés par-dessus bord ne sont pas que fouettés, mais soumis à sept ans de servitude dans le bateau. Peder aurait le droit de te faire travailler pour lui jusqu'à tes vingt-trois ans.

Tora bondit sur ses pieds, les poings serrés de chaque côté d'elle.

— J'aimerais bien te voir essayer de me flageller, dit-elle à Peder. Je connais au moins quatre hommes à bord du bateau qui te retiendraient la main.

Le regard de Peder, déjà redoutable, devint franchement mauvais. Il se leva aussi, s'élevant au-dessus de la svelte Tora.

— Ne fais pas de menaces de mutinerie, Tora. Il y a un monde de différence entre la vie à bord d'un bateau et la vie à Bergen. Il y a une ligne de conduite bien tracée et un ordre établi. Ne me menace plus, ordonna-t-il en agitant un doigt devant son visage, ou je vais te donner une fessée digne de l'enfant gâtée que tu es.

Elsa se leva à son tour pour s'interposer entre les deux. Tora crut voir leur mère dans le geste de sa sœur.

— Tu peux partir, Tora. Mais tu devras te rendre chez le cuisinier à cinq heures demain matin.

— Le cuisinier ? glapit Tora.

— Tu as le choix : ou tu acceptes l'offre de Kristoffer et tu te présentes à la cabine d'Astrid à sept heures, ou tu rejoins le cuisinier à cinq heures. Et peu importe ta décision, tu devras te montrer gentille et courtoise dans ton rôle de servante.

— Je ne ferai rien de tel ! hurla Tora en soulevant ses jupes et en leur lançant ce qu'elle espérait être un regard meurtrier. C'est la chose la plus injuste que j'ai entendue !

Sur ce, elle sortit de la cabine en claquant la porte derrière elle. Elle courut jusqu'au gaillard d'avant et regarda au-delà de la rampe à tribord vers l'Amérique. Oh, l'Amérique, l'Amérique. Le *Herald* ne s'y rendrait jamais assez vite.

Peder avait observé sa femme avec émerveillement durant la scène avec Tora.

« Elle se maîtrise si bien », pensait-il.

Déjà une femme de caractère. Pourtant, dès que Tora avait claqué la porte de la cabine, Elsa s'était effondrée sur la causeuse. Il s'assit près d'elle, la poussant doucement à se détendre. À l'invitation de Peder, elle s'appuya la tête sur les genoux de son mari, qui entreprit sans dire un mot de lui défaire son chignon jusqu'à ce que ses cheveux — de la couleur d'une lune matinale — descendent en vagues sur ses genoux et ses cuisses. Il passa ses doigts dans les mèches soyeuses, remontant jusqu'à la racine des cheveux pour ensuite lui masser le cuir chevelu.

— Tu as fait de ton mieux, lui dit-il au moment où elle poussait un profond soupir.

— Oui. Mais était-ce assez ? Comment ai-je pu passer de jeune mariée à mère en deux jours ?

Elle lui sourit avec lassitude.

— Que puis-je dire ? Moi qui suis si fort et courageux.

Ils rirent doucement tous les deux et trouvèrent du réconfort dans ces mots d'humour.

— Elle nous regarde avec ses yeux de biche, persuadée qu'ils lui permettront de se sortir de n'importe quelle situation. Il est temps qu'elle apprenne à être responsable de ses actes… avant qu'il ne soit trop tard.

— Je crois qu'elle a bien compris ton point de vue, dit-il en suivant lentement de ses doigts les lignes délicates, sculpturales, de sa mâchoire, de son menton et de son nez.

Il toucha ensuite à ses lèvres tandis qu'elle fermait les yeux, savourant de toute évidence la sensation de ses doigts sur son visage. Elle se détendait maintenant visiblement.

— Elle s'en rendra compte bien assez vite, mon ange, ajouta-t-il. Ne t'inquiète pas.

— C'est difficile de ne pas s'en faire pour Tora. J'ai peur que…

Il l'interrompit, la prenant dans ses bras, incapable une seconde de plus de résister à l'envie de l'embrasser.

Elle lui sourit lorsqu'il releva la tête.

— J'en conclus que tu as autre chose en tête que ma sœur.

Peder hocha la tête.

— C'est la plus belle des sœurs Anders que j'ai en tête.

— C'est ce que j'aime chez toi, dit-elle en lui adressant un sourire espiègle. Ton goût raffiné en matière de femmes.

Sur ce, Peder la souleva doucement dans ses bras et se leva.

— Il est difficile de se concentrer sur ses tâches de capitaine tout en ayant des pensées de lune de miel en tête.

Et sans rien ajouter, il la transporta dans leur chambre, prenant bien soin de refermer la porte derrière eux.

Plus tard cette soirée-là, Karl prit son tour à la barre alors que tout était calme sur le pont, les passagers bien endormis dans leurs couchettes, tout comme les marins qui n'étaient pas en service. La présence d'un vent chaud, sous une lune ascendante qui projetait un sillon lumineux sur les eaux miroitantes de l'Atlantique Nord, faisait remonter en lui le souvenir d'une île polynésienne.

La nuit était le moment préféré de Karl à bord du bateau, un moment où il pouvait presque s'imaginer seul sur le *Herald*, prêt à conquérir le monde, au gouvernail d'un tel vaisseau. Oh, comme il aimerait être capitaine ! C'est ce qu'il espérait plus que tout, et cet espoir allait sûrement bientôt se concrétiser. Avec ses quarante pour cent de parts dans les chantiers Ramstad, il savait que le prochain bateau à quitter la rampe de lancement de l'entreprise serait sien de droit.

Le personnel de quart avait fait sonner la cloche quatre fois pour indiquer qu'il était dix heures, lorsque Peder rejoignit Karl, se tenant silencieusement derrière lui à la gauche de ce dernier, imitant les gestes de son premier second, nez levé vers le vent debout, appréciant le doux tangage du bateau comme on apprécie le rire accueillant d'un ami. Ils restèrent ainsi dans un silence complice jusqu'à ce que Peder rompe de ses mots leurs pensées respectives.

— C'est bon d'être en route.

— Oui. C'est dans des moments comme celui-ci que j'ai hâte d'avoir mon propre bateau.

Peder fit une pause.

— Je comprends.

— Je continue de penser que nous devrions considérer la construction d'un vapeur comme projet suivant. Les voiliers sont en déclin. Je sais que tu aimes les voiliers, Peder, mais nous devons être réalistes. En tant que partenaire des chantiers Ramstad, je me dois d'insister.

Peder toussa et changea de sujet. Ils avaient déjà abordé cette question un grand nombre de fois.

— Comment se portent nos malades ?

— La plupart d'entre eux se sont remis de leur mal de mer, répondit Karl en lui jetant un coup d'œil. Quelques-uns en souffriront jusqu'à Boston. Mais les plus inquiétantes sont Kaatje et Astrid.

— À cause de leur grossesse ? demanda délicatement Peder.

— Je suppose, répondit Karl dans un hochement de tête.

— Le cuisinier peut-il leur venir en aide d'une quelconque façon?

Comme la coutume le voulait, le cuisinier servait aussi de médecin et transportait avec lui un coffre d'approvisionnements pouvant aider à guérir toute une variété de maux.

— Il m'a donné une bouteille de tonique, ce soir.

— Laisse-moi prendre la barre, dit Peder. Toi, va voir ces dames, si ça ne te dérange pas.

— Pas du tout, répondit amicalement Karl, qui se tourna pour partir.

— Karl? lui dit Peder.

— Oui?

— Il y a quelque chose dont je dois te parler.

Une intonation dans la voix de Peder fit frissonner Karl dans le dos. Peder était-il au courant de ses sentiments envers Elsa? Avait-il remarqué l'admiration grandissante qu'il avait si vaillamment essayé de cacher? Karl chassa ces folles pensées de son esprit, déterminé à faire face à la situation.

— Oui?

Peder baissa les yeux vers le plancher, puis après un moment à se balancer, il dit finalement :

— Ce n'est rien. Nous en parlerons plus tard.

— Tu es certain?

— Oui, oui. Ça peut attendre.

Il congédia son ami d'un regard, et Karl se retourna, mal à l'aise. Peder n'était pas du genre à se retenir. Que cachait-il? Karl eut l'impression qu'Elsa n'était pas en cause.

Il se rendit au baril d'eau potable et versa de l'eau fraîche dans deux gobelets à l'intention d'Astrid et de Kaatje sur le pont inférieur. Il savait qu'il serait difficile pour elles d'avaler cette eau. Il savait aussi que si elles ne se mettaient pas bientôt à garder des liquides, les deux mères et leurs bébés à venir pourraient mourir de déshydratation. Après des jours en mer, elles étaient déjà dangereusement faibles.

Karl entra dans le sombre couloir qui menait à sa cabine et à la cale du reste des passagers. Ses narines se remplirent tout de suite de la forte odeur huileuse des lampes à kérosène qui éclairaient le passage — ainsi que de l'odeur confinée et stagnante qui s'élevait du fond de la cale. Ça le rendait lui aussi un peu nauséeux, maintenant qu'il prenait la peine d'y penser. Il cogna deux fois, puis pénétra à l'intérieur de la cabine après qu'une faible voix lui eut dit d'entrer.

Kaatje et Astrid semblaient dans un état encore pire que la veille, aussi inimaginable que cela puisse paraître. Même dans la lumière chaleureuse de la flamme de la lanterne, les deux femmes avaient le teint épouvantablement gris. Karl sourit et parla à voix forte, comme si la puissance de sa voix pouvait insuffler de la vitalité aux deux dames.

— De l'eau fraîche, dit Karl en tendant les deux gobelets.

Les deux femmes grognèrent, mais s'assirent.

— Vous devez boire le plus possible, si vous ne le faites pas pour vous, faites-le au moins pour vos bébés.

Elles hochèrent la tête et acceptèrent les verres de fer-blanc qu'il leur offrait.

— Vous sentez-vous mieux ? demanda-t-il plein d'espoir.

— J'ai bien peur que non, répondit Kaatje. Mais merci de ta compassion, dit-elle en s'étirant pour lui toucher la main. Je suis désolée de t'avoir expulsé de ta propre cabine. Nous pourrions maintenant nous rendre à notre propre place dans la cale.

— Non, non, dit Karl pour les rassurer. Concentrez-vous sur votre convalescence. Je vais bien.

Il regarda Astrid.

— Tu ne vas vraiment pas mieux du tout ?

Elle secoua négativement la tête pour toute réponse.

— Eh bien, je ne sais pas si ça peut vous intéresser, dit Karl en sortant une bouteille de sa poche arrière, mais j'ai une bouteille de Hostetter's Stomach Bitters que le cuisinier vous envoie. Il l'a prise à New York, précisa Karl en approchant la flamme pour lire l'étiquette : « Le célèbre Hostetter's Stomach Bitters. Un tonique curatif pur et puissant, d'une efficacité remarquable pour les maux de l'estomac, du foie et des intestins… »

— S'il te plaît, l'interrompit Kaatje en levant la main. Ça sonne affreux.

— Ça dit ici que ça guérit le mal de mer, tenta-t-il encore pour les persuader.

— Je ne crois pas que nous soyons intéressées, dit faiblement Astrid. Merci tout de même beaucoup d'avoir pensé à nous.

— J'aurais peur pour mon enfant, dit Kaatje en s'appuyant contre son oreiller.

« J'ai peur que ton enfant coure d'autres dangers », pensa Karl, mais il haussa les épaules et hocha la tête.

— Vous êtes sûrement mieux placées que moi pour le savoir. Je vais vous envoyer le cuisinier avec un autre bouillon. Vous devrez vraiment bientôt avaler quelque chose.

— Merci, monsieur Martensen, dit Astrid.

Elle ferma les yeux. Oui, elle était sans l'ombre d'un doute en mauvaise forme. Les yeux de Karl retournèrent vers Kaatje. Elle aussi s'affaiblissait.

— Je vais vous laisser vous reposer, alors. Bonne nuit.

Les deux femmes marmonnèrent faiblement un au revoir.

Il sortit de la cabine sur la pointe des pieds et ferma la porte aussi doucement que possible. Il avançait dans le couloir lorsqu'il se cogna presque contre Elsa. Il tendit la main pour l'aider à rétablir son équilibre, mais il dut se rappeler d'interrompre son geste.

— Je suis désolé, Elsa. Je ne t'avais pas vue.

Elle rit, son sourire se reflétant dans ses yeux. Karl détourna le regard, fixant la bouteille qu'il avait en main.

— Je viens de leur apporter de l'eau fraîche. J'ai essayé de leur faire prendre ceci, mais elles n'en ont pas voulu.

Elsa lui prit la bouteille de la main et la leva à la lumière pour lire l'étiquette. Karl profita de ce moment pour étudier la jeune femme. Que ressentirait-il s'il la prenait dans ses bras ? Il avait physiquement mal de constamment se retenir ainsi. Et s'il lui soulevait le menton là tout de suite et posait ses lèvres sur les siennes ?

« Jésus, mon Dieu, aidez-moi ! » cria-t-il silencieusement.

— Je dois y aller, continua-t-il rapidement, déterminé à maîtriser sa folie. Je vais aller dire au cuisinier de leur apporter du bouillon. Essaie de les faire boire. Le plus possible. Leurs vies et celles de leurs bébés sont vraiment en danger.

Elle hocha la tête vers lui avec un sérieux dans les yeux, ces yeux qui l'attiraient comme un aimant. Il détacha son regard de celui d'Elsa et s'éloigna en courant dans le couloir pour aller respirer l'air frais et purifiant de cette nuit sur l'Atlantique.

Chapitre 6

Elsa se rendit à son poste sur le pont au-dessus de la cabine du capitaine, comme elle le faisait tous les jours depuis maintenant une semaine, et elle s'assit en poussant un soupir de satisfaction. Dès le premier jour à bord, Stefan, le steward, y avait placé une chaise de bois à son intention après lui avoir fait remarquer que cet endroit offrait l'un des meilleurs points de vue du *Herald*. Elle aurait aimé s'offrir le confort d'un hamac, mais elle savait que Peder désapprouverait qu'elle s'allonge dans un filet si indigne d'une femme. Tout de même, elle était très satisfaite de son installation.

Sous elle, elle pouvait voir les passagers faire le tour du pont, les parasols des dames s'agitant au rythme du vent. Le petit Knut, se cachant d'Ola, la femme de Mikkel Thompson, était accroupi derrière un baril. Elsa regarda Ola qui, de toute évidence inquiète, appelait le garçon. Il rit et elle voulut l'attraper, mais il se sauva, pensant apparemment qu'elle jouait avec lui. Ola, une femme plutôt guindée dans la soixantaine, n'appréciait pas ces singeries autant que Nora ou Elsa, qui se laissaient parfois prendre au jeu — ou que Tora, qui aurait sûrement su s'en amuser si elle avait pu cesser de bouder pour plutôt s'occuper de l'enfant. Elsa regarda sa sœur derrière eux. Ayant refusé l'offre de Kristoffer comme une enfant irascible, Tora était penchée au-dessus du bastingage à éplucher des pommes de terre pour le cuisinier.

Elsa revint à des pensées plus agréables. Même après dix jours en mer, l'excitation à bord du bateau était toujours palpable. Tous espéraient s'être embarqués pour un avenir meilleur, et ils n'étaient pas encore assez loin de Bergen pour avoir le mal du pays. Elle pensa aux imposantes montagnes de Bergen, s'imaginant les sept pics enneigés au faîte des montagnes de granit, qui, quant à elles, s'élevaient du fjord profond qu'elles côtoyaient. Oui, Bergen était magnifique. Mais la mer… la mer offrait elle-même une vue incroyable. Des kilomètres et des kilomètres d'eau s'étendaient devant eux. La veille, l'Europe avait disparu de leur champ de vision. Elsa s'était sentie comme un moucheron sur un éléphant, comme une minuscule puce sur un géant qui s'avançait sur l'eau et qu'elle entendait respirer. Il y avait pourtant quelque chose d'exaltant de voguer ainsi au gré de l'eau et du vent. C'était comme si, d'une certaine manière, tous les passagers avaient réussi à dompter l'éléphant en montant sur son dos.

Sortant son carnet de croquis, elle pensa à l'histoire que Riley lui avait racontée la veille, pour lui expliquer l'expression « voir l'éléphant », couramment employée par les chercheurs d'or.

— C't'une vieille blague, tu vois, avait-il dit dans son accent cockney typique. C'est l'histoire d'un fermier qui, apprenant l'arrivée d'un cirque, remplit son chariot de produits maraîchers et se précipite au village. Chemin faisant, il croise le défilé du cirque, mené par un éléphant. Ses chevaux s'emballent en voyant cette étrange bête, faisant ainsi basculer le chariot et entraînant la chute des légumes partout sur la route. « Je m'en fiche, s'exclame le fermier, car j'ai vu l'éléphant. »

Elsa avait levé les yeux en direction du sage marin qui avait jadis participé à la ruée vers l'or de 1849 et qui était toujours en forme à un âge qu'elle estimait bien au-delà de cinquante ans.

— Qu'est-ce que ça signifie, Riley ?

— Ça veut dire qu'il faut savoir aller quelque part tant pour le plaisir de voir que pour le plaisir de le faire, madame. Du moins, c'est ce que je pense. Je n'ai peut-être pas trouvé d'or, mais je n'ai jamais regretté d'y être allé. C'est pourquoi je me suis fait marin. J'ai été tour à tour mineur, commis de magasin, homme des champs. Mais la mer. La mer, c'est là où je passerai le reste de mes jours.

— Je comprends, avait-elle répondu en hochant la tête.

Elle comprenait vraiment. L'océan était totalement magique ; sur les milliers de kilomètres de mer qui s'étendaient devant eux, de chaque côté d'eux et derrière eux. C'était comme dans un désert, se disait-elle, mais avec beaucoup plus d'eau.

— Est-ce ainsi que tu t'es senti, Moïse ? murmura-t-elle, face au vent, sentant sa caresse sur son visage. J'aime mon voyage jusqu'à maintenant, mais quarante années d'errance en mer me sembleraient aussi intolérables qu'ont dû te sembler tes quelques décennies dans le désert.

Elle leva les yeux vers les voiles gonflantes et remarqua la présence d'un marin dans le nid de pie. Yancey, croyait-elle, qu'il s'appelait. Le vent faisait onduler sa chemise aussi férocement qu'il fouettait les voiles, mais l'homme semblait heureux. Ses yeux scrutaient l'horizon, et il criait occasionnellement une annonce comme « trois-mâts à bâbord ! » pour indiquer la présence et la position d'un autre vaisseau en vue.

— Trois-mâts, ho ! répondait Karl de son poste à la barre.

Déplaçant sa chaise et prenant son crayon, Elsa entreprit d'esquisser de son point d'observation l'homme qui se trouvait dans le nid de pie. Elle fut emportée par son dessin et elle mit deux heures avant d'en détacher le regard. Peder était maintenant derrière elle et il lui vola un petit baiser avant de regarder le croquis sur les genoux de sa belle.

— Qu'est-ce que c'est ? demanda-t-il en lui prenant le carnet des mains. Fabuleux, Elsa, c'est très beau, commenta-t-il en regardant le dessin, puis Yancey, et de nouveau le croquis. Je ne savais pas que tu étais une artiste aussi talentueuse.

Elle se sentit gênée par son regard scrutateur et ses compliments.

— Ce n'est qu'un passe-temps.

— C'est plus que ça, dit-il, plongeant ses yeux vert mousseux dans les siens, clairement ravi de sa découverte. C'est beaucoup plus que ça. Peins-tu aussi ?

Elsa haussa les épaules, ne sachant où se mettre sous son regard pénétrant.

— Je n'ai jamais essayé.

— Tu devrais. Tu as un don. Nous devrions t'encourager sur cette voie.

Elle sourit. Elle adorait la manière qu'il avait de profiter de la vie. Un autre homme aurait pu croire que le talent d'une femme était quelque chose de dérisoire, mais pas son Peder. Son mari l'incitait plutôt à se mettre à la tâche et à développer ses compétences.

— Avant, je voulais être charpentière de marine.

Il leva les sourcils de surprise.

— Vraiment ? Je ne le savais pas.

— Papa désapprouvait. Il disait que je devais concentrer mes énergies à devenir une bonne épouse et une bonne mère.

Peder rit.

— Eh bien, j'apprécie les aspirations que mon beau-père avait pour toi. Mais je ne t'occupe pas tant que ça, n'est-ce pas ?

— Non. D'autant plus que c'est Stefan qui nettoie la cabine après ton passage et qui lave tes vêtements.

Elle fit un signe vers la corde à linge sur laquelle séchaient rapidement plusieurs chemises blanches de Peder. Leurs sous-vêtements étaient discrètement épinglés sur une corde dans leur cabine.

— Et qu'en est-il de ton désir de devenir charpentière de marine ?

Elsa leva un sourcil et le regarda. Trouvait-il bien qu'elle puisse avoir de telles aspirations ? Soudainement, Ola apparut au haut de l'échelle accrochée à la cabine du capitaine, à la recherche de Knut.

— Avez-vous vu le petit garnement ? demanda-t-elle, exaspérée.

— Je vais envoyer quelques marins vous aider à le trouver, madame Thompson, intervint Peder.

La dame hocha une fois la tête, puis redescendit l'échelle. Peder se retourna vers Elsa. Il se pencha vers elle et lui souleva le menton, attirant son regard vers le sien.

— Je t'apprécie, et je t'appuierai dans tous tes choix, Elsa, dit-il d'une voix douce. J'aurais dû t'épouser il y a longtemps.

L'intensité de ses propos la gênait.

— Quand j'avais l'âge de Tora ?

— Peut-être. Tu étais une jeune femme bien différente de Tora. Mais je voulais devenir capitaine avant de revenir pour toi.

Elsa hocha la tête et jeta un coup d'œil à l'intérieur du bateau. L'allusion de Peder à son titre de capitaine avait attiré l'attention d'Elsa vers Karl.

— Lui as-tu dit ? demanda-t-elle.

Peder suivit son regard et fronça légèrement les sourcils.

— Non, avoua-t-il avant de changer de sujet. Il y a un artiste à New York que j'aimerais que tu rencontres.

Sur ce, il partit, ne voulant manifestement pas discuter du secret qu'il cachait toujours à son meilleur ami.

L'état de Kaatje s'améliorait. Elle était maintenant capable de faire une petite promenade sur le pont en s'appuyant au bras de Soren. L'air frais et salin sur sa peau lui faisait un bien immense et semblait lui purifier les esprits. Elle retourna à la cabine à contrecœur, mais pressée de jeter un coup d'œil à Astrid. Cette dernière semblait aussi aller mieux et elle avait été capable d'avaler une tasse de bouillon la veille, et une autre la journée même, ce qui lui donnait espoir. Soren déposa un seau d'eau fraîche près des couchettes et laissa Kaatje en lui faisant un doux sourire et en lui tapotant le ventre. Kaatje, se sentant plus heureuse et satisfaite qu'au cours de l'année qui venait de s'écouler, apporta une chaise dans la cabine et s'assit à côté du lit d'Astrid.

Elle prit la main de son amie.

— Te sens-tu encore bien ?

— Ça va et ça vient, répondit faiblement Astrid. Un moment je crois que c'est terminé, et l'instant d'après j'ai peur que mon état n'ait empiré. La bonne nouvelle, c'est que le bébé devrait naître bientôt. Je crois que tout ira bien si elle naît d'avance.

— Tu crois que c'est une fille ?

— Je l'espère. Peux-tu t'imaginer vivre avec trois hommes ?

Kaatje ricana, heureuse d'entendre Astrid tenter de faire une blague. Son sourire s'effaça cependant alors qu'Astrid fermait péniblement les yeux.

— Kaatje.

— Oui ?

— Peux-tu m'amener Knut aujourd'hui ? Kristoffer le tient éloigné. Il s'inquiète qu'il ne m'épuise. Mais il me manque. Ça me ferait du bien de sentir ses petits bras dans mon cou.

— Oui. Certainement. Devrais-je aller le chercher maintenant ?

— Peut-être un peu plus tard. Juste après ma courte sieste. Je devrais alors avoir des forces pour ma petite terreur.

— Tu es une bonne mère, Astrid. J'espère faire aussi bien que toi.

Astrid repoussa ses éloges d'un geste de la main.

— Il n'y a rien de plus naturel que d'aimer son enfant. Je ferais tout pour Knut. Tu feras n'importe quoi toi aussi pour le tien. C'est l'amour de Dieu pour nous que l'on parvient à comprendre par nos enfants. Soudainement, quand on regarde notre bébé, on comprend ce que peut ressentir Dieu envers nous. J'observe Knut, et il y a tant d'amour… Ah, regarde-moi, dit-elle, dégoûtée, en essuyant de soudaines larmes. Juste de penser à lui me fait pleurer comme un bébé.

Kaatje fit un sourire à son amie. Elle était si délicate, si mince… et une si bonne mère.

« S'il te plaît, Dieu, pria-t-elle silencieusement. Fais en sorte qu'elle se rétablisse. »

— Raconte-moi une histoire, Kaatje, demanda Astrid. Raconte-moi comment Soren et toi êtes tombés amoureux.

Elle déplaça son oreiller pour s'y appuyer.

— Il n'y a pas grand-chose à raconter. J'étais amoureuse de Soren depuis des années. Depuis mes douze ans, je crois, lorsqu'il venait à notre ferme pour traire les vaches avec mon père. Plus tard, lorsque mes parents sont morts de la grippe et que je suis allée habiter avec une tante sur sa ferme, il laissait chaque matin une fleur sur le pas de la porte. Un jour, je me suis levée très tôt et je l'ai surpris. Lorsque je l'ai questionné sur ses motifs, il m'a répondu : « Je pensais que tu étais peut-être triste. Les fleurs semblent rendre les filles heureuses. » Ah, il m'a conquis le cœur ! raconta-t-elle les yeux grand ouverts, tout sourire, en repensant à ces moments.

Astrid ouvrit les yeux et rendit gentiment son sourire à Kaatje. Elle lui prit la main et dit doucement :

— Je crois comprendre qu'il a conquis le cœur de plusieurs.

Kaatje retira sa main, sentant son visage se crisper.

— C'est du passé.

— Je l'espère, mon amie. Ça doit être douloureux pour toi.

Kaatje étudia attentivement les yeux d'Astrid. Elle n'y trouva que de la compassion. Kaatje n'avait discuté des indiscrétions de Soren avec personne, à l'exception d'Elsa, et encore, sans vraiment entrer dans les détails. De toute évidence, son secret était connu de tous. Elle hocha la tête, des larmes se formant au coin de ses yeux.

— En effet.

Soudainement, Astrid lui reprit la main, ferma les yeux et se mit à prier.

— Dieu notre Père, nous prions pour que tu prennes Soren en main. Fais en sorte qu'il n'ait d'yeux que pour sa femme. Et, Père, nous prions aussi pour Kaatje. Pour qu'elle trouve le pardon en son cœur et reprenne confiance dans tes plans. Sois un phare pour elle, qui tente d'arriver à toi.

— Amen, murmura Kaatje.

— Amen, lui dit Astrid en écho. Kaatje, prendrais-tu ma Bible pour m'en lire quelques versets ?

— Certainement.

Elle se leva et prit la vieille Bible de cuir noir sur la tablette au-dessus de la tête d'Astrid.

— Possèdes-tu une Bible ? lui demanda Astrid.

— Non. J'aime toujours entendre des extraits du livre saint, mais je n'en ai jamais eu un. On semble n'avoir jamais assez d'argent.

— Nous devons remédier à cette situation. Une fois en Amérique, j'y verrai personnellement.

Kaatje écarquilla les yeux de surprise.

— C'est très généreux, mais…

— Non, ne discute pas avec moi, Kaatje, dit doucement Astrid. Tout croyant a besoin d'une Bible. C'est grâce à elle que nous pouvons mieux connaître Dieu.

Kaatje s'émerveilla de nouveau en constatant à quel point Astrid semblait proche du Seigneur. Comment y était-elle parvenue ? Kaatje enviait le réconfort que cette femme semblait trouver en sa foi.

— Par quoi je commence ? demanda-t-elle.

— Voyons voir, un bon passage pour nous qui accoucherons bientôt…, va environ aux deux tiers de la Bible, livre de Matthieu, et trouve le chapitre onze, versets vingt-huit à trente.

Après avoir cherché quelques instants, Kaatje trouva finalement les versets et commença à lire, écoutant le son de sa propre voix réciter des mots d'espoir :

— Venez à moi, vous tous qui peinez sous le poids du fardeau, et moi je vous donnerai le repos. Prenez sur vous mon joug et mettez-vous à mon école, car je suis doux et humble de cœur, et vous trouverez le repos de vos âmes. Oui, mon joug est facile à porter, et mon fardeau léger.

Tora était furieuse. Elle n'arrivait pas à croire que sa propre sœur puisse laisser perdurer cette situation injuste et barbare. « La reine », comme elle s'était mise à appeler Elsa par dérision, était restée assise sur sa chaise tout l'après-midi tandis qu'elle épluchait pomme de terre après pomme de terre avec un vieux couteau. Ses doigts, montrant quelques coupures ici et là, brûlaient lorsqu'elle les lavait à l'eau salée. Le cuisinier, qui n'avait pas dit un seul mot — il pointait à peine la tâche qu'elle devait accomplir, puis il l'ignorait — semblait même être contrarié par sa présence dans la coquerie exiguë.

Elle s'essuya le front du revers de la main. Puis, se sentant suffocante et dans les vapes en raison de la chaleur dégagée par une autre fournée de pain tout juste sortie de l'immense poêle à bois en fonte, Tora s'affala sur un tabouret. Le cuisinier apparut immédiatement à côté d'elle, lui faisant signe de continuer de hacher les carottes.

S'essuyant le front avec un mouchoir froissé et humide, Tora leva les yeux vers le vieil homme.

— Je suis fatiguée, dit-elle d'une voix forte.

Il lui prit le bras d'une main étonnamment solide et, d'une poigne douloureuse, la fit lever de son siège.

— Toi. Travaille.

Elle ne l'avait jamais entendu prononcer autant de mots jusqu'à cet instant.

Elle se mit les mains sur les hanches et le regarda avec défiance. Du haut de ses cent soixante-douze centimètres, Tora dominait cet homme, et elle se sentit soudain toute puissante. Qui était-il pour lui donner des ordres ? Elle était une Anders ! Chez elle, elle n'avait que quelques tâches ménagères à accomplir, laissant la grosse partie du travail à la bonne et au valet. Et ici, elle se faisait traiter comme une vulgaire esclave par ce petit Chinois en sueur.

— Je ne recevrai pas d'ordres de toi, espèce de nabot insignifiant !

Les yeux de ce dernier se plissèrent, et la confiance de Tora chancela soudainement.

— Toi. Travaille, dit-il, la voix dangereusement grave.

Tora prit une longue inspiration et leva le menton.

— Non, j'en ai fait assez…

La gifle la stupéfia, lui coupa la parole. Elle sentait l'empreinte de sa main sur sa joue et elle était certaine que ce petit sauvage y avait laissé une marque. Se tenant le visage endolori, elle plissa elle aussi les yeux.

— Tu vas payer pour ça.

Sur ce, elle sortit précipitamment de la minuscule coquerie et accueillit avec satisfaction cet air frais de fin d'après-midi. Des larmes lui montèrent aux yeux en réaction à toute cette injustice. Peder ne permettrait sûrement pas que ça continue ! Peut-être que si elle jouait bien son jeu, elle pourrait même être dispensée du reste de la punition prévue.

Se tournant pour se diriger vers la barre, où se tenait habituellement Peder, elle tomba sur Soren Janssen. Il la tint à bout de bras, remarquant ses yeux remplis de larmes ainsi que la marque rouge qu'elle savait visible à la manière dont il avait à demi fermé les yeux en la regardant. Elle pensa à l'image qu'elle devait projeter, soudainement gênée sous son regard coquet.

« Oui, pensa-t-elle, je vois pourquoi Laila t'a laissé l'embrasser. »

N'ayant pas l'habitude d'être nerveuse en présence d'un homme, Tora se mit une main derrière le cou pour essuyer la sueur et décoller des mèches humides.

— S'il te plaît, dit-elle de façon charmante, je dois voir le capitaine immédiatement.

— Oui. Bien sûr.

Il lui prit le bras et l'escorta auprès de Peder, qui se tenait au gouvernail.

Regardant l'un et l'autre avec désinvolture, Peder ordonna à Soren de se retirer.

Un seul regard du beau-frère de Tora convainquit Soren d'obéir.

Tora laissa couler d'autres larmes et espéra que l'empreinte de la main était toujours visible.

— As-tu vu ce que le cuisinier m'a fait ? Ce nabot a osé me gifler !

Elle se tordit les mains, tentant d'avoir l'air aussi désespérée que le ton qu'elle avait pris. La plupart des hommes se seraient portés à sa défense en de telles circonstances.

— Pourquoi ? demanda Peder, la voix toujours désinvolte, détournant les yeux vers la mer, puis vers les voiles au-dessus de lui.

— Qu-quoi ? demanda-t-elle, fâchée d'avoir bredouillé.

— Je t'ai demandé pourquoi il t'a giflée.

Les yeux de Tora quittèrent le visage de Peder et scrutèrent l'horizon, comme si elle y allait trouver les bons mots.

— Je ne sais pas.

— Dis-moi la vérité. Tora.

Elle rejeta la tête en arrière.

— J'avais besoin de repos. Je me sentais faible. Il a exigé que je continue de travailler. J'ai refusé. Pour des raisons de santé, bien sûr.

Peder l'étudia jusqu'à ce qu'elle baisse le regard malgré elle.

— Avais-tu osé défier son autorité ? demanda-t-il.

— Je ne sais pas de quoi tu parles.

— Si, tu le sais, répondit Peder. Va-t-il me confirmer ta version des faits ?

Tora leva le nez en l'air.

— Mot pour mot.

Elle se tenait en silence tandis que Peder semblait retourner cette histoire dans sa tête.

— Alors ? Quelle est ta décision ? Vas-tu maintenant mettre fin à cette punition insensée ?

Peder sourit et secoua négativement la tête.

— Tu ne comprends vraiment pas la vie en ce bas monde, Tora, malgré tout ce que tu prétends. Je m'en fais pour toi. C'est la seule raison pour laquelle je t'ai infligé cette punition. Tu as pris la décision d'adulte de t'embarquer pour l'Amérique. Je m'attends à ce que tu te mettes rapidement à jouer ton rôle de femme et que tu te mettes à prendre des décisions dignes d'une personne mature, s'expliqua-t-il en l'étudiant davantage. Bien que je ne sois pas d'avis que les femmes doivent être malmenées, je crois effectivement que le cuisinier t'a vue agir comme l'enfant boudeuse que tu es toujours. Il t'a traitée comme il aurait traité qui que ce soit à bord refusant de collaborer. Mûris, Tora.

Sur ce, il replongea son regard vers la mer et l'ignora.

Elle entra dans une rage folle ! Elle aurait pu jurer que le monde autour d'elle était devenu rouge. Comment osait-il ! Comment Elsa avait-elle pu daigner épouser un tel homme ! Malgré tous ses défauts, son père ne l'avait jamais traitée aussi irrespectueusement. Elle prit une profonde inspiration et fit une autre tentative.

— Je crois que comme belle-sœur, tu me dois un peu de respect.

Peder lui lança un bref coup d'œil, puis il baissa le regard sur le gouvernail qu'il avait en main.

— Je ne tire aucune fierté de nos liens familiaux, Tora. Peut-être qu'un jour tu mériteras mon respect. Mais pas maintenant. Tu as encore du chemin à faire.

Tora le quitta sans dire un autre mot, enragée. Peder paierait pour ses manières cruelles et impolies. Mériter son respect, vraiment ! Et qu'avait-il voulu dire ? Encore du chemin à faire ? Eh bien, il allait voir. Il verrait jusqu'où elle irait. Peut-être qu'un jour elle épouserait un homme qui prendrait le pouvoir de ses misérables chantiers navals et le jetterait, lui et Elsa, à la rue. Oui, sourit-elle sombrement. Ce serait un dénouement approprié.

L'idée de retourner travailler auprès du cuisinier lui était insupportable. N'importe quoi sauf ça. Où était Kristoffer Swenson ? Elle pourrait sûrement tourner la situation à son avantage. Il était là, tout juste un peu plus loin. Elle contourna un mât et tira une grosse mèche de cheveux foncés de son chignon, ruinant sa coiffure. Il n'y avait rien de tel qu'une femme en crise pour amener un homme à sa rescousse, pensa-t-elle, se permettant d'esquisser un petit sourire avant de faire remonter ses larmes.

En pleurs, elle courut vers Kristoffer sur le pont. Plusieurs marins s'arrêtèrent pour la dévisager, le visage inquiet. Lorsqu'elle arriva à côté de Kristoffer, il baissa la tête et se pencha vers elle, plaçant une main bienveillante sur son avant-bras.

— Mademoiselle Anders, que s'est-il passé ?

— Ah ! C'était horrible ! Ce méchant cuisinier a osé me gifler ! Parce que j'avais pris une courte pause !

Kristoffer se mit à lui scruter les yeux et à lui tapoter le bras.

— Je suis désolé.

De vraies larmes lui montèrent aux yeux. Elle était soulagée d'avoir finalement trouvé quelqu'un qui compatissait avec elle.

— C'est moi qui suis désolée, Kristoffer. J'aurais dû accepter ton offre généreuse : t'aider avec ton fils en échange de mon billet.

Elle leva les yeux vers lui et espéra que son regard allait le séduire.

Kristoffer se déroba sans attendre. Il leva les yeux vers les marins qui flânaient autour.

— Retournez au travail, leur ordonna-t-il.

Les hommes s'éparpillèrent docilement. Tora sentit chez ces derniers qu'ils éprouvaient déjà un certain respect envers Kristoffer, même s'il n'était que deuxième second.

Celui-ci lui tourna le dos et lui dit sévèrement :

— S'il te plaît, ne me regarde pas ainsi. Je cherche une personne qui puisse s'occuper de mon fils et de ma femme, rien d'autre. Tu me comprends bien ?

Tora soupira.

— Je ne sais pas de quoi tu parles.

— Je crois que si. Mais j'ai besoin de ton aide.

Comme s'il attendait ce signal, Knut surgit d'un énorme rouleau de corde sur le pont et rit joyeusement de leur surprise.

— Madame Ramstad, madame Thompson et mademoiselle Paulson en ont déjà fait plus qu'assez. Mais je ne peux pas m'occuper de lui tout en vaquant adéquatement à mes tâches à bord du *Herald*.

Tora hocha la tête d'approbation.

— Je te promets que je ne lèverai jamais la main sur toi. Mais tu devras respecter ta part de l'entente. Pour l'instant, tu dois nourrir et habiller Knut en plus de prendre soin de lui. Plus tard, tu vas aussi aider ma femme lorsque le bébé sera né. En échange de six mois de travail, je paierai ton billet.

Tora hocha la tête de nouveau, acceptant les conditions de sa proposition.

— Bien. Je vais aller informer Peder. Vois à ce que Knut soit propre pour le dîner et au lit à sept heures.

Sur ce, il partit.

Il importait peu à Tora que Kristoffer l'ait rabrouée. Même s'il était grand et mince, même si toutes ces années passées en mer l'avaient rendu fort, il était assez peu attrayant, avec son long visage. Ses seuls attributs physiques vraiment beaux étaient ses yeux noisette d'une certaine intensité et d'épais cheveux bruns. Les yeux de Tora errèrent sur le pont tandis que Knut disparaissait dans les cordages, fuyant les mains de sa nouvelle gardienne.

« Que voilà un homme séduisant », pensa-t-elle, soutenant, l'air de flirter, le regard de Soren qui l'observait encore avec assurance.

C'était un homme très séduisant.

Peder entra dans la coquerie suffocante et enfumée et compatit brièvement avec Tora. Il ne lui avait pas été facile de se montrer ferme avec elle, mais il savait qu'il n'avait pas vraiment le choix. Si elle était pour faire son chemin en Amérique, il fallait dès maintenant qu'elle parte du bon pied. Avec ses flirts de petite fille et ses manèges dignes d'une femme mûre, elle était à la fois dangereuse et en danger. Elle sentait qu'elle avait du pouvoir, mais Peder s'inquiétait que si elle continuait ainsi, quelqu'un, à un certain moment, pourrait lui montrer à quel point il n'en était rien. Et il ne serait pas là pour la protéger. Il pensa à Burgitte, soulagé que sa sœur et Tora aient pris des chemins différents des années plus tôt. Tora Anders n'avait pas une bonne influence. Comment pouvait-elle être si différente de ses sœurs ?

— Mon cuisinier, dit-il, Tora va être au service de Kristoffer à partir de maintenant. Merci de ta grande patience envers elle, commença-t-il avant de s'interrompre l'espace d'un instant. Ma femme aimerait que le dîner soit servi à six heures.

Le cuisinier le regarda dans les yeux et hocha la tête une fois, reconnaissant qu'il lui ait pardonné son geste sans le souligner verbalement.

Plus tard, au dîner, Peder n'arrivait toujours pas à se défaire de ses pressentiments par rapport à sa jeune belle-sœur têtue. Que pouvait-il faire pour la ramener sur le droit chemin ?

« Cher Père céleste, pria-t-il. Donne-moi la sagesse de trouver. »

Elsa se pencha vers lui et plaça une main sur son bras tandis que leurs invités au dîner, le pasteur Lien et sa femme, ainsi que Bjorn et Ebba Erikson, parlaient entre eux.

— Est-ce que ça va ? lui demanda-t-elle.

— Ça va, répondit-il, se forçant à lui faire un sourire. Mais nous devons parler de Tora. Un incident s'est produit aujourd'hui, dit-il à voix basse.

Elsa hocha la tête. Après avoir pris une bouchée du poulet que le cuisinier avait sacrifié pour leur repas, elle dit :

— Pour l'instant, pensons à de belles choses. Voyons voir, le mariage imminent de Nora et Einar, le Maine.

Puis elle ajouta, en haussant le ton pour que tous entendent :

— Parle-nous du Maine, Peder.

Peder sourit et commença la litanie devenue familière aux oreilles d'Elsa et dont elle ne se lassait jamais.

— Le Maine est un endroit magnifique, dit-il en s'essuyant la bouche avec sa serviette de lin. Sa côte se découpe de façon irrégulière, ce qui permet d'aménager de nombreux ports derrière des murs d'îles, ce qui est parfait pour la construction navale.

Karl se tenait à la barre, essayant de ne pas poser les yeux sur Peder et Elsa, qui se promenaient bras dessus, bras dessous, la tête d'Elsa appuyée contre l'épaule de Peder. Karl avait pratiquement prié deux jours durant, implorant le Christ de lui enlever ce poids de son cœur. Mais il se retrouvait fréquemment à espionner cette femme, à la regarder esquisser ceci et cela sur le bateau, car elle offrait ainsi sans le savoir de parfaites occasions de se faire observer.

Il n'était pas le seul à en profiter. La veille, il avait remarqué que Rees, un marin à l'intégrité douteuse, avait esquivé ses tâches pour regarder ouvertement Elsa. Karl s'était senti envahi d'une jalousie rageuse. Lorsque Rees avait remarqué la présence de Karl sans pour autant cesser son observation, Karl avait fait de grandes enjambées vers lui, l'avait soulevé et flanqué contre le mur de la cabine.

Le marin avait observé son premier second, les yeux écarquillés.

— Qu'est-ce…

— Ferme-la, avait dit Karl à voix basse, en un grognement menaçant. Ne regarde plus la femme du capitaine d'une telle manière. Compris ?

Rees avait hoché rapidement la tête, clairement effrayé devant une telle furie.

— Ne t'approche pas d'elle. Si elle s'approche de toi, pars de l'autre côté. Je ne veux pas te reprendre à l'observer. Compris ? avait-il répété.

Encore une fois, Rees avait hoché la tête, voulant à tout prix échapper à la poigne meurtrière de Karl. Celui-ci l'avait projeté sur le pont avec dégoût.

— Disparais de ma vue. Présente-toi immédiatement au deuxième second pour te faire assigner une nouvelle tâche. Tu as de toute évidence trop de temps à toi, et nous avons tout un bateau à faire avancer.

L'homme était parti à toute vitesse, et Karl avait levé les yeux pour constater que Nora et Einar le regardaient avec désarroi. Il les avait ignorés et avait tourné son regard vers la mer, se retenant les bras appuyés sur la rampe de bâbord.

Lorsqu'il avait senti une main sur son épaule, il s'était retourné en levant d'instinct les poings. Il les avait laissés tomber en voyant qu'il s'agissait de Peder.

— Qu'est-ce que tout cela signifie ?

— Ce n'est rien, capitaine, avait-il dit en se libérant de la main de son ami. Un marin avait besoin d'être ramené à l'ordre. Je m'en suis chargé.

Peder l'avait fixé dans les yeux un long moment, puis il avait hoché légèrement la tête.

— Très bien. Continue comme ça.

Pendant que Peder s'éloignait, Karl s'était moqué de lui-même.

« Je ne suis pas mieux que Lancelot, avait-il pensé. Épris de Guenièvre, redevable envers le roi Arthur. »

Chapitre 7

Encouragée par l'intérêt de Peder, Elsa se mit à dessiner le *Herald* dans diverses situations : avec les voiles mortellement immobiles dans les régions calmes ; « entre le vent et l'eau » — comme le disaient les marins — lorsqu'il se mettait à faire du roulis sous l'effet d'une forte brise, exposant la coque sous la ligne de flottaison ; ou encore, au gré de son imagination, tanguant dans une redoutable tempête.

Elsa découvrit avec une certaine surprise qu'elle prenait davantage plaisir à faire des croquis du bateau en action plutôt que des modèles de construction comme le faisait autrefois son père sur sa planche à dessin. Tout de même, sa connaissance de la structure des bateaux l'aidait à effectuer dès le départ des dessins plus réalistes et crédibles. À leur dix-septième jour en mer, peut-être parce que Peder avait informé l'équipage et les passagers de l'imminence d'une tempête, elle coucha sur papier le *Herald* franchissant des crêtes de vagues géantes.

Les marins avaient hoché la tête en entendant les mots de leur capitaine, regardant les eaux calmes autour d'eux qui les avaient hantés toute la journée, stoppant leur progression dans la traversée de l'Atlantique.

— C'est un beau temps, un peu trop beau, n'est-ce pas ? dit Riley en jetant un coup d'œil méfiant au ciel.

— C'est le calme avant la tempête, ajouta Stefan.

Les hommes s'éparpillèrent quand Kristoffer et Karl leur demandèrent de se préparer au pire.

Durant la journée, Elsa avait scruté l'horizon à la recherche des nuages menaçants que les hommes s'attendaient de toute évidence à voir apparaître à tout moment, mais rien ne se produisit jusqu'à la tombée du jour. Puis, au moment du dîner, le bateau se mit à tanguer violemment. Ils pouvaient tous entendre Karl crier des ordres aux marins.

— Serrez les voiles ! Chacun à son poste !

Peder ignora le vent et les bruits qui augmentaient à l'extérieur de la confortable cabine tandis qu'il mangeait calmement son repas. La table en acajou était recouverte de lamelles argentées qui empêchaient les assiettes et les verres de glisser par mauvais temps. Elsa n'en était pas moins étonnée de constater que la vaisselle restait en place alors que le *Herald* tanguait si fort que le liquide dans leurs verres s'inclinait à un angle de quarante-cinq degrés. Finalement, cependant, comme la tempête gagnait en intensité, Peder déposa calmement sa fourchette et son couteau, et il dit à ses invités du dîner qu'il ferait mieux d'aller les raccompagner à leurs quartiers.

Il revint à leur cabine complètement trempé, malgré le ciré qu'il avait revêtu pour sortir. Elsa aurait pu jurer qu'il en tirait plaisir.

— Il n'y a rien comme une bonne tempête pour se rappeler pourquoi on apprécie la vie, dit-il, confirmant l'opinion d'Elsa. Et toi, au lit, maintenant.

— Je ne veux pas aller me coucher, dit-elle en se plaçant les mains sur les hanches. Je veux voir cette tempête de près. Pour mes dessins.

— Pas question, répondit-il en secouant la tête. Elle ne va qu'empirer. Et c'est trop dangereux pour toi sur le pont. Tu vas rester ici.

Elsa lui jeta un regard mauvais tandis qu'il la pressait contre le mur. Elle ne put s'empêcher de rire face à ce soudain élan amoureux de son mari. Il l'embrassa goulûment, puis lui dit :

— Maintenant, va au lit ou je devrai moi-même t'y transporter. Et alors Karl devra se passer de mon aide sur le pont parce que je serai incapable de résister aux attraits de ma femme.

— J'y vais, mon mari, dit-elle, résignée. Occupe-toi de ton bateau.

Peder la serra une dernière fois, brièvement et chaleureusement, et il pencha la tête pour lui donner un baiser profond passionné.

— Je t'aime, Elsa Anders Ramstad. Maintenant, promets-moi que tu vas sagement rester ici. C'est dangereux à l'extérieur.

— D'accord, dit-elle, soudainement irritée de le voir s'adresser à elle comme à une enfant. Je te l'ai déjà dit.

— Parfait.

Sur ce, il ouvrit la porte et sortit, laissant Elsa la refermer en luttant contre le vent déchaîné. Elle saisit une serviette en tissu sur la table à manger et essuya le plancher mouillé avant d'aller se déshabiller dans leur chambre.

Des heures plus tard, elle ne dormait toujours pas, avec cette tempête qui menaçait de la projeter hors du lit. La traversée avait déjà été marquée par quelques épisodes de mauvais temps, mais cette fois-ci Elsa était vraiment effrayée. Où était Peder ? Et si quelque chose lui était arrivé ? Elle se rendit à la petite fenêtre de la cabine, qui donnait sur le pont, et elle ouvrit les rideaux de ses mains tremblantes. Ses yeux s'écarquillèrent d'inquiétude. Des vagues géantes balayaient le pont. Et si Peder avait été emporté en mer ?

À ce moment même, une énorme vague se dressa sous le *Herald*, soulevant très haut la proue du voilier. Réagissant trop tard, Elsa tendit les bras pour essayer de se retenir, mais lorsque la proue retomba une fois la vague passée, Elsa s'effondra sur le plancher, sa tête heurtant au passage un coin de la table du salon. La douleur la fit tressaillir. Elsa porta sa main à l'entaille qu'elle venait de se faire sur le front et sentit la moiteur du sang sous ses doigts.

Elsa rit de sa négligence, alluma une lanterne et chercha un bandage pour l'appliquer sur sa coupure. Elle était inquiète pour ses compatriotes de Bergen, qui étaient sans l'ombre d'un doute terrifiés sur les ponts inférieurs. Et qu'en était-il d'Astrid ? Kaatje allait maintenant bien, mais que se passait-il avec sa compagne de cabine horriblement malade ? Si Elsa ne pouvait pas aider les marins qui se démenaient pour garder le *Herald* à flot, elle pourrait certainement être utile auprès de ses passagers. Ne serait-ce que pour les apaiser et répandre un peu de fausse joie.

Elle tomba de nouveau lorsque le *Herald* traversa une autre vague haute comme une montagne. À l'extérieur, le vent semblait féroce, poussant des lamentations funèbres qui hantaient Elsa. En s'agrippant à ce qu'elle pouvait, elle se rendit au coffre de Peder. À la lumière de la flamme vacillante de la lampe, elle sortit un vieux pantalon et une chemise. Elle rit sans joie, se sentant légèrement surexcitée à l'idée de ce qu'elle s'apprêtait à faire.

En quelques minutes, elle fut habillée, utilisant la ceinture d'une jolie robe de soirée rangée dans son propre coffre pour maintenir le pantalon de Peder en place. La chemise, qui était beaucoup trop grande pour elle, retombait de tous les côtés même si Elsa l'avait rentrée dans son pantalon autant qu'elle le pouvait. Elle fouilla dans la petite armoire anglaise fixée au mur de la chambre à coucher, mais elle ne trouva pas d'autre ciré. Elle n'aurait qu'à braver les éléments et à se laisser sécher plus tard.

Elsa regarda par la fenêtre, attendant que la vague géante suivante balaie le pont ; elle aurait ensuite quelques instants pour le traverser sans danger. Peder ne serait pas content s'il devait l'apercevoir dehors. Mais s'il la trouvait au matin à s'occuper des autres passagers, il serait peut-être fier d'elle. Elle se préparait à affronter le vent et la pluie, et elle récitait une brève prière lorsque la vague suivante frappa le bateau, menaçant de la projeter encore par terre. Elsa tint bon.

— C'est maintenant ou jamais, marmonna-t-elle.

Elsa tourna la poignée de la porte. La force du vent lui coupa le souffle. Elle dut rassembler toutes ses forces pour la refermer derrière elle, et elle fut complètement trempée en quelques secondes. Elle cligna des yeux sous la pluie, s'efforçant de voir de l'autre côté du pont, mais avec le vent qui charriait l'eau salée dans ses yeux et en raison de la pluie elle-même, elle se retrouva momentanément aveuglée. Elle devait parcourir les trois mètres du pont maintenant, sans quoi elle serait emportée par la vague suivante.

Il était trop tard. Elle essaya d'ouvrir aveuglément la porte de la cabine en se disant qu'elle trouverait une autre idée. Mais elle avait beau essayer, elle n'arrivait pas à l'ouvrir le moindrement étant donné la force du vent. Elle fut prise de découragement. Plissant les yeux pour mieux voir, elle se dirigea vers la gauche, dans le but de pouvoir s'agripper au mât d'artimon tout près. Lorsqu'elle parvint au mât, elle se tint fermement et tenta de reprendre son souffle. Il lui semblait que l'air de ses poumons avait été entièrement aspiré par le vent, qui menaçait de l'emporter faute de pouvoir s'en prendre aux voiles ferlées au-dessus d'elle. Levant le regard, elle aperçut le gréement qui flottait hors des haubans. Les voiles se déchiraient aux coutures les moins solides et bougeaient horizontalement avec la pluie.

Des marins se précipitèrent vers Elsa, criant tous inutilement dans les vents assourdissants. Pendant que le *Herald* amorçait l'ascension de la montagne d'eau à venir, elle se pressa contre le mât, s'agrippant à l'arceau de cuivre. Les hommes étaient-ils eux aussi en train de se prémunir contre l'impact imminent de la vague ? Elle voyait à peine sous cette pluie torrentielle.

À mesure que le Herald montait et montait, Elsa se sentit faible et exposée. Elle ne s'en tirerait pas à cet endroit, décida-t-elle. Elle avait déjà peine à se retenir. Elle devait se rendre à la porte des passagers. Immédiatement. S'agrippant à tout ce qu'elle pouvait, Elsa tituba vers la porte à moins de trois mètres de l'endroit où elle se trouvait. Tout était mouillé et glissant, mais elle y était presque.

Soudainement, le bateau s'immobilisa atrocement un court instant sur la crête de la vague. Puis, Elsa poussa presque un soupir de soulagement lorsque la vague déferla sur le bateau.

Sa puissance ébahit Elsa. Des trombes d'eau déferlèrent jusqu'à ce qu'elle ne puisse plus se retenir. L'eau salée s'engouffra dans sa bouche et ses narines tandis qu'elle glissait sur le pont à la manière d'un patineur sur la glace. Elle toussa, piétina et se débattit, tentant de s'accrocher à quelque chose… à n'importe quoi. L'eau la transportait vers la rampe. Serait-elle emportée par-dessus bord ? Elle voulut crier au secours à Peder, mais ses mots s'étouffèrent dans sa gorge. Elle n'avait plus de souffle. Elle continuait d'être emportée, de glisser sur le pont, prise dans le ressac de la vague.

Elsa réussit à s'agripper au bastingage tandis que tout le poids de la vague l'écrasait, menaçant de la noyer sur son passage.

« S'il te plaît ! implora-t-elle silencieusement Dieu. Je ne veux pas mourir ! »

Une forte main lui saisit le bras et la tira à contre-courant. C'était comme David contre Goliath. Elsa émergea, tentant de reprendre son souffle, s'attendant presque à voir Peder venu à sa rescousse pour la sauver d'une mort certaine. Elle cligna des yeux tandis que l'homme finissait de la tirer hors de danger pour la remettre sur ses pieds. C'était Karl.

Il la dévisageait avec incrédulité, l'observant de haut en bas. Sa pomme d'Adam, à peine visible, bougea au-dessus de son col de manteau, trahissant son émotion, puis il la tira à lui dans une étreinte mouillée et protectrice. Elsa n'opposa aucune résistance, soulagée d'être en sécurité pour un instant après sa glissade périlleuse. Sa poitrine se soulevait à la recherche d'air à respirer. Le corps de Karl la protégeait en bonne partie du vent et de la pluie.

— Viens ! cria-t-il plus fort que le grognement lugubre du vent.

Il la prit fermement par le poignet et, en dépit du fait que le *Herald* recommençait à s'incliner vers le haut, la mena de l'autre côté du pont à la porte des passagers où elle avait voulu se diriger un peu plus tôt. Il ouvrit la porte de toutes ses forces et projeta pratiquement Elsa à l'intérieur, avant d'entrer à son tour derrière elle.

— Accroche-toi ! lança-t-il alors que le *Herald* recommençait à descendre.

Le bateau toucha le creux de la vague. Les mains d'Elsa étaient sur le point de lâcher, mais Karl tendit un bras et l'attrapa par la ceinture, retenant le plus gros de son poids. Lorsqu'ils se furent redressés, Karl lui demanda avec une exaspération évidente :

— Que faisais-tu dehors, Elsa ?

Elle leva le menton.

— J'essayais de venir ici. Je pensais pouvoir aider les autres.

Karl lui jeta un regard mauvais, l'observant encore de haut en bas. Elle ne payait pas de mine dans les vêtements mouillés et collants de Peder.

— Tes intentions, si bonnes soient-elles, ne seront jamais un gage de survie en pleine tempête. Tu aurais pu mourir ! Si je ne t'avais pas vue partir avec la vague, personne n'aurait pu te retenir. Une seconde de plus, et tu passais par-dessus bord.

— Arrête ton sermon, Karl. N'as-tu rien de mieux à faire ?

Son visage brûlait de gêne. Avec ses sottises, elle avait risqué la vie de Karl en plus de la sienne.

Karl se crispa le bas des joues dans une tentative visant à contenir sa furie.

— J'allais te chercher pour que tu viennes aider Astrid. Le moment est venu. Eira s'est blessée en chutant, déclara-t-il en levant la main vers le front d'Elsa, puis la retirant avant même d'y toucher. Il semble que tu aies toi aussi réussi à te faire mal.

— Je vais bien.

Karl l'observa dans les yeux un moment, puis il dit :

— Je vais attendre que tu ailles la voir, puis je vais aller faire un rapport à Kristoffer.

Elsa prit sa grande main dans la sienne.

— Karl, merci…

Il se défit de sa main comme si celle-ci était brûlante.

— Va voir Astrid, dit-il d'un ton bourru. J'ai fait ce que tout homme à bord aurait fait pour toi.

Ses yeux gris évitèrent le regard d'Elsa.

Kaatje était soulagée de voir Elsa arriver.

— C'est la nouvelle mode en Amérique ? demanda-t-elle en trouvant la force de blaguer en voyant les atours de son amie.

Tu ressembles à une enfant abandonnée, perdue sous une pluie torrentielle.

Elsa lui fit un bref sourire et accepta le linge qu'elle lui offrait. Elle épongea la plus grande partie de l'eau qui la recouvrait, puis se rendit à côté d'Astrid.

— Comment vas-tu? lui demanda-t-elle doucement.

Astrid gémit alors qu'une autre contraction lui traversait le corps. Elle était si faible qu'elle arrivait à peine à parler.

— Depuis combien de temps est-elle en travail? demanda Elsa à Kaatje.

— Depuis cet après-midi, selon elle. Il semble que la situation ait empiré avec la tempête. Je dirais huit ou neuf heures.

Les yeux de Kaatje trahissaient l'inquiétude qu'elle se faisait pour Astrid. Elsa hocha la tête dans un geste de compréhension, puis s'agrippa alors qu'une autre vague balayait le *Herald*. Elle jeta un coup d'œil craintif à Astrid, mais elle fut soulagée de remarquer un ingénieux système que Kaatje avait mis en place avec des draps pour retenir sa compagne en train d'accoucher. Même lors des fortes inclinaisons du voilier, Astrid restait en place, ainsi capable de consacrer ses énergies sur ce qu'elle avait à faire.

Les yeux d'Astrid s'écarquillèrent alors qu'elle était assaillie par une autre contraction. Elle secoua la tête une fois celle-ci passée.

— Je n'y arriverai pas, murmura-t-elle.

— Tu dis n'importe quoi! laissa tomber Kaatje en s'approchant à son tour de la couchette. Tu n'as pas le choix. Pour Knut. Pour le nouvel enfant à naître. Pour Kristoffer.

— Je suis si faible, dit Astrid, des larmes lui coulant des deux côtés du visage.

— Tu es forte, l'encouragea Kaatje. La femme la plus forte que j'aie jamais rencontrée.

Astrid tourna ses yeux remplis de terreur vers son amie.

— Prie avec moi, Kaatje. Toi aussi, Elsa. J'ai besoin du Seigneur pour continuer jusqu'au bout.

Avant qu'elles ne puissent commencer, cependant, Astrid laissa échapper un faible cri sourd tandis qu'une contraction déchirait son énorme ventre.

— Le bébé arrive, chuchota-t-elle.

Kaatje jeta un coup d'œil sous les draps et hocha la tête en signe de confirmation pour Elsa. Sa tante avait été sage-femme, et pour une fois, Kaatje était reconnaissante pour toutes les sorties qu'elle avait faites en pleine nuit pour aller aider des femmes à accoucher. Elle regarda son amie avec inquiétude. Peu de femmes avaient l'air bien à cette étape, mais Astrid semblait mortellement souffrante.

— Envoie chercher Kristoffer, ordonna Kaatje à Elsa, qui se précipita immédiatement vers la porte.

Après avoir parlé à Karl, elle revint tout en s'appuyant pour se protéger contre une autre vague.

Au bout d'une heure, le bébé d'Astrid progressait toujours, même si les faibles poussées de sa mère épuisée n'avaient guère d'influence. Kaatje s'en faisait pour la vie du bébé, qui s'attardait si longtemps entre le ventre de sa mère et le monde extérieur, mais elle s'inquiétait davantage pour Astrid. Les draps étaient couverts de sang. Quelque chose de terrible était en train de se produire.

— Si l'enfant ne sort pas bientôt, ils mourront tous les deux, chuchota-t-elle, affolée, à Elsa.

Elle n'avait jamais vu une mère si mal en point.

Elsa plaça une main sur l'épaule de Kaatje pour lui signifier qu'elle n'était pas seule.

Kristoffer arriva juste comme Astrid faisait un dernier effort pour pousser en même temps que la contraction suivante, et le petit cri bienvenu de leur bébé se fit entendre. En un regard, Kaatje sut qu'Astrid ne survivrait pas. Le visage de cette dernière affichait un masque de soulagement, mais aussi de résignation. Elle semblait « déjà avoir un pied au paradis », comme avait coutume de dire la tante de Kaatje.

Kaatje termina de nettoyer Astrid du mieux qu'elle le put, l'enveloppant fermement d'un deuxième drap, puis elle leva les yeux vers Kristoffer. Il riait et pleurait, regardant son nouveau fils avec joie et fierté.

— C'est bon pour un garçon de naître en pleine tempête ! dit-il avec assurance en souriant à son minuscule enfant. Nous allons t'appeler Lars, du nom d'un homme courageux que j'ai déjà connu.

Il se tourna vers Astrid, s'attendant de toute évidence à trouver la mère rayonnante en train de sourire à la vue du nouveau membre de leur famille. Le visage de Kristoffer se décomposa.

— Où est Knut ? demanda-t-il, hébété. Sa mère a besoin de le voir.

— Je vais aller le chercher, dit Elsa.

Elle se précipita hors de la chambre, sachant tout aussi bien que Kaatje qu'Astrid n'en avait plus que pour quelques minutes.

Kaatje regarda Kristoffer s'approcher de sa femme, plaçant le bébé dans ses bras avec une écharpe de tissu. Il grogna alors qu'une autre vague soulevait le bateau. L'enfant se calma, comme si lui aussi savait qu'il lui restait peu de temps avec sa mère.

— Tu as bien fait ça, Astrid, chuchota Kristoffer en l'embrassant sur le front. Tu vas te rétablir, et nous allons entreprendre une nouvelle vie dans le Maine.

Il parlait d'une voix monotone, comme si le fait d'énoncer ses souhaits ferait en sorte qu'ils se réalisent.

Un petit sourire traversa le visage d'Astrid.

— Relève-moi, réussit-elle à murmurer.

Kaatje attrapa son oreiller sur la couchette du haut et le tendit à Kristoffer, qui fit comme sa femme lui demandait. Ils venaient de l'installer lorsque Knut et Tora arrivèrent avec Elsa.

— Mama ! cria Knut en courant vers le lit.

Ils s'appuyèrent tous à quelque chose au passage d'une autre vague. Après que celle-ci fut passée, Astrid leva une main tremblotante pour caresser les cheveux de Knut.

— Je t'aime, chuchota-t-elle en norvégien. Ne l'oublie jamais, mon beau petit *nisse*.

Kristoffer plaça une main sur celles de sa femme ; des larmes lui coulaient sur les joues. Knut leva les yeux vers son père avec surprise.

— Il ne l'oubliera pas, Astrid. Tu seras là pour le lui rappeler.

Astrid leva péniblement les yeux vers son mari. Kaatje luttait contre un sentiment de panique, d'impuissance. Son amie s'en allait.

« Seigneur ! cria-t-elle silencieusement. Aide-nous ! »

Astrid retira sa main tremblante de la tête de Knut et la tendit vers le visage de Kristoffer. Dans un dernier effort, elle réussit à hausser la voix :

— Prends bien soin de nos enfants, mon amour. Je t'ai aimé de tout mon cœur.

— Je sais, Astrid, dit-il. Je t'ai moi aussi aimée de tout mon cœur.

Kaatje jeta un coup d'œil à Elsa, puis elles fondirent toutes deux en larmes en entendant ce ton de résignation dans la voix de Kristoffer.

Astrid ferma les yeux, et ils retinrent tous leur souffle, croyant qu'elle les avait quittés. Mais une fois de plus, elle ouvrit les paupières. Cette fois-ci, ses yeux bleus étaient pleins de vie, et Kaatje retrouva l'espoir qu'elle s'en remette.

— Oh Kris, Kris, souffla-t-elle. C'est si beau, ici. Viens avec moi, mon cœur. Viens avec moi.

Kristoffer échappa un petit sanglot.

— Je ne peux pas, ma chérie. Je dois rester ici avec les enfants. Attends-moi. Attends-moi.

— Je vais t'attendre, Kris. De… l'autre côté.

Et sur ce, Astrid ferma les yeux pour l'éternité.

Le lendemain de la tempête, le temps était tout simplement radieux. Aucun nuage dans le ciel, sous une brise rafraîchissante. Tora se réjouit de cette nouvelle journée — même en sachant qu'elle devrait dorénavant prendre soin de deux enfants. Elle avait été terrifiée toute la nuit, certaine que le *Herald* se détruirait pièce par pièce, emportant tous ses passagers au fond de l'océan. Elle s'était découvert un sain respect pour les marins qui avaient bravé la mer sur les ponts. Elle avait même été impressionnée, à contrecœur faut-il ajouter, par son beau-frère. Il avait après tout réussi à les faire passer au travers du pire.

Mais ils n'avaient pas été soufflés que par le vent, songea-t-elle alors qu'elle se promenait l'air hébété sur le pont en berçant le fils nouveau-né de Kristoffer. Elle était encore incapable de croire que la mère de ce poupon ne demanderait jamais à le voir. Et comment allait-elle gérer la situation ? Elle était trop jeune pour un tel fardeau ! Elle se retrouvait presque « mariée » à Kristoffer, avec deux jeunes enfants sur les bras. Au moins, le minuscule bébé s'était endormi. Le petit Lars avait pleuré toute la nuit, jusqu'à ce que le cuisinier ne s'amène avec une bouteille de lait de chèvre. Après en avoir bu un tout petit peu, l'enfant s'était endormi comme dans l'espoir de se réveiller dans un monde meilleur.

Malgré ses doutes, Tora sentait croître en elle un tout petit sentiment d'amour. Lars et Knut avaient perdu leur mère, tout de même, et ils avaient besoin d'elle. Que serait-il advenu d'elle, sans sa propre mère ? Qui l'aurait protégée de son père ? Ils n'auraient jamais vécu en paix sans sa mère comme intermédiaire.

Tora trouva un siège sur le pont et se mit à observer les marins qui réparaient les dégâts du bateau. Çà et là, des groupes d'hommes travaillaient à un mât fendu, montaient des réserves de corde de la cale ou raccommodaient une voile. Des voiles de rechange avaient été sorties et mises en place tôt ce matin-là quand la tempête s'était calmée. Ils avaient travaillé avec acharnement, énergisés par un regain de vitalité, s'occupant d'abord des besoins les plus pressants du bateau dans l'éventualité d'une autre tempête.

Le cuisinier s'approcha et lui tendit sans dire un mot une autre bouteille de lait de chèvre. Knut observait les marins, se tenant près de Tora pour une fois, comme s'il cherchait à se réconforter de sa présence. Elle se demanda s'il comprenait vraiment que sa mère était morte.

Près d'elle, certains hommes se mirent à chanter tandis qu'ils cousaient du lourd fil dans une voile, comme des femmes qui s'affaireraient à fabriquer une courtepointe :

— *Long time was a very good time,*

Bully blow, blow, blow boys,

Long time in Mobile Bay,

Bully long time ago.

La chanson semblait s'étirer sans fin avec d'autres vers, mais Tora se fatigua de chercher à traduire cet anglais absurde vers le norvégien dans le but d'en saisir le sens. Il était certes possible d'admirer le courage de ces hommes. Mais il était impossible de les comprendre. Ils acceptaient par contrat de servir un capitaine au péril de leur vie, de braver des tempêtes féroces, de s'ennuyer dans les eaux calmes de l'équateur, d'avaler de la nourriture infecte et de dormir dans de terribles conditions. Pour quelle raison ? Leurs motifs lui étaient aussi difficiles à comprendre que les mots de leurs chansons.

— Tora, dit Elsa, soudainement à côté d'elle.

— Elsa, fit Tora d'un ton morne en hochant la tête.

— Kristoffer a finalement quitté le chevet d'Astrid. Il veut prendre Lars. Et tu as besoin de te reposer.

Tora se leva immédiatement, de sincères larmes de fatigue lui montant aux yeux.

— Merci. Une sieste me semblerait maintenant tout à fait bénéfique.

— Je vais venir te réveiller pour le repas du midi, ajouta Elsa.

Elle semblait fatiguée et triste. La situation en soi était vraiment triste. Tora n'arrivait pas y croire. Astrid pouvait-elle vraiment être partie pour toujours ? Si vite ? La pauvre femme avait presque réussi. Elle s'était presque rendue jusqu'en Amérique.

— Il est probablement mouillé, dit Tora alors que le bébé se mettait à gémir.

Son inquiétude soudaine pour le bien-être du bébé la prit par surprise. Pourquoi devrait-elle s'en faire ?

— Je vais trouver quelque chose pour changer sa couche, dit Elsa. Allez. Va te reposer.

En quittant Elsa, elle sentit soudain rejaillir comme un sentiment d'amour envers sa sœur. Elsa n'était pas si mauvaise, pensa Tora. Si elle avait vraiment été un tyran, sa sœur ne serait pas venue lui offrir de prendre congé des garçons.

— Reste avec Elsa, dit-elle sévèrement à Knut. Ne t'éloigne pas. Les marins sont très occupés et ils n'ont pas besoin d'un *nisse* dans les jambes.

— D'un elfe ! dit Elsa en riant de fatigue. C'est exactement ça ! Viens, mon petit elfe, dit-elle à Knut en se penchant vers lui. Allons voir ton papa.

Une inhumation en mer était la chose la plus redoutée des capitaines, songea Peder. Heureusement, grâce à la présence du pasteur Lien à bord, il échapperait à la direction de ces funérailles particulières. L'année précédente, Peder avait dû faire immerger les corps de cinq marins, dont trois en même temps lorsqu'une épidémie de choléra s'était déclarée dans le bateau. Mais une femme. Une femme aussi chère qu'Astrid Swenson. Cette pensée lui déchirait le cœur. Et s'il s'était agi d'Elsa ? Il se devait de l'amener à bon port bientôt dans le Maine. Elle y serait en sûreté. Les rigueurs de la mer n'étaient décidément pas faites pour une femme.

Peder soupira et se leva, se sentant soudainement beaucoup plus vieux que ses vingt-quatre ans. Il jeta un coup d'œil par la fenêtre de la cabine et vit que tous étaient rassemblés sur le pont principal pour la cérémonie funèbre. Plus tôt, Nora avait préparé le corps, puis Karl l'avait enveloppé d'une bâche et lesté pour qu'il puisse couler. C'était une manière noble de quitter ce monde et de commencer sa vie après la mort, pensa Peder. Rien ne pouvait surpasser des funérailles en mer. Mais pas pour une femme.

Peder ouvrit la porte de la cabine, réajusta son bonnet et attacha sa ceinture par-dessus son manteau, puis se rendit au milieu du groupe avec toute la confiance dont il était capable. Il se mit à côté d'Elsa, qui sanglotait, et plaça son bras autour d'elle. Directement en face d'eux, Kristoffer se tenait avec Knut dans les bras, le menton relevé, les yeux rouges. Tora était à côté de lui, berçant dans ses bras le petit Lars endormi. Peder baissa la tête en silence un long moment, entendant seulement le clapotis des vagues le long du bateau et le bruit du vent dans les voiles.

— Au cours d'un voyage comme celui-ci, commença le pasteur Lien, on ne s'attend pas à ce qu'une tragédie nous frappe. Après tout, nous partons pour une nouvelle vie, animés d'un nouvel espoir. Affronter la mort est un choc, le plus malvenu qui soit. Il ne faut cependant pas oublier qu'hier, notre chère amie Astrid a donné naissance à un bel enfant, et qu'elle est elle-même allée renaître dans un monde nouveau. Elle est entrée en un endroit en lequel les Écritures nous disent d'avoir confiance, car notre Seigneur s'est sacrifié pour nous permettre d'y avoir accès. Les nombreuses semaines de douleurs et de souffrances qu'a connues Astrid sont maintenant terminées, et elle est maintenant tout entière, heureuse et en paix, car elle a pu rencontrer son Sauveur.

Le visage du pasteur s'éclaira.

— Concentrons-nous sur cette vérité ! Oui, nous ressentons tous la douleur de sa perte, tout particulièrement Kris, Knut et le petit Lars. Mais nous allons revoir notre sœur en le Christ, et nous allons nous réjouir dans la lumière du Seigneur.

Il marqua une pause, puis ouvrit son livre de prières et lut :

— Au nom du Père, et du Fils, et du Saint-Esprit. Amen. Notre Seigneur Jésus-Christ a dit : l'heure vient où tous ceux qui gisent dans les tombeaux entendront la voix du Fils de Dieu, et ceux qui auront fait le bien en sortiront pour la résurrection qui mène à la vie ; ceux qui auront pratiqué le mal, pour la résurrection qui mène au jugement.

Le pasteur Lien fit un pas vers l'avant et il plaça sa main sur la tête emmaillotée d'Astrid ; il baissa le regard comme s'il observait son adorable visage avec douleur.

— Tu es née poussière, et tu retourneras en poussière. Et de la poussière, tu renaîtras. Béni soit Dieu, Père de notre Seigneur Jésus-Christ, qui, par sa grande miséricorde, nous a donné espoir par la résurrection de Jésus d'entre les morts.

Ensemble, ils firent tous la prière du Seigneur, puis le pasteur Lien prit de nouveau la parole.

— Voici un extrait du Psaume 130, dit-il en lisant dans sa Bible. Depuis les profondeurs je t'invoque, Seigneur ! Seigneur, entends-moi ! Que tes oreilles soient attentives à mes supplications ! Si tu prenais garde aux fautes, Seigneur, Seigneur, qui pourrait tenir debout ? Mais c'est auprès de toi que se trouve le pardon... J'espère le Seigneur, j'espère vraiment ; j'attends sa parole. Je compte sur le Seigneur plus que les gardes sur le matin, plus que les gardes sur le matin. Israël, attends le Seigneur ! Car c'est auprès du Seigneur qu'est la fidélité, et la libération abonde auprès de lui.

Le pasteur Lien les regarda tous et dit sans gêne :

— Mes bien chers frères, notre Seigneur est descendu sur terre pour que chacun de nous puisse avoir droit à la vie éternelle. Servons-le toujours et n'hésitons pas à croire qu'Il est la résurrection et la vie. Notre sœur Astrid était une bonne et vraie servante. Elle part avant nous en guise d'exemple à suivre. Et nous allons la revoir en toute gloire. Amen.

Le pasteur Lien fit quelques pas en arrière. Des larmes lui coulaient le long du visage. Peder fit un signe de tête à deux marins à la mine sombre. Ils s'avancèrent, prirent le corps enveloppé d'Astrid et le transportèrent vers la rampe. Kristoffer s'approcha de sa tête, plaça sa grande main sur elle pour lui dire un au revoir silencieux, puis il détourna le regard tandis que des larmes ruisselaient de ses yeux.

Peder, la gorge serrée, chassa de sa tête des visions non désirées dans lesquelles il disait au revoir à sa propre femme qui lui était si chère.

— Au troisième jour, Dieu a créé la terre et les mers, dit-il. Notre Père, nous te rendons ta chère fille, Astrid Swenson. Nous te remercions du temps qu'elle a passé auprès de nous, elle a vraiment été un exemple divin.

Puis il hocha la tête, luttant contre l'émotion qui lui montait à la gorge.

Les marins soulevèrent le corps d'Astrid par-dessus la rampe, et après un commandement à voix basse de Peder, ils la lâchèrent dans les remous de la mer. Son corps enrubanné flotta un moment dans les vagues, puis il coula rapidement.

À ce moment, Kris poussa un cri de douleur animal et tomba à genoux en pleurant :

— *Hvorfor* ? Pourquoi, Seigneur ? Pourquoi ?

La visible faiblesse de l'homme décontenança Peder, mais il ne pouvait pas laisser ses propres sentiments transparaître, même si la détresse de son deuxième second menaçait de le faire fondre en larmes. Il était le capitaine du bateau, et ses marins n'apprécieraient pas une telle faiblesse de la part de leur chef. Il prit un air sombre, se rendit auprès de Kristoffer et plaça sa main sur l'épaule de l'homme en larmes. Knut, effrayé par les larmes de son père, se mit à pleurer lui aussi. Peder fit un signe de tête aux autres, leur permettant de quitter les lieux de cette scène qui rendait mal à l'aise. Les marins partirent les premiers, puis les autres suivirent. Seuls Kaatje, Tora, Elsa et Karl restèrent sur place.

Ce fut Kaatje qui se rendit finalement auprès de Kristoffer pour l'encourager gentiment à se lever. Elle le regarda de ses yeux tendres et lui parla doucement.

— C'était une femme extraordinaire, Kris. Je chérirai toujours son souvenir. Elle vivra toujours en toi.

Les autres trouvèrent aussi des mots pour réconforter Kristoffer, mais Peder avait l'esprit vide. Il ne pouvait s'empêcher de se voir, lui, à la place de Kristoffer, perdant Elsa. Il en avait la bouche sèche. Il prit une décision ferme. Non, la mer n'était pas faite pour une femme.

Chapitre 8

Elsa se démenait avec ses jupes en montant l'échelle vers ce qui était devenu son perchoir quotidien sur la cabine du capitaine. Son cœur battait d'excitation. Elle avait cette journée-là un sujet spécial à dessiner : le *Massachusetts*, qui faisait la course contre le *Herald* vers l'Amérique, maintenant plus qu'à dix jours de distance. Le *Massachusetts*, un vieux clipper, était un majestueux bateau d'environ la même taille que le *Herald*. Il naviguait à bonne distance à tribord, toutes voiles déployées. Le *Herald* était plus rapide, mais Peder tenait son bateau à la hauteur de l'autre, tirant plaisir de cette soudaine compagnie en plein Atlantique. Des marins étaient grimpés au gréement au-dessus d'Elsa, faisant des signes à leurs homologues, qui leur rendaient la pareille de leur bateau.

Elle adorait ce milieu. La mer, et les surprises qu'elle offrait. Elsa comprenait les marins qui s'embarquaient pour la vie. Ah, avoir la liberté de passer d'un bateau à l'autre et de parcourir le monde ! Elsa dessinait follement dans une tentative effrénée de coucher sur papier l'énergie, la luminosité, l'excitation du *Massachusetts* avant que le *Herald* ne le dépasse et s'en éloigne.

— Salut, la fit sursauter Peder dans son dos.

Elle n'avait pas entendu l'échelle grincer.

Il se pencha et regarda par-dessus son épaule, son souffle faisant une petite bouffée bienvenue dans le cou de sa douce.

Elsa s'effaroucha avec un sourire et colla le dessin contre sa poitrine.

— Pas maintenant. Tu ne pourras pas le voir tant que je ne l'aurai pas terminé. Alors, va-t-en ! exigea-t-elle fermement. Je dois travailler rapidement et je ne tolérerai pas d'être distraite par mon mari.

— D'accord, dit Peder en haussant les épaules et en se retournant. Je suppose que tu ne veux pas entendre l'histoire du *Massachusetts*.

Elsa se tourna sur sa chaise.

— Tu connais ce bateau ?

— Oui. Son capitaine s'appelle Clark Smith, un bon gars. Il emporte probablement du thé de Londres. C'est ce qu'il transporte le plus souvent.

— J'ai vu une femme à bord il y a un moment. Est-ce la femme du capitaine Smith ?

Le sourire de Peder s'estompa quelque peu.

— Oui. Emma voyage fréquemment avec lui.

Elsa saisit sa chance.

« Tant pis pour le dessin », songea-t-elle.

— Quelle merveilleuse idée. Ah, Peder ! J'adore ça ! déclara-t-elle en faisant un signe de main vers la mer et vers les hommes au-dessus d'elle dans les cordages. Je comprends pourquoi tu aimes toi aussi naviguer. Je ne me suis jamais sentie aussi vivante depuis des années ! J'adore l'aventure, la magie de tout ça.

Elle lui prit la main et la posa sur sa propre joue, le regardant avec des yeux pleins d'amour.

— S'il te plaît, mon mari, j'aimerais que tu réfléchisses à quelque chose.

Il attendit, lui caressa légèrement la joue, mais il se sentait incapable de lui demander ce qu'elle souhaitait. C'était comme s'il savait ce qui s'en venait, et il avait peur.

Elsa continua sur sa lancée. C'était maintenant ou jamais.

— J'ai entendu dire que beaucoup de femmes voyagent avec leur mari.

La main de Peder tomba de son visage.

— J'aimerais tellement voir le monde avec toi, Peder. Je voudrais voyager avec toi.

Peder grimaça et jeta un coup d'œil au *Massachusetts.*

— Je ne sais pas qui t'a donné de telles idées ridicules. Je ne suis pas d'accord avec Smith. Je crois qu'il est imprudent d'emmener des femmes en voyage, alors qu'elles sont beaucoup plus en sûreté à la maison.

Elle se leva.

— En sûreté ? Tu parles des femmes comme si elles étaient des enfants. Et des endroits sûrs, ça n'existe pas. Je pourrais tout aussi bien mourir dans un accident de carriole ou succomber à une maladie épidémique qui balaierait notre petit village tranquille du Maine.

Il se tourna vers elle, le visage sévère, rougissant à partir du cou.

— Elsa, je...

Il s'arrêta, réfléchissant de toute évidence à deux fois à ce qu'il allait dire. Il lui prit la main et inspira profondément.

— Mon ange, tu sais que je ne désire rien de plus que d'être à tes côtés jour et nuit. Dans quelques années, quand les chantiers Ramstad battront leur plein, je serai auprès de toi. D'ici là, je ne crois pas que ce soit une bonne idée. Il y a beaucoup de dangers en mer pour une femme. Par exemple, un voyou de marin quand je ne serai pas là pour te protéger. Et tu parles de maladies — mais il y en a beaucoup plus à bord d'un bateau qu'il ne pourrait y en avoir à Camden, sans parler des tempêtes.

Elsa se détourna de lui, résistant à une forte envie d'argumenter. Il était son mari, après tout. La mère d'Elsa avait passé des années à lui enseigner, à elle et à ses sœurs, de faire confiance au jugement de leur futur mari, d'accepter ses décisions. Mais tout de même, c'était beaucoup plus difficile qu'elle ne l'avait prévu. Comment Peder et elle pouvaient-ils avoir des désirs si différents ? Ne souhaitait-il pas être à ses côtés tout autant qu'elle voulait être avec lui ?

Elle jeta un coup d'œil rapide en sa direction. Il la dévisageait intensément, son visage affichant de l'inquiétude. Ils n'avaient jamais discuté de cette façon. Serait-ce leur première dispute ?

— Parle-moi encore du Maine, demanda Elsa pour changer de sujet.

Peut-être qu'avec le temps Peder comprendrait son point de vue et accepterait de l'emmener. Pour l'instant, il était plus important de maintenir la paix. Il avait tout un bateau rempli de passagers desquels s'inquiéter. Elle ne voulait pas ajouter à ses soucis.

Peder lui fit un sourire hésitant et commença à débiter son refrain familier. Dès le début, il l'invita d'un geste à s'asseoir sur sa chaise. Dès qu'Elsa eut appuyé la tête sur le dossier, il posa ses mains marquées par le travail sur le front de sa douce et les descendit doucement pour lui fermer les yeux. Elle sourit. Les yeux fermés, elle pouvait imaginer son nouveau chez-soi.

— Sa côte est irrégulière, disait-il, formant havre après havre où construire mes magnifiques bateaux. Dans l'un de ces nombreux havres se trouve un endroit pittoresque du nom de

Camden-by-the-Sea. Sa côte est protégée par une grosse île que l'on appelle Vinalhaven. Ce n'est pas loin de Portland, où tu pourras aller t'acheter des robes et toutes sortes de choses. Mais tu ne voudras pas laisser ton coin de pays. Notre terrain se situe sur une vaste colline dénudée parfaite pour les chantiers, au sommet de laquelle se trouve une lisière d'arbres. Notre maison est construite tout juste à l'orée de cette forêt. Nous allons laisser une partie défrichée devant notre maison. Imagine ! Nous aurons vue sur l'Atlantique !

— Et la maison ? demanda-t-elle, se calmant petit à petit.

— La maison ?

Elsa ouvrit les yeux.

— La maison. De quoi a-t-elle l'air ?

Peder fronça les sourcils et plaça son menton dans sa main.

— La maison. Bonne question. Je n'arrive pas à m'en rappeler.

Elsa lui fit un sourire sardonique, comprenant qu'il la taquinait.

— Dessine-la. Ça t'aidera peut-être à t'en souvenir.

— Oui, bonne idée.

Il lui fit signe de mettre les jambes sur le côté et il s'assit sur le bout de la chaise. Il se mit immédiatement à dessiner. De loin, du gaillard d'avant, Elsa pouvait entendre les marins chanter une chanson triste en travaillant :

— Il y a tout juste un an, ce soir, mon amour
Je suis devenue ta tendre épouse
Tu m'as promis que je serais heureuse
Mais je ne trouve aucun bonheur
Car ce soir je suis veuve
Dans la maison du bord de mer.

Elsa dévisagea Peder en écoutant ces mots. Il lui tendait son dessin d'une cabane ridicule, de toute évidence une blague, mais son sourire s'évanouit lorsqu'il entendit lui aussi les mots. Il savait ce qu'allait être la suite.

— Je ne resterai pas à la maison à attendre l'annonce de ta mort, Peder Ramstad. Je ne pourrais pas le supporter. Je préférerais mourir à tes côtés que de mourir seule à petit feu.

Peder lui prit la main.

— Je comprends. Mais j'ai juré à ton père que je prendrais soin de toi, que je te protégerais. Je ne crois pas que t'emmener dans mes voyages serait une manière de respecter ma promesse.

— Je suis une adulte, Peder — et je suis ta femme. Je veux être auprès de toi. Mon père comprendrait ça.

Peder soupira.

— Je vais y réfléchir. D'accord ?

Elsa hocha la tête, reconnaissante qu'au moins il l'écoute. Son cœur s'emplit d'espoir.

— Oui. Penses-y bien.

C'est seulement après qu'il fut parti qu'elle se souvint que Peder n'avait jamais dessiné leur vraie maison.

Kaatje faisait le tour du bateau, appréciant la vue du *Massachusetts* que le *Herald* était en train de dépasser. Elle trouvait rassurant de se rappeler que les marins et les passagers n'étaient pas complètement seuls dans le vaste Atlantique. Elle baissa les yeux vers les eaux bleu argenté, songeant à Astrid quelque part sous les vagues. Comme son amie lui manquait ! Elsa lui était toujours aussi chère, mais ayant l'esprit occupé par son nouveau mari, elle ne pouvait guère s'intéresser aux problèmes que vivait Kaatje.

Cette dernière fronça les sourcils en pensant à ces problèmes qui étaient liés à Soren. Même dans un endroit si confiné, il réussissait à s'éclipser, sous prétexte que la petite cabine le rendait claustrophobe. Il la quittait parfois durant des heures, sous prétexte d'aller aider les marins à goudronner les cordages ou à effectuer d'autres tâches. Mais Kaatje ne pouvait s'empêcher de douter.

« Non, se disait-elle, ne laisse pas de telles pensées t'envahir. »

Il ne pouvait sûrement pas être auprès d'une autre femme. Où iraient-ils ? Elle rit tout haut, puis se sentit gênée, de peur qu'on ait pu l'entendre.

Peu importe. Personne ne se trouvait près d'elle. Plus à l'avant, elle aperçut Tora avec Knut et Lars. Knut jouait avec le parasol de Tora, courant autour et autour, tandis qu'elle le surveillait avec une expression d'ennui et qu'elle changeait Lars d'épaule. Même avec deux petits enfants à sa charge, Tora avait un air charmant. Ses cheveux foncés et brillants étaient relevés en chignon et retenus au moyen d'un élégant peigne ivoire. Elle portait une ravissante robe de princesse bleue, en soie, par-dessus laquelle elle arborait une polonaise ivoire sans manches qui tombait avec grâce sur la courte traîne, accentuant la mince silhouette de la demoiselle. Quelle chance elle avait d'être née dans une famille à l'aise comme les Anders, songea Kaatje. Celle-ci n'avait jamais possédé une telle robe.

Oubliant l'envie qu'elle lui portait, Kaatje sourit et s'approcha de Tora. Peut-être que passer un peu de temps avec les enfants d'Astrid lui rappellerait de beaux souvenirs de son amie.

— Tora ! lança-t-elle alors que la demoiselle Anders se levait pour s'éloigner avec les enfants.

Tora se tourna pour voir qui l'appelait, puis elle détourna immédiatement le regard.

« C'est étrange », pensa Kaatje.

Tout de même, la jeune fille s'arrêta et attendit Kaatje.

— Je pensais te soulager des enfants, dit Kaatje. Pourquoi ne te reposerais-tu pas un peu ?

Tora l'observa, et Kaatje crut voir une lueur de dérision dans ses yeux. Elle ignora ce sentiment troublant. Cette fille n'était que difficile à vivre, c'est tout. Elle était probablement encore indignée de son engagement envers Kris, tout particulièrement maintenant avec deux jeunes enfants. De l'avis de Kaatje, cependant, le comportement invariablement irascible de Tora gâchait sa beauté.

— Ce serait bien, dit Tora avec une bienveillance qui semblait forcée. Je serai de retour dans une heure, si ça te convient.

— Parfait, parfait. Va te distraire un peu.

Tora la quitta sans ajouter un mot.

— Hum, dit Kaatje à Lars, qui semblait bien se porter grâce au lait de chèvre. Au moins, tu es un petit bébé satisfait, commenta-t-elle en lui embrassant le front.

« La situation pourrait être pire pour elle », songea-t-elle encore en jetant un coup d'œil à Knut, qui semblait s'ennuyer sans le parasol.

— Viens, mon petit. Allons à la recherche de mon mari. Il va te lancer bien haut et te rattraper à la dernière seconde. Tu vas retrouver ton sourire.

Knut fit un air plein d'espoir et il plaça ses petites mains dans les siennes.

— Où est-il ?

— Je ne le sais pas. Jouons au chat et à la souris ! Nous allons faire semblant que nous sommes le *katt* et qu'il est la *mus*. Ne fais pas de bruit, ordonna-t-elle en portant un doigt à ses lèvres. Nous sommes à la chasse et nous devons l'approcher furtivement avant de bondir sur lui !

Un sourire traversa le visage de Knut.

— Allons-y ! cria-t-il en norvégien.

Kaatje sourit tandis que le garçonnet la tirait. Elle savait qu'Astrid sourirait en voyant l'entrain de son fils.

Tora se dirigeait vers sa couchette pour faire une courte sieste lorsqu'elle croisa Soren dans le couloir de la cale. Il lui sourit avec indolence en tenant la porte à son intention, et elle le contourna non sans lui frôler légèrement le corps. Ce fut un mouvement subtil, mais impossible à manquer. Soren laissa la porte se refermer derrière eux, et ils se retrouvèrent seuls dans le couloir sombre.

— Pourquoi pas ici ? dit Soren à voix basse, la regardant avidement.

— Dans la chambre de Kaatje ? Et si elle entrait ?

— Elle est dehors sur…

À cet instant, Nora Paulson apparut dans l'étroit passage et les observa attentivement avant de les dépasser. Elle se retourna devant la porte.

— Puisque tu es apparemment en pause, Tora, nous devrions peut-être en profiter tout de suite pour ton cours d'anglais.

Tora la regarda, espérant que Nora décèlerait les poignards qu'elle avait dans les yeux. Mais elle prit une voix innocente.

— Ah, merci, Nora. Mais j'ai bien peur de n'avoir qu'un instant à moi avant de devoir retourner auprès de Kaatje et des garçons.

— Auprès de Kaatje ? dit Nora d'un ton plein de sous-entendus. Où est ta femme, Soren ?

— Sur le pont, répondit-il. Je suis venu lui chercher son châle.

— Ah, fit Nora, qui sembla se radoucir à l'idée qu'il retournerait rapidement voir sa femme.

Lorsqu'elle fut partie, ils se sourirent comme deux vilains écoliers.

Puis, avant que personne d'autre ne puisse les voir, Soren poussa Tora dans la petite cabine qu'il partageait avec Kaatje depuis la mort d'Astrid. Il appliqua ses lèvres dans le cou de Tora, lui faisant ressentir d'agréables frissons dans le dos avant que le verrou ne tombe en place.

— Soren, je crois que nous devrions arrêter tout ça, protesta-t-elle faiblement.

— C'est ce que tu dis chaque fois, marmonna-t-il dans son oreille. Dis-moi que tu n'aimes pas ça.

Ce qu'il était enivrant ! Et ce que Kaatje pouvait être idiote de laisser un tel homme vagabonder ainsi.

« Juste une dernière fois », songea Tora en chassant une pensée coupable.

Ça ne pouvait certainement pas être mal. Quelque chose de mal ne pouvait certainement pas être si… si bon.

Peder traça une ligne sur son graphique, puis fit des inscriptions dans son journal de bord, effaçant constamment ses erreurs avant de poursuivre. La tenue de ce journal était habituellement une responsabilité du second, mais Peder y prenait plaisir. Aujourd'hui, cependant, ses pensées étaient ailleurs, car avec le voilier qui s'approchait rapidement de la côte, il lui fallait maintenant se pencher sur des questions laissées en suspens. D'abord, il y avait Elsa et son désir clair de naviguer avec lui. Puis il y avait Karl. Il devait se montrer franc envers son ami au sujet des chantiers Ramstad et du financement que son père lui avait offert.

Décidant de ne plus attendre davantage, Peder invita Karl à déjeuner.

— Viens, dit-il, ça fera du bien à Kris d'avoir son tour à la barre. Il n'y a rien comme de guider un bateau du bout de ses doigts pour apprécier la beauté de la vie.

Karl s'arrêta un instant, cherchant une raison de refuser, puis il haussa les épaules. Peder devait s'être certainement rendu compte que son meilleur ami n'était pas venu manger avec lui depuis plus d'une semaine. Peder avait accepté sa suggestion de distraire les autres, mais maintenant il se sentait coupable. Il devait croire que Karl se sentait probablement rejeté, la place qui lui revenait étant prise par d'autres. La cabine de Karl avait même été occupée par les Janssen après la mort d'Astrid ! Qu'importe que son premier second ait insisté pour que Kaatje, enceinte, continue de dormir dans une couchette confortable ; Peder aurait dû intervenir. Kaatje se portait maintenant bien. Et le premier second méritait un traitement de faveur.

Dès que les deux hommes furent assis, le cuisinier apporta deux plats fumants de *farikal*, un mijoté de chou, de mouton et de grains de poivre noir.

— Elsa ne mange pas avec nous ? demanda Karl après que Peder eut béni la nourriture.

— Non, elle a mangé plus tôt, à ma demande.

Karl plongea les yeux dans ceux de Peder.

— Il y a quelque chose dont je dois te parler, poursuivit le capitaine.

Peder prit quelques bouchées, puis regarda Karl, qui mangeait lentement en étudiant le visage de son ami à la recherche d'indices sur le sujet de la conversation à venir.

— J'ai bien peur d'avoir une confession à te faire et je souhaitais le faire en privé, Karl.

Son premier second attendit, déposa sa fourchette sur son assiette et s'essuya la bouche.

— Tu vois, je redoutais ce moment parce que j'avais peur de ta réaction. J'ai bien peur que ça chamboule tous nos projets, comme le diraient nos nouveaux compatriotes.

— Dis-le, Peder. Crache le morceau.

Peder le regarda droit dans les yeux.

— Le jour de notre mariage, mon père nous a fait un cadeau.

— Et ?

— Il m'a dit qu'il financerait entièrement les chantiers Ramstad.

Karl scruta les yeux de Peder de nombreuses secondes pour voir s'il blaguait. Comme Peder ne faisait qu'attendre en lui rendant son regard, Karl, le visage rouge de colère, se leva abruptement, faisant racler sa chaise sur le plancher.

— Et tu as refusé, n'est-ce pas ? Tu lui as dit que nous avions obtenu notre propre financement ? Que nous avions une entente, soixante-quarante ?

Peder perdit son sang-froid et baissa le regard. Karl réagissait comme il l'avait craint.

— Non, dit-il faiblement. J'ai accepté son cadeau.

— Et tu as attendu jusqu'à maintenant pour me le dire ? Pourquoi si tard, Peder ?

— C'est difficile, de toute évidence. Je savais que tu le prendrais mal.

— Le prendre mal ? Le prendre mal ! Je crois que j'ai toutes les raisons de mal le prendre, dit-il en faisant les cent pas. Peder, j'ai travaillé à tes côtés durant des années. Pour en arriver à quoi ? À me faire dire que les chantiers Ramstad-Martensen sont de l'histoire ancienne. Allez, allez, place aux puissants Ramstad ! J'aurais dû me douter que le vieux Leif ne pourrait pas s'empêcher de fourrer son nez dans les affaires de son fils.

— Holà ! pas si vite…

— Alors, c'est ça ? Je suis renvoyé ?

— Non, non ! Karl, je veux que tu sois mon homme de confiance. J'ai besoin de toi.

— Ton homme de confiance ? Mais pas ton partenaire.

— Ce sera presque pareil.

— Mais mes rêves de construire des bateaux à vapeur ? Non, non. Tu vas remettre ça à plus tard, au profit de tes romantiques bateaux à voile. C'est fini, Peder, lança Karl en se passant la main dans les cheveux. Nous sommes en 1880, et la voile est en déclin. L'avenir passe par la vapeur.

— Il y a encore un marché pour la voile. Karl. Ces bateaux coûtent moins cher à produire, sont plus fiables de bien des manières...

— Et voilà ! Tu n'admettras jamais que la voile est appelée à disparaître. Bien sûr, il y aura quelques nouveaux schooners. Je sais bien qu'il pourrait être encore possible de faire de l'argent dans le transport de marchandises à bord de bons vieux gros rafiots. Mais la vapeur, Peder. C'est avec ça que nous pourrions connaître le succès. Tu t'accroches à la voile parce que ton père adore ça. Et comme c'est lui qui fournit l'argent, je parie que nous ne verrons jamais un bateau à vapeur quitter les chantiers Ramstad.

— Je vais m'assurer que si ! Karl, je respecte ton point de vue.

— Oui, mais pas assez pour t'accrocher aux rêves que nous avions depuis notre enfance, hein ? Non, je suppose que l'amitié passe après les finances, dans la famille Ramstad.

Il se dirigea vers la porte.

— Karl, attends. Vraiment, je veux résoudre cette question avec toi.

— Tu as pris ta décision, mon homme. Maintenant, je dois prendre la mienne.

Il quitta la pièce sans dire un mot en faisant claquer la porte.

Chapitre 9

POUR LA TROISIÈME JOURNÉE D'AFFILÉE, ELSA DÎNA EN SILENCE avec Peder. Il était morose depuis sa querelle avec Karl, à tel point qu'Elsa avait été forcée d'annuler leurs invitations à dîner. Il avait rendu leurs invités si mal à l'aise qu'elle s'était mise à s'excuser auprès des autres passagers, trouvant des prétextes pour ne pas recevoir un soir, puis le soir suivant. Peder ne semblait pas s'en rendre compte. Il ne semblait même pas la remarquer, elle. Avait-elle fait quelque chose de mal elle aussi ?

Ce soir-là, espérant attirer son attention, elle portait une de ses tenues les plus élégantes. Sa mère lui avait commandé trois nouveaux ensembles de Copenhague comme cadeau de départ, et Elsa les avait rangés pour ne les porter qu'en Amérique dans un cadre plus raffiné. Elle avait revêtu une tenue de soirée à traîne courte. Le corsage et la jupe, faits de lampas aux belles nuances de turquoise, ornés de satin bleu turquoise et de surahs pâles de couleur paille lui donnaient un air élancé, soigné — ce qui s'avérait malheureusement restreignant, aux yeux d'Elsa. Les manches étaient plutôt courtes et osées, et elle portait des gants de couleur paille assortis. Malgré tout, Peder n'avait émis aucun commentaire. C'était peut-être parce qu'elle n'avait pas pris de véritable bain depuis un mois. Elle était habituée à se laver au moins deux fois par semaine. Elle faisait maintenant de son mieux avec uniquement un seau d'eau, mais comme elle avait envie d'une baignoire de cuivre remplie d'eau fumante !

Elsa déposa sa serviette de table près de son plat et s'appuya contre le dossier de sa chaise pour étudier son mari. Il était penché sur son assiette, enfournant la nourriture dans sa bouche. Il avait des cernes aux yeux comme s'il avait souffert d'un manque de sommeil durant dix jours. Elsa conclut qu'il ne manquait pas d'intérêt envers elle, il ne pouvait plutôt s'empêcher de penser à son ami et à leur brouille.

— Tu sais, tu pourrais simplement dire non à ton père, commença-t-elle.

Il leva les yeux et lui jeta un regard mauvais.

— Dire non à cette offre qui nous mènera directement à la réussite ? Il m'a promis le double de l'argent que Karl et moi pourrions amasser ensemble.

— Et si ce que dit Karl était vrai ? Auras-tu l'impression que les chantiers Ramstad d'Amérique sont en fait dirigés par ton père ? Ne serais-tu pas heureux de construire quelque chose qui t'appartienne entièrement ?

— Cette entreprise sera plus à moi que si je devais en partager les parts avec Karl.

— Mais tu avais promis, Peder.

— Assez !

La colère dans la voix de Peder et les palpitations visibles dans les veines de son cou troublèrent Elsa. Il n'avait jamais haussé le ton en s'adressant à elle. La voyant surprise, il adoucit la voix.

— Excuse-moi. Je ne voulais pas crier. Mais je pense avoir pris la meilleure décision. Karl finira par comprendre. Il demeurera tout de même propriétaire de vingt pour cent de chantiers beaucoup plus gros et prometteurs.

— Mais à quel prix ? Tu as toi-même dit que tu prendrais toutes les décisions, souleva Elsa en se levant et en contournant la table pour s'agenouiller à côté de lui. Peder, c'est ton meilleur ami. Depuis votre enfance. Ne l'écarte pas pour le simple plaisir d'avancer.

Peder grimaça et secoua la tête.

— Je le fais pour toi, Elsa.

— J'ai ce qui m'est important, protesta-t-elle. Je suis reconnaissante que tu veuilles m'honorer, mais te mettre des amis à dos ne me rendra pas plus riche. Je préfère attendre. Bâtis l'entreprise petit à petit. Et garde nos amis chers.

Peder se leva, le visage ferme.

— J'ai pris ma décision. C'est mon entreprise, pas la tienne.

Elsa sentit sa gorge se serrer, réprimant la colère qui montait en elle. Elle avait été élevée à réfléchir à ce qu'elle allait dire avant d'ouvrir la bouche, un concept que Tora semblait toujours incapable de comprendre. Le temps qu'elle trouve une réplique acceptable, Peder était parti en claquant la porte de la cabine derrière lui.

— Ô, Seigneur, Seigneur, pria-t-elle à voix haute en se tenant la tête. Accompagne ces deux hommes orgueilleux et têtus. Car je sais que ton intention n'est pas qu'ils s'affrontent. Apprends-leur à s'honorer et à s'aimer, et donne-leur les mots pour réparer les blessures qu'ils se sont faites l'un à l'autre.

En soupirant, elle se leva et se rendit au buffet, d'où elle sortit deux vieux dessins réalisés par une main d'amateur, mais quand même précis, représentant des bateaux à vapeur. Elle était secrètement d'accord avec Karl. Même si les voiliers étaient d'un style classique magnifique, les vapeurs faisaient partie intégrante de l'avenir. Ce n'était qu'une question de temps avant qu'elle ne trouve le courage d'en faire part à Peder.

Kaatje tourna le coin sur le pont, s'imprégnant de l'air frais et du chaud soleil sur sa peau. Elle se sentait merveilleusement bien depuis qu'elle n'avait plus le mal de mer, et elle caressait son ventre arrondi lorsque personne ne l'observait. Soren avait encore une fois disparu, et elle se demanda brièvement où il pouvait bien se cacher. Se protégeant les yeux du soleil, elle regarda vers le nid de pie, où il prétendait souvent aller. Il n'y avait en ce moment qu'un marin. Depuis qu'elle et Knut avaient été incapables de le trouver en jouant au chat et à la souris la semaine d'avant, Kaatje s'était sentie légèrement troublée. Mais elle chassa ses doutes, souhaitant se concentrer sur des espoirs et des rêves encourageants plutôt que sur les souvenirs sordides qui semblaient la tourmenter.

Repoussant ces tristes pensées, elle songea plutôt aux doux baisers que Soren lui avait donnés ce matin-là, à ses mains chaudes et à sa voix sincère qui lui disait qu'il était si reconnaissant qu'elle soit sa femme.

— Merci, Père, pria-t-elle en regardant la mer.

Le soleil scintillait sur l'eau comme s'il faisait écho à ses louanges, formant de minuscules miroirs de lumière éclatante à la surface noire de l'océan. Dans ce ciel bleu clair, le soleil réchauffait le visage de la jeune femme. Ce serait une journée chaude, estima-t-elle à en juger par la chaleur de ce début d'après-midi. Peut-être la plus chaude jusqu'à maintenant. Kaatje possédait un parasol, bien qu'en lambeaux, mais elle semblait incapable de penser à l'emporter avec elle sur le pont. Qu'à cela ne tienne ! Soren soutenait après tout qu'il aimait ses taches de rousseur et ses joues rosies par le soleil, peu importe la mode. Et en tant que femme de fermier, elle n'avait pas trop à se soucier de la mode de toute manière.

Kaatje décida d'aller voir ce que faisait Elsa et elle se dirigea vers les quartiers du capitaine, sachant que son amie serait peut-être assise sur le toit de la cabine, à dessiner comme d'habitude. Elle voulait être disponible si la femme du capitaine souhaitait discuter de la situation trouble entre Karl et Peder. Les rumeurs allaient bon train sur tout le bateau, couvrant ce sujet en long et en large, selon Kaatje. Une de ses vieilles tantes avait toujours dit : « Vis en accord avec ce que tu sais, non avec ce que tu crois. » Apparemment, beaucoup de personnes à bord semblaient vouloir croire le pire.

La rumeur la plus troublante impliquait Elsa, Karl et des regards impurs. Ne voulant pas écouter de telles âneries, Kaatje n'y avait prêté aucune attention. Mais elle ne pouvait s'empêcher de penser à ces deux occasions où elle avait surpris Karl en train d'observer son amie — de la même manière que Soren regardait certaines femmes. Elle en avait été troublée. Mais ces deux incidents s'étaient produits avant le mariage. Et Karl était l'ami d'Elsa depuis aussi longtemps que Peder. Il était absolument impossible qu'un homme aussi droit que Karl…

« Assez, se dit-elle. Va la voir en toute amitié. »

S'approchant de l'échelle, elle cria, ne voulant pas déranger Elsa si elle était avec quelqu'un d'autre.

— Hé, là-haut. Il y a de la place pour une grosse amie enceinte ?

Le visage d'Elsa apparut.

— Tu n'es pas vraiment une personne que je qualifierais de « grosse ». Oui, il y a de la place. Si tu réussis à grimper jusqu'ici sans te faire mal, viens. J'aimerais bien avoir de la compagnie en ce moment.

Kaatje monta et s'assit sur la partie basse de la chaise longue.

— Le seul avantage lié à ma prise de poids, c'est que mon corset n'est maintenant plus qu'un souvenir, chuchota-t-elle.

Elle lissa son ample jupe de maternité à côté d'elle. Elle était mince, faite de laine grise, au mieux piquante dans les meilleures circonstances et abominable sous le soleil, mais c'était sa robe la plus seyante. Et Soren disait qu'il l'aimait parce qu'elle mettait ses yeux gris en valeur.

— Chanceuse, répondit Elsa sur le même ton. Je donnerais n'importe quoi aux créateurs de mode qui lanceraient l'idée de brûler tous les corsets à l'échelle mondiale.

— Et laisser tomber cette fine taille ? Je parie que Peder peut l'encercler de ses mains !

— Tout de même, je ne serais pas déçue de ne plus porter ces étaux.

Elles restèrent assises un moment dans un silence complice à regarder la mer.

— Si je continue de recevoir des visiteurs, déclara Elsa, je devrai demander au charpentier du bateau de construire une autre chaise.

— Oh, ce serait merveilleux. C'est le meilleur point de vue de tout le bateau, mis à part le nid de pie.

— Je le sais. C'est décidé, tiens. Je vais en faire faire une autre, et tu pourras te reposer ici pendant mes séances de dessin.

— Merveilleux ! Sur quoi travailles-tu en ce moment ?

Elsa tourna son carnet pour que Kaatje puisse voir, et cette dernière en eut le souffle coupé.

— Elsa, c'est fantastique ! C'est presque effrayant — ça rappelle cette terrible nuit.

Le visage d'Elsa s'assombrit.

— Je le sais. Je suis désolée de te faire repenser à cette nuit où Astrid est morte. Mais il y a quelque chose de magnifique à imaginer le *Herald* à cheval sur ces horribles vagues, et que nous serions encore en vie sur une mer calme le lendemain matin. En fait, d'une certaine façon, ça me rappelle Astrid, qui a vécu cette vie ici bas, puis qui est partie dans l'Au-delà. En comparaison, la vie ici doit ressembler à une tempête, et le paradis… eh bien, il doit ressembler au paradis. Si paisible.

Kaatje hocha la tête, souriante alors que des larmes lui montaient aux yeux.

— Tu as bien raison, acquiesça-t-elle en étudiant de nouveau le dessin. Peder ne s'est pas trompé. Tu as un don.

— Ah, oui, puisque tu fais allusion à Peder. Mon mari semble avoir quitté le bateau et s'être fait remplacer par une autre personne. J'en déduis par ta visite et tes yeux gris inquiets que tu as remarqué.

Kaatje rencontra son regard.

— En effet.

— Il est si déterminé à foncer qu'il ne s'arrête pas pour constater les dégâts sur son passage.

— J'imagine que tu parles de Karl.

— Oui. Il… Peder… il est si… si têtu.

Kaatje rit.

— Il ne peut tout de même pas être plus entêté que ton père, Amund.

— Peut-être, dit Elsa en souriant, et les deux se lancèrent dans une discussion à cœur ouvert.

— Il fait tout ça pour toi, tu sais, dit Kaatje.

— J'imagine. Mais je lui ai dit que j'ai tout ce dont j'ai besoin. Si seulement…

— Quoi ?

— Eh bien, tu vois, je crois que j'aimerais voyager avec lui… partir en mer avec lui.

— Et il ne veut pas ?

— Il a peur, dit-elle en regardant l'expression déconcertée de Kaatje. Il a peur que je me blesse. La mort d'Astrid n'a fait que précipiter sa décision en ce sens. Et maintenant que Karl va peut-être le laisser tomber, je crois qu'il se sent abandonné, à la dérive. D'après lui, ma présence à bord ne serait qu'un fardeau de plus.

— Est-ce vraiment, dit prudemment Kaatje, si pire que ça pour toi ?

— Si, presque, répondit Elsa d'un air sombre. Je ne fais rien d'autre que de m'imaginer regardant Peder quitter le port et me retrouvant toute fine seule.

— Avec Tora, dit Kaatje, dans un élan de compassion évident.

— Avec Tora, répéta Elsa.

Tora soupira de soulagement. Les deux garçons s'étaient finalement endormis, Knut replié contre le bébé dans ce qui avait déjà été la couchette d'Astrid. Il avait insisté ces derniers temps pour y faire sa sieste, et Kaatje avait rapidement encouragé Tora à le lui permettre. Cette cabine renfermait, après tout, les derniers souvenirs que Knut avait gardés de sa mère. Il semblait généralement bien se remettre de la mort de cette dernière, mais la nuit, quand ce n'était pas de Lars dont Tora devait prendre soin, c'était Knut qu'elle devait réconforter, le consolant de ses cauchemars. Elle était épuisée et prête à faire elle-même une sieste. Tora jeta un coup d'œil à la couchette supérieure. Peu importe que Soren y ait déjà dormi, elle était prête à n'importe quoi pour se reposer.

Elle mit le pied sur ses jupes et s'empêtra plusieurs fois, mais elle réussit finalement à grimper dans la vieille couchette grinçante au-dessus des garçons endormis. En quelques secondes,

Tora avait fermé les yeux et s'était endormie comme une masse. Il lui sembla qu'à peine quelques minutes plus tard de chaudes mains lui parcouraient le corps. Tora ouvrit les yeux et vit le visage de Soren près du sien. Elle sentit son haleine chaude dans son cou.

— Quelle merveilleuse surprise, murmura-t-il, les yeux brillants. Je reviens dans ma chambre un instant et je te trouve dans mon lit.

Il s'approcha d'elle pour l'embrasser, mais elle le repoussa.

— Non. C'est fini, Soren. Nous allons réveiller les garçons.

— Nous l'avons déjà fait en silence, dit-il en souriant et en s'approchant de nouveau d'elle. Allons, mon chaton. Personne ne va nous entendre.

— Non ! chuchota-t-elle farouchement, lui appliquant les mains sur la poitrine tout en détournant la tête pour éviter son baiser. C'est fini, Soren. C'est fini entre nous. Lâche-moi, ou je crie.

Soren fronça les sourcils et s'éloigna d'elle. Puis il lui fit un petit sourire.

— C'est un jeu ? Tu veux que je te pourchasse ?

Tora s'assit et secoua la tête. Elle fit passer ses jambes par-dessus le rebord de la couchette et sauta en bas du lit. Comme par miracle, les garçons ne se réveillèrent pas.

Soren essaya encore une fois de la toucher, mais elle fit un pas de côté pour éviter sa main.

— Sortons, dit-elle silencieusement avant de se faufiler à l'extérieur d'un air confiant.

Soren ferma la porte derrière lui, regardant alternativement des deux côtés du couloir sombre. Il était beau, sans l'ombre d'un doute, mais stupide. Et elle en avait marre de lui et de ses commentaires de plus en plus fréquents trahissant qu'il la considérait comme sienne. Les hommes étaient tellement nigauds. Une femme n'avait qu'à leur offrir son corps pour qu'ils s'imaginent posséder son âme.

— C'est fini, Soren, dit-elle en levant le menton.

— Non, ne dis pas ça, mon chaton. Ça ne fait que commencer, insista-t-il en s'approchant d'elle.

— Non, dit-elle en levant un sourcil et en plaçant une main délicate sur sa poitrine musclée. J'ai dit que c'était fini. Terminé. Je faisais une sieste, je ne te séduisais pas.

— C'est ce que tu dis, mais…

— Non, Soren, dit-elle en détachant chaque syllabe. C'est terminé entre nous. J'ai de meilleurs plans en tête qu'un adultère à long terme avec un pauvre fermier crasseux.

Outragé, Soren lui lança aussitôt une gifle. N'ayant rien vu venir, Tora perdit l'équilibre et se cogna contre le mur, se mettant immédiatement à saigner d'une égratignure à la tempe. Des larmes de surprise et de colère s'échappèrent de ses yeux alors qu'elle s'appuyait sur le mur en lui jetant un regard furieux.

— Tu vas payer pour ça, le menaça-t-elle. À l'aide ! cria-t-elle, sans attendre une seconde de plus. À l'aide !

Peder était sur le pont lorsqu'il entendit une femme crier. En une fraction de seconde, il avait ouvert la porte et tout de suite compris la scène : Soren en colère, penché par-dessus Tora, recroquevillée, qui saignait. Dans un élan de furie, il chargea Soren, et, tout en le soulevant contre le mur, il cria :

— Que se passe-t-il ici ?

Soren resta muet. Peder jeta ensuite un coup d'œil à Tora, puis regarda de nouveau Soren. La culpabilité qui se lisait sur le visage de Soren et l'air de défiance qui s'affichait sur celui de Tora firent comprendre à Peder tout ce qu'il devait savoir. Ce n'était pas un cas d'agression contre une femme innocente. Il était témoin d'un malheureux épisode d'une liaison indécente entre deux personnes.

— Non ! Non ! fit-il en empoignant le cou de Soren de ses deux mains puissantes, réfrénant le désir de l'étrangler. N'as-tu donc aucun respect pour ta femme, bonhomme ? demanda-t-il avec incrédulité. Elle est assise là-haut sur le toit avec Elsa, probablement en train de lui raconter votre nouvelle vie ensemble et à imaginer les enfants qui suivront celui-ci. Et toi, que fais-tu ?

Peder le secoua, tant il était furieux. Il devait aller prendre l'air avant de succomber à l'envie de les réduire tous les deux en morceaux.

De l'autre côté du mur leur parvint un gémissement effrayé de Knut.

Peder jeta un coup d'œil à Tora. Il y avait maintenant une expression de peur dans le visage de celle-ci.

— Toi ! Retourne là-dedans auprès des enfants. Et toi Soren, tu vas venir avec moi.

Peder recula, et Soren se mit à se masser la gorge. Le capitaine replaça son manteau et son bonnet.

— Viens avec moi, dit-il encore une fois avec fermeté.

Tora ouvrit doucement la porte de la cabine et tenta de s'y glisser furtivement.

— Tora, tu ne pourras pas sortir de cette cabine tant qu'Elsa ou moi ne serons pas venus te chercher.

— Mais les garçons…

— Tant que l'un de nous ne sera pas venu te chercher.

Elle ferma la porte sans discuter davantage.

Bouillant silencieusement de rage, Peder escorta Soren jusqu'à son salon. Il ordonna ensuite à Stefan de garder la porte et lui donna la ferme instruction de ne pas laisser sortir Soren.

Furieux, désespéré et réticent à faire part de cette situation à Elsa, Peder se rendit voir Karl. Son ami le regarda avec surprise, étant donné qu'ils s'évitaient tacitement depuis maintenant des jours. Cet air de surprise fit place à un air de consternation lorsqu'il vit les traits tirés de Peder.

Ce dernier s'adressa à lui :

— J'ai besoin de mon premier second. Aurais-tu quelques minutes pour me conseiller ?

Karl lui prit la main et la serra fermement.

— Certainement. Où allons-nous ?

— Au gaillard d'avant.

Karl était profondément mal à l'aise de donner des conseils à Peder quant à la liaison extraconjugale de Soren Janssen, tant il se sentait lui-même torturé de ses pensées coupables envers Elsa. Tout de même, il réussit à donner à son vieil ami ce qu'il croyait être un avis judicieux : « Ne te mêle pas de ça. » Sévir publiquement contre Soren aurait pour effet de punir l'innocente Kaatje. Ce qui se passait en privé devait rester privé.

— Mais nous allons servir un avertissement ferme à Soren, n'est-ce pas ? dit Karl.

— Et je vais parler à Tora.

— Allons parler à Soren. Cet homme court après une bonne leçon depuis maintenant des années. Nous pourrons peut-être le persuader de se laisser aller au bonheur que Dieu prévoyait pour lui auprès de Kaatje.

Malmener Soren permettrait à Karl de se soulager d'une bonne partie de la tension qui s'accumulait en lui depuis des semaines. Les poings lui démangeaient tant il avait le goût de cogner cet homme, mais Peder le lui avait interdit, souhaitant uniquement formuler de sérieuses menaces à Soren pour qu'il se comporte correctement les cinq derniers jours de la traversée.

Après qu'ils eurent parlé à Soren, Karl continua à mener intérieurement son propre combat contre lui-même. N'était-il pas tout aussi coupable que l'homme qu'ils avaient menacé ? Si Karl était le moindrement décent, il confesserait son péché à Peder. Il avait accepté les excuses de ce dernier relativement aux nouveaux développements survenus dans leur entreprise et lui avait dit qu'il se donnait le temps de réfléchir sur la suite à donner dans leur relation d'affaires. Mais d'ici à ce qu'il ait pris une décision, il allait rester. Quel hypocrite ! Accepter les excuses de Peder tout en sachant que lui-même avait fait pire à son endroit. Si les Écritures disaient vrai, son seul espoir était de s'arracher les yeux.

Autant la pensée de briser son amitié avec Peder le peinait, autant il ne voyait pas d'autre issue. Il devait partir. Peut-être le cadeau de Leif avait-il été providentiel... la manière de Dieu de tenir Karl à l'écart de la tentation en l'éloignant complètement. Oui, il fallait que ce soit l'explication, se dit-il en inspirant profondément l'air salin qu'il avait appris à aimer en même temps que Peder. Leur amour de la mer avait consolidé leur amitié. Leur amour de la même femme la romprait. Mais il importait que Peder n'apprenne jamais la vérité. Ce dernier s'aviserait peut-être de blâmer Elsa, qui était parfaitement innocente. Non, Karl ne courrait jamais ce risque.

Il inclina la tête.

« Je me sens plutôt en paix dans toute cette situation, Seigneur, pria-t-il silencieusement. C'est le chemin que tu m'as tracé, n'est-ce pas ? C'est peut-être mieux pour nous deux, Peder et moi, que nous nous séparions. Je te remercie, Seigneur, de te tenir auprès de moi, humble pécheur. Et continue de me guider sur le chemin le plus pur possible. »

Les heures passèrent. Beaucoup plus tard, seul à l'ombre de la cabine du capitaine, mâchouillant le tuyau d'une pipe vide depuis longtemps, Karl écoutait les bâbordais faire sonner sept fois les cloches. Il était pratiquement minuit, la pleine lune était presque à son zénith, mais il n'était pas fatigué. Trop de pensées se bousculaient dans sa tête.

Il jeta un dernier coup d'œil à la lune et s'avança pour contourner le coin. Il réprima une expression de surprise. De l'autre côté de la cabine, près du parapet de tribord, se trouvait Elsa, de toute beauté dans sa robe de chambre de coton blanc. Ses cheveux longs détachés tombaient en cascades dans son dos. Elle regardait vers le nord, et en reculant dans l'ombre, incapable de détacher le regard, Karl comprit pourquoi. Au loin, des lumières vertes et rouges ondulaient faiblement à l'horizon. Des aurores boréales.

Karl recula d'un autre pas lorsque Peder la rejoignit au parapet.

— Oh, Peder, dit-elle doucement en s'appuyant la tête sur l'épaule de son mari. N'est-ce pas grandiose ? Mon père m'a dit que c'était Dieu qui me chuchotait un message lorsqu'elles paraissaient, et il m'a précisé de toujours penser à lui lorsque j'en verrais.

— C'est une belle image, acquiesça Peder. Un jour, tu devras aussi voir les aurores australes. Mon ange, je te dois des excuses. Depuis ma dispute avec Karl, j'ai bien peur d'avoir été désagréable à côtoyer.

Karl recula encore et contourna la cabine. Il avait fait beaucoup de choses dont il n'était pas fier, mais il n'écouterait pas une conversation privée entre ses amis.

Avant de descendre à sa couchette, Karl jeta un dernier coup d'œil vers le nord.

— Si c'était toi qui chuchotais, Père céleste, merci. Je vais apprendre à te louanger, que j'approuve ou non ta façon d'intervenir dans ma vie. Car je te fais confiance.

Elsa aida le cuisinier à sortir les plateaux de nourriture sur le pont en vue du *koldt bord*, un repas de fête minutieusement préparé auquel tous étaient conviés, même les marins. Le dîner avait été organisé pour souligner deux événements : Peder venait de marier Nora et Einar, et le lendemain, ce serait l'arrivée en Amérique. Comme aux noces d'Elsa, la majorité des passagers avait revêtu le traditionnel *bunad* de Bergen, et Nora arborait la même magnifique coiffe qu'Elsa avait portée... il y avait de cela combien de temps déjà ? Presque un mois et demi, calcula-t-elle. Tant de choses s'étaient produites, tant de choses avaient changé depuis, et ils n'avaient même pas encore atteint les côtes américaines !

Toute la journée, l'excitation palpable des passagers avait rendu l'atmosphère électrisante sur le bateau. Le lendemain, ils seraient en Amérique, terre de toutes les promesses.

« Demain, je prendrai enfin un vrai bain », songeait Elsa, qui s'excitait presque tout autant à cette simple pensée.

Certes, elle aimait toujours la mer et voulait voyager avec Peder, mais elle allait devoir le convaincre de la nécessité de pouvoir prendre des bains même en mer. Elle retourna à la coquerie tout en se posant diverses questions. Aimerait-elle Boston ? Comment serait vraiment le Maine ? Serait-ce comme elle se l'imaginait ?

Le cuisinier lui tendit un plateau fumant de morue pressée et de saumon poché. Kaatje la contourna avec une marmite de chou à la crème sure. Ce serait le dernier festin, et les passagers sur le pont rôdaient autour avec appétit comme des requins autour d'une otarie blessée, songea Elsa. Il y avait devant eux une table de fortune qui ressemblait beaucoup à son repas de mariage, mais sans les plats d'agneau. Comme il convenait pour un remarquable banquet en mer, une grande variété de poissons était offerte, dont du hareng, du flet, des sardines, et un homard pour chaque personne. Avant de lever les voiles, Peder avait fait monter à bord un baril plein d'eau salée et de homards vivants en prévision de cette soirée de fête la veille de l'arrivée à destination. Des pains de viande, quatre variétés de fromage, du salami et des fruits soigneusement préservés accompagnaient le tout.

— Parfait ! Tout est là ! annonça Elsa à l'intention de tous, qui poussèrent un cri de joie à l'unisson en entendant la nouvelle.

Jamais nourriture n'avait paru aussi bonne. Pour la plupart des passagers, le dîner de tous les jours avait été inlassablement constitué de galettes, de bœuf et de poisson salés, avec d'occasionnels répits lorsque le capitaine les invitait à sa table. En voyant les visages de ces personnes affamées, Elsa se sentit coupable de s'être autant régalée pendant la traversée. Mais telle était la vie d'un capitaine et de sa femme, supposa-t-elle. Peut-être ne serait-elle pas aussi excitée à l'idée de voyager avec Peder si elle en était réduite à un menu si ennuyeux.

Le pasteur Lien bénit la nourriture, prenant beaucoup plus de temps que ne l'auraient souhaité les passagers, s'imagina Elsa. Puis, Nora et Einar prirent la tête de la ligne des convives. Ainsi vêtue, à célébrer un mariage, Elsa se sentait chez elle et se demanda si elle revivrait un jour ces mêmes sentiments. En Amérique, ses voisins proviendraient probablement de divers endroits, l'avait informée Peder, par exemple d'Allemagne et de Chine, d'Italie et de Mauritanie. Des gens partaient de partout dans le monde pour émigrer aux États-Unis. Pour la liberté, pour la justice, pour obtenir une nouvelle chance dans la vie. Et elle faisait désormais partie du nombre.

Le dîner fut suivi d'une danse. Un passager sortit un violon, un autre un accordéon, et Peder ouvrit un petit baril de vin, qui était strictement surveillé par un Kristoffer au visage sévère. L'alcool était-il vraiment nécessaire, pour ajouter à cette ambiance déjà euphorique ? Les passagers et les marins dansèrent jusque tard dans la soirée, même après que les enfants se furent endormis, et même s'ils en avaient les pieds endoloris. Ils ressentaient tous le besoin d'exprimer leur jubilation, de rire et de chanter et de se retrouver enfin libres après leur long voyage.

Au cours de l'une des dernières danses folkloriques de la soirée, pendant lesquelles les couples se devaient de changer de partenaire, Elsa quitta les côtés de Peder pour se retrouver auprès de Karl. Elle lui fit un sourire. Elle lui devait tant. D'être resté auprès de Peder toutes ces années. De lui avoir apparemment pardonné son changement de plans pour les chantiers Ramstad. Il était un bon ami. Un frère, en fait.

— Tu es un ami extraordinaire, Karl, dit-elle alors qu'il la tenait par le coude et la taille, et qu'il la faisait tournoyer en un petit cercle.

— Oui ? Pourquoi dis-tu ça ? demanda-t-il, continuant de fixer droit devant.

Il rougissait du cou. Probablement en raison de l'effort, supposa Elsa.

— Tu le sais bien.

Ils finirent la danse et firent la révérence aux autres couples, puis l'un envers l'autre. Lorsqu'ils se relevèrent, ils se cognèrent légèrement la tête. Elsa rigola.

— Quelle grâce. Je suis désolée. Ça va ?

Ils marchèrent vers le bastingage tandis que les musiciens faisaient une pause et que plusieurs danseurs allaient prendre des rafraîchissements.

— Ça va. C'est probablement de ma faute. Je suis meilleur marin que danseur.

— Tu dis n'importe quoi, poursuivit-elle en lui souriant. Merci d'avoir été auprès de Peder toutes ces années. De l'avoir ramené à la maison en un morceau chaque fois.

Impulsivement, Elsa se mit sur la pointe des pieds et lui donna un baiser sur sa joue devenue rugueuse, car Karl ne s'était pas rasé depuis la veille.

Il la regarda, soudainement sérieux et attentif. Elsa, troublée par ce regard, recula d'un pas. Silencieusement, Karl tourna les talons et la laissa seule, traversant la foule jusqu'à ce qu'elle ne puisse plus le voir. Elle se retourna, appuyée au bastingage. Que venait-il de se produire ? Elle ne l'avait jamais vu la regarder ainsi... de la même façon que Peder le faisait.

Kaatje, qui avait observé la scène, rejoignit Elsa.

— Alors, tu viens de constater ce qui te pendait sous le nez tout ce temps-là.

Elsa la regarda d'un air abasourdi.

— De quoi parles-tu ?

— De Karl. Tu as vu ce qu'il ressentait pour toi.

— Karl ? C'est mon ami. Il ne ressent rien de plus pour moi.

Kaatje dévisagea Elsa jusqu'à ce que celle-ci croise son regard.

— Il ne ressent rien de plus pour moi, n'est-ce pas ? demanda Elsa d'une voix lointaine.

Une fois de plus, Kaatje ne dit rien, attendant que son amie tire ses propres conclusions.

— Père céleste, faites qu'elle se trompe, dit Elsa en levant les yeux au ciel, avant de tourner le regard vers Kaatje, puis vers la mer.

Kaatje étudia son amie, emmagasinant l'impression qu'elle projetait. De douces mèches de cheveux dorés échappées de son chapeau frisaient dans son cou. Les cheveux ainsi remontés, ses yeux étaient plus lumineux et ses lèvres rondes plus apparentes. Karl devait sans l'ombre d'un doute la trouver charmante.

Les pensées de Kaatje se tournèrent soudain vers Soren et ses indélicatesses. Elle savait maintenant où il était allé toutes ces heures où il manquait à l'appel, durant toutes ces journées. De longs cheveux châtain foncé trouvés dans son lit..., les après-midi où Tora surgissait un peu chiffonnée. Soren s'était mis à rester dans leur cabine ces derniers temps — pour étudier l'anglais, prétendait-il —, mais Kaatje avait surpris une discussion entre Peder et Karl. Son mari avait été surpris avec Tora, et croyant éviter la honte à Kaatje, les deux hommes l'avaient confiné à sa cabine, et Tora à de nouveaux quartiers à l'autre bout du bateau.

Cette révélation n'avait pas été une surprise, elle ne faisait que confirmer un état de fait devant lequel on ne pouvait qu'acquiescer d'un hochement de tête, sachant très bien que la chose était prévisible.

« Ô cher Dieu, avait-elle prié, fais en sorte que le Dakota du Nord soit une terre d'hommes. »

Mais sa prière ne lui avait guère apporté de réconfort. Soren avait un genre de maladie, qui l'obligeait semble-t-il à chercher du réconfort auprès des femmes. Et Kaatje n'avait pas le pouvoir de le guérir.

— Kaatje, insista Elsa.

Kaatje releva la tête, soudainement consciente qu'Elsa lui parlait.

— Depuis combien de temps le sais-tu, pour Karl ?

— Je le soupçonnais depuis des semaines, répondit-elle poliment.

Elle se sentait parfaitement lasse et irritée de la naïveté d'Elsa. Comment cette dernière pouvait-elle ne pas voir ? Et de toute manière, de quoi avait-elle à s'inquiéter ? Ce n'était pas son mari, qui convoitait une autre femme. Il y avait simplement un autre homme qui l'aimait. Oh, avoir les problèmes d'Elsa !

— Qu'y a-t-il ? Te sens-tu mal ? demanda Elsa en observant Kaatje dans la pénombre.

Il y avait peu de lanternes autour d'elles, et Kaatje en était bien contente, car elle se sentait au bord des larmes. Elle était censée vivre la plus belle soirée de sa vie ! Ils seraient en Amérique le lendemain, au Dakota du Nord dans une semaine, et un mois plus tard, dans leur nouvelle maison en pisé sur leur propre lopin de terre. Dans cinq mois, ils accueilleraient un enfant ! Et où se trouvait son mari ? Enfermé dans ses quartiers comme un vulgaire criminel. Soudainement, elle sentit monter en elle une vague de colère contre Peder et ses manières moralisatrices. Comment pouvait-il être si sûr que son mari avait mal agi ? Ce n'était peut-être que des conjectures. Soren était peut-être innocent !

— Je suis fatiguée, dit-elle, irritée, à Elsa. Je m'en vais me coucher.

Elle se retourna et se cogna presque contre Tora, resplendissante dans son costume de Bergen. Après avoir observé ses yeux étroits un moment, Kaatje partit, les paupières pleines de larmes qui se mirent à lui couler sur les joues. Non, finalement, Soren n'était pas innocent, elle l'avait elle-même avait vu regarder Tora. Intérieurement, elle savait la vérité.

La danse était terminée et la plupart des passagers étaient partis se coucher. Seuls quelques-uns restaient sur le pont à profiter de la chaude nuit d'été. Plusieurs marins étaient regroupés près d'une lanterne à jouer de l'accordéon mal accordé et à chanter doucement ensemble en étirant l'ambiance de fête.

Certains des passagers se rendant à Camden étaient rassemblés autour d'une autre lanterne à discuter de leur nouvelle vie à venir.

Peder donna une tape sur l'épaule de Karl, se sentant épuisé, mais très satisfait. Ils approchaient de la terre ferme et ils étaient sur le point d'amener toutes ces personnes au pays de leurs rêves. Le parcours de ces émigrés serait sans aucun doute difficile, mais une fois dans leur nouveau pays, ils auraient la chance de faire quelque chose d'eux-mêmes, pour eux-mêmes plutôt que pour leur propriétaire ou pour un patron. En Amérique, ils seraient les propriétaires, les patrons. C'était la grande promesse.

Il tira Karl contre lui dans un vieux geste amical.

— Merci de rester un certain temps, Karl. Je sais que c'est difficile pour toi.

— De plusieurs manières, répondit doucement Karl, énigmatiquement. Je te rappelle que je ne sais pas combien de temps je vais rester.

Peder hocha la tête comme s'il comprenait, ne voulant pas soulever de points négatifs qui pourraient de nouveau causer du tort à leur amitié. Car entre eux, un partenariat, un véritable partenariat, s'était forgé au fil des ans.

— Je vais te montrer, mon ami, que toi aussi tu peux prospérer dans notre entreprise, promit Peder. Je vais faire construire un bateau à vapeur tout de suite après notre premier schooner, et tu pourras y investir autant que tu le souhaites.

Karl le regarda avec surprise.

— Tu es vraiment sérieux ?

— Oui, bien sûr. Je veux que tu t'enrichisses toi aussi. Nous pourrons construire en alternance un vapeur, deux voiliers, et ainsi de suite.

Karl sourit.

— Tu es vraiment sérieux? répéta-t-il. Et je pourrai aussi acheter des parts dans ces bateaux-là aussi, autant que je pourrai me le permettre?

— Autant de parts que tu le désires, dit Peder, se sentant magnanime et soulagé de plaire de nouveau à son ami. Tu vois? Tu vas pouvoir bénéficier des profits des bateaux de tes rêves sans vivre la pression du financement des chantiers. Tu seras libre de bâtir ta propre flotte.

Karl hocha la tête, réfléchissant de toute évidence à sa proposition.

— Je n'avais pas considéré l'offre sous cet angle. Pour être honnête, j'ai cru que je n'aurais tout simplement jamais de vapeur.

Peder lui jeta un regard mauvais.

— Tu me connais mieux que ça. Tu es mon ami, mon partenaire. Je ne sacrifierais pas notre amitié pour les affaires.

Karl le fixa du regard.

— Tu l'as déjà fait. Tu as accepté le prêt de ton père sans m'en parler.

Peder, mal à l'aise, se repositionna.

— Eh bien, oui. Mais je préfère voir la chose comme un changement de cap providentiel. Peut-être qu'avec le temps nous aurons tous les deux plus de succès — moi avec mes chantiers, toi avec ta flotte.

Karl hocha la tête.

— Peut-être. Je veux bien essayer.

— *Gud*, dit Peder en lui tendant la main.

Karl la serra fermement.

Peder fit un grand sourire, convaincu que rien ne pouvait aller mieux.

— Elsa ! appela-t-il sa femme, qui se tenait au bastingage à observer la mer. Il n'y a pas d'aurores boréales ce soir, *elskling*. Viens nous rejoindre !

Karl observa Elsa qui s'approchait timidement, les yeux baissés.

— Nous avons de bonnes nouvelles, lui annonça Peder. Apporte-nous des rafraîchissements, d'accord, ma femme ? Nous devons porter un toast.

Elle partit, de toute évidence soulagée d'échapper à la présence de Karl. Il savait qu'elle avait découvert ses sentiments envers elle. Il l'avait vu dans ses yeux à la fin de leur danse. L'inconfort d'Elsa le rendait malheureux. Elle oublierait peut-être, ou elle croirait s'être trompée. Peut-être qu'ils pourraient oublier ces absurdités une fois arrivés à Camden-by-the-Sea pour se consacrer à la construction de bateaux. Oui. Voilà. Ce n'était qu'une étape. Comme la lune qui atteint son zénith, ces sentiments atteindraient sûrement un sommet avant de s'effacer. Karl s'accrocha à cette pensée en marmonnant des remerciements lorsqu'elle lui tendit un gobelet de cristal.

— Karl a accepté de rester dans l'entreprise, l'informa Peder. Après notre premier schooner, nous allons construire son vapeur adoré. Et il pourra en être l'unique propriétaire s'il le souhaite.

— Oh, Peder, c'est une solution fantastique.

Karl hocha la tête.

— Mais le premier ne sera pas qu'à moi. Peut-être y investirai-je à hauteur de soixante pour cent. Qui, après tout, serait assez fou pour mettre tout son argent dans un seul bateau ? Et je voudrais peut-être posséder une partie du schooner.

Peder rit et leva son verre.

— À notre nouveau partenariat.

Karl cogna son verre contre celui de Peder.

— À notre nouveau partenariat, dit-il.

En son for intérieur, cependant, il espérait que son chemin vers le succès l'éloignerait de Peder et d'Elsa — pour leur bien comme pour le sien.

Chapitre 11

Boston
Le 22 juillet 1880

Elsa étudiait son image dans le miroir. Ses cheveux doux et soyeux, remontés en tresse, lui donnaient un air mature et sophistiqué digne d'une femme de capitaine, tout comme son nouvel ensemble vert pâle. Le bas était bordé d'un volant à plis, et la polonaise d'un rebord vert plus foncé. L'ensemble comportait aussi des motifs de grandes boucles de la même couleur aux hanches, aux manches et à la poitrine. Pour compléter le tout, elle portait un chapeau de paille orné de rubans verts et de roses de soie.

— Ça plaira aux Américains, murmura-t-elle en souriant.

Dans un élan d'énergie, elle se précipita vers la porte. Elle ne voulait pas être en retard pour apercevoir une première fois sa nouvelle patrie !

Elle était à peine sortie que le marin posté dans le nid de pie criait en pointant vers le sud-ouest :

— Terre à l'horizon ! Terre à l'horizon !

Malgré les célébrations qui s'étaient terminées tard, tous les passagers étaient debout, parés de leurs plus beaux atours. Après un « hourra » poussé à l'unisson, ils se précipitèrent vers le bastingage pour regarder au loin. Ils restèrent silencieux un long moment, chacun et chacune scrutant l'horizon pour voir la terre en premier. Elsa était prête à parier qu'ils devaient se retenir tous de grimper aux mâts pour aller rejoindre le marin dans le nid de pie.

— Et voilà ! cria Einar.

— Terre ! cria un autre.

Quelques instants plus tard, ils arrivaient tous à voir une mince bande de terre ; rires, accolades et tapes dans le dos s'ensuivirent. Ils étaient chez eux, ou du moins ils s'en approchaient.

— Boston, Massachusetts, États-Unis d'Amérique, chuchota intérieurement Elsa en observant la forme floue au loin.

Peder s'était organisé pour que les passagers débarquent à Boston plutôt qu'à New York pour éviter les complications à Castle Garden. Boston n'accueillait que plusieurs centaines de personnes chaque jour, comparativement à Castle Garden où descendaient quotidiennement trois ou quatre mille arrivants. Il était donc souvent plus facile de passer aux bureaux de l'immigration à Boston.

Peder céda le gouvernail à Karl et s'approcha d'Elsa. Ils se sourirent et se firent un bref câlin.

— C'est magnifique, n'est-ce pas ?

— Pour ce que je peux en voir.

— Ne t'inquiète pas, dit-il en lui tapotant la main. Tu vas adorer notre nouveau chez-nous.

Elsa raffolait d'entendre « notre nouveau chez-nous ». Elle avait l'impression qu'ils commençaient vraiment leur vie ensemble.

Kaatje jetait continuellement des regards à son mari, s'étonnant du changement qui s'était opéré en lui. Depuis que le *Herald* avait accosté, en fin d'après-midi, il s'était montré très protecteur envers elle, lui témoignant beaucoup de sollicitude, l'aidant à descendre la passerelle, demandant à Einar de veiller sur elle pendant qu'il allait chercher leurs bagages, restant auprès d'elle tandis qu'ils avançaient dans les files de l'immigration. Elle se sentait en sûreté et appréciée, jusqu'à croire encore en un véritable nouveau départ pour eux. Dorénavant, tout serait nouveau, même sa confiance envers Soren et son amour pour lui. Il était son mari, et en dépit de ses agissements, elle ne pouvait s'imaginer vivre sans lui. La nuit précédente, lorsqu'elle l'avait affronté au sujet de Tora, il l'avait une fois de plus suppliée de lui pardonner, et même si elle avait le cœur brisé, elle avait accepté. Aujourd'hui, cependant, ses espoirs étaient ravivés. Soren serait un nouvel homme, au Dakota du Nord. Vivement leur arrivée là-bas !

Il leur faudrait attendre encore un peu, cependant. Un agent de l'immigration leur avait donné à chacun de nombreuses feuilles à remplir, et ils s'étaient pliés à cette tâche sous son œil attentif. Puis, avec l'aide d'un interprète pour s'assurer qu'ils avaient compris ses instructions, il les guida vers un hôtel financé par le gouvernement, où ils passeraient la nuit. Le lendemain s'amorcerait le processus d'accession à leur nouvelle citoyenneté. L'hôtel n'était pas majestueux, mais déjà les lits grinçants semblaient luxueux aux yeux de tous ces passagers qui avaient eu leur dose de bateau. La plupart d'entre eux n'arrivaient pas à dormir, de toute manière, tant ils étaient excités d'être en Amérique.

Leur moral s'affaiblit le lendemain, remarqua Kaatje, quand tout le groupe de Bergen dut passer des heures à faire la file au bureau de l'immigration. Comme le bétail à la maison, songea

Kaatje, il suffisait de suivre la vache à l'avant du troupeau. Les immigrants portaient des marques de craie sur leurs vêtements pour indiquer leur pays d'origine et leur date d'arrivée. Ils entraient dans des bureaux, en ressortaient, montaient et descendaient des escaliers, faisaient une file après l'autre.

— C'est à dessein qu'ils procèdent de cette façon, dit Soren. Tu vois les responsables ? Ils surveillent notre respiration lorsque nous montons les marches pour déceler si nous n'aurions pas des maladies pulmonaires. Ils nous font transporter nos propres bagages pour s'assurer que nous ne cachons pas une claudication ou toute autre affection.

Kaatje le regarda avec admiration. Comment savait-il tout ça ? Sa connaissance et sa confiance la rassuraient, et elle était contente qu'il reste auprès d'elle, tout particulièrement lorsqu'ils se trouvaient devant des responsables en uniforme qui posaient des questions en anglais sur un ton rapide teinté d'un accent américain. Nora avait appris l'anglais d'une femme britannique, et comme c'était Nora qui avait enseigné l'anglais aux gens de Bergen, leur nouvelle langue leur semblait étrangère quand ils l'entendaient de la bouche des fonctionnaires américains impatients.

— Comment vous appelez-vous ? lui avait lancé le premier. D'où venez-vous ? Où allez-vous ? Avez-vous fait des études ? Avez-vous un métier ? Qui a payé votre billet ?

Les questions s'enchaînaient, trente-deux au total. À la fin, Kaatje retint son souffle quand le responsable relut sa fiche avant de finalement l'estampiller.

Elle était finalement admise. Ou presque. De ses mains tremblantes, sous les yeux de Soren, elle tendit ses formulaires au médecin du bout de la file. Elle avait entendu des histoires d'horreur voulant que des personnes avaient été renvoyés pour des raisons médicales, forcées de retourner dans leur pays d'origine à bord du bateau suivant.

— Comment vous appelez-vous? demanda le médecin pour vérifier le nom sur la fiche. Souffrez-vous d'une quelconque maladie?

— Je ne suis qu'enceinte, répondit-elle en souriant.

Il ne lui rendit pas son sourire.

— Depuis combien de temps?

— Depuis quatre mois, dit-elle plus sérieuse.

« Ne permettaient-ils pas aux femmes enceintes d'immigrer? » se demanda-t-elle en commençant à se sentir légèrement hystérique.

— Avez-vous souffert de complications?

— Seulement en mer, lorsque j'étais malade.

Il lui jeta un regard brusque.

— Malade?

Soren approcha à ses côtés et l'entoura de son bras.

— Elle avait le mal de mer.

— Restez à l'écart, monsieur. La dame va répondre elle-même, s'il vous plaît.

— Il a raison. Ce n'était que le mal de mer. Je me suis rapidement rétablie et j'ai pu me promener sur le pont.

Le médecin hocha la tête une fois et inscrivit une note sur sa fiche. Il fit un pas vers l'avant, lui examina un œil, puis l'autre, et il griffonna davantage.

— Vous pouvez passer, dit-il.

Kaatje et Soren sortirent de la salle en se tenant par la main, se sentant comme des prisonniers remis en liberté.

Tora suivait Kristoffer, Elsa et Peder en rêvant à son avenir sans les deux enfants dans ses bras. Lars était mouillé et il avait désespérément besoin d'un changement de couche ; Knut refusait de marcher ou de laisser son père le prendre.

— Je veux Tora, insistait-il.

Finalement, Peder réussit à le convaincre de s'asseoir sur ses épaules, et Tora fut libérée d'au moins un fardeau. Mais qui pouvait donc vouloir devenir mère de plein gré ? se demanda-t-elle en faisant sautiller Lars dans le but de le calmer.

— Je vais aller chercher une couche, dit finalement Elsa. Je vais vous rattraper.

— D'accord, dit Tora.

Elsa semblait contrariée que sa sœur soit aussi avare d'éloges et de remerciements, mais Tora l'ignora. Elle était au pays où chacun faisait sa chance. Et dès qu'elle pourrait s'enfuir, elle tracerait sa propre voie. Peder et Elsa ne l'obligeraient sûrement pas à servir Kristoffer pour les six mois prévus. Il n'aurait qu'à trouver une autre nounou pour ses enfants. Peut-être qu'Elsa même s'en occuperait.

Tora dévisagea le fonctionnaire suivant d'un regard long et assuré, le troublant quelque peu.

— Comment vous appelez-vous ? demanda-t-il en regardant la feuille comme s'il ne pouvait plus relever les yeux.

— Tora, Tora Anders, dit-elle doucement d'une voix aux inflexions mélodieuses.

Il leva le regard, un regard devenu doux en raison du ton de la voix de Tora. Oh, ce sera facile, pensa-t-elle.

« L'Amérique m'appartient. »

Mais elle visait quelqu'un de mieux et de plus important qu'un agent d'immigration inexpérimenté. Elle avait en tête quelqu'un qui ait vraiment du pouvoir, quelqu'un qui puisse la rendre tout aussi puissante. À ce moment-là, Elsa verrait…

— Mademoiselle ? répétait-il.

— Je suis désolée. Je rêvais à cet adorable nouveau pays qui est le mien et je songeais que j'y suis fin seule.

Le jeune employé eut un air perplexe à la vue de Tora et des enfants. Il croyait de toute évidence qu'ils formaient une famille.

— Oh, je ne fais que m'occuper des enfants, dit-elle.

Il s'illumina, espérant de toute évidence que le flirt qu'elle lui faisait puisse signifier qu'elle avait de l'intérêt pour lui. Mais dès qu'il s'inclina vers l'avant en la regardant dans les yeux, l'intérêt de Tora s'évanouit. L'excitation de la conquête avait disparu.

— Allez, viens, Tora, dit Peder d'un ton bourru en la tirant vers la table suivante.

— Aïe. Tu me fais mal.

— Il faut que tu t'arrêtes.

— Que je m'arrête de quoi ? demanda-t-elle innocemment.

— De battre les paupières de tes grands yeux bleus devant chaque homme que tu croises sur ton chemin. Ça finira par jouer contre toi un jour, Tora. Et je ne serai pas là pour intervenir, ajouta-t-il en faisant de toute évidence allusion à cette soirée avec Soren à bord du *Herald*.

— Je n'ai pas besoin que tu interviennes, dit-elle avec indignation en se libérant le bras. Je suis une femme, maintenant.

— Dont la vision d'un monde juste est encore celle d'une petite fille.

— Eh bien, je ne sais pas ce que tu veux dire par là, Peder Ramstad, mais je te remercie de bien vouloir garder tes opinions pour toi-même.

— Je serai heureux de le faire dès que tu seras sous la responsabilité d'une autre personne.

— La mienne, par exemple ? demanda Kristoffer qui s'approchait derrière eux pour prendre le petit Lars qui s'agitait dans les bras de Tora.

Celle-ci émit un bruit de dégoût.

— Je m'appartiens en propre. Je n'appartiens à personne.

— Mais tu me dois encore cinq mois et demi.

— Tu ne t'attends sûrement pas à ce que je respecte cette entente, s'objecta Tora en regardant Kristoffer avec, ce qu'elle espérait, un air indigné justifié.

— Certainement. Tu as une dette envers moi pour le billet que j'ai payé à ton beau-frère. Puisque tu es sans le sou, tu vas me repayer, Tora.

Il avait les yeux doux, mais déterminés.

Il était loin de se douter qu'elle n'était pas sans le sou. Dans les rebords de ses robes, elle avait inséré de l'argent « emprunté » à son père pour sa future dot. La dot lui revenait de droit. Mais elle ne l'utiliserait pas pour payer sa traversée. Elle en avait besoin pour s'établir et attirer par la ruse la bonne personne — un homme riche — à ses côtés. Si elle devait mettre cinq mois à payer son billet, elle pourrait attendre. Elle utiliserait ce temps pour étudier les autres options.

« Je dois faire des choix judicieux », songea-t-elle.

Oui, il fallait les laisser penser d'elle ce qu'ils voulaient. Ils verraient bien vite qu'elle n'était pas qu'une simple fille.

Peder quitta Elsa et Tora à la dernière table de la file, confiant, après avoir échangé quelques mots avec James, un agent qu'il connaissait, qu'il n'y aurait pas de problèmes. De plus, Kristoffer restait auprès d'eux, en partie pour enregistrer Knut – tous ceux qui avaient plus de deux ans devaient être inscrits — et en partie pour les aider avec Lars. Peder savait aussi que Kris voyait la même chose que lui dans les yeux de Tora : la forte envie de filer. S'ils ne la surveillaient pas de près, elle était bien capable de monter à bord du prochain train pour New York.

Il quitta la salle en brique et inspira profondément, sentant l'odeur de la poussière, des fleurs et des excréments de chevaux dans l'air chaud de la ville en été. Le sol semblait curieusement solide sous ses pieds comme chaque fois après un voyage en mer, et il marchait comme s'il avait un poids de dix livres accroché à chacune de ses jambes. Pourquoi les hommes se sentaient-ils moins lourds en mer ? Peder tourna le coin, et après avoir évité de justesse un carrosse, il repéra Karl. Il le suivit un certain temps, pensant le rattraper, lorsque son ami obliqua dans un saloon. Peder fronça les sourcils. Au cours de toutes les années durant lesquelles il avait voyagé avec Karl, il l'avait rarement vu entrer dans un tel établissement.

Il entra derrière Karl, le suivit d'un pas tranquille jusqu'au bar et s'assit sur le tabouret à côté de lui.

— Ça doit vraiment aller mal pour que tu entres ici.

Karl le regarda avec surprise.

— La chaleur, dit-il pour toute réponse. N'as-tu à ce point rien à faire que tu doives me suivre ?

Peder secoua la tête en signe de refus devant le barman qui l'interrogeait du regard après avoir pris la commande de Karl. L'homme fut de retour un instant plus tard avec un grand bock de bière mousseuse, et l'espace d'un moment Peder regretta sa décision. Mais c'eut été un mauvais exemple pour ses hommes si l'un d'eux était entré.

— Écoute, Karl, dit-il. Je dois partir. Tu sais pourquoi. Mais y a-t-il quelque chose… écoute, y a-t-il un problème ? As-tu des doutes sur l'entreprise ?

Karl secoua la tête en fixant sa bière.

— Non, ça va. C'est la chaleur. Je ne vais prendre qu'un verre et sortir. Retourne maintenant à tes affaires, mon homme.

— D'accord. On se voit ce soir ?

Karl hocha la tête.

— À l'Oasis, c'est bien ça ?

— Je l'espère bien. J'y vais maintenant pour tenter de réserver les chambres. Si ça ne marche pas, je laisserai un message au *Herald* pour dire où je me trouve.

— Parfait.

Peder quitta l'établissement sombre et ignora les regards insistants des filles de joie en espérant que Karl ferait de même. Il ne pouvait y avoir rien de bien dans un tel endroit, et il espérait que Karl était sérieux lorsqu'il disait qu'il sortirait après cette seule bière.

« Écoutez-moi parler, se dit-il à lui-même. On dirait une mère poule. »

Telle était la vie d'un capitaine de bateau, conclut-il. Toujours à s'occuper des affaires de son équipage.

Karl observa Peder disparaître de sa vue par la fenêtre poussiéreuse du saloon. Que savait-il des problèmes ? Le monde était à ses pieds avec les chantiers Ramstad, et Elsa à ses côtés. Bien sûr, tout allait bien pour l'instant entre Peder et lui, mais combien de temps tiendraient-ils ? Dieu lui avait accordé un sursis, il semblait, après une nuit de ferventes prières. Mais il se sentait triste et distant. À l'écart de tout, à essayer de trouver la grâce de remercier le Seigneur pour ce répit. Peut-être qu'après un temps sa vie redeviendrait normale, bonne, songea-t-il. Peut-être que cette nouvelle vision de l'entreprise était la bonne. Juste pour en être sûr, il se tiendrait loin d'Elsa.

« C'est la solution, se répéta-t-il. Reste loin d'Elsa et fais construire ton bateau à vapeur. Après ça, tu en deviendras le capitaine pendant la construction des autres vapeurs à Camden. Tu réévalueras ta vie à ce moment-là. »

Il poussa un soupir de soulagement à cette idée. C'était ce dont il avait besoin. Un nouveau bateau sous les pieds, une île tropicale au loin et un équipage entièrement masculin. Danger évité. Vertu maintenue.

Soudainement, il se sentit aussi libre que cette fois où il avait réussi à négocier un récif menaçant et que les hommes à bord avaient acclamé son expertise. Oui, même comme bras droit de Peder et sans la fille de ses rêves, Karl Martensen deviendrait quelqu'un de bien.

Chapitre 12

ELSA ÉTAIT ENTOURÉE D'UNE FOULE DE GENS QUI PARLAIENT UNE multitude de langues, à la gare de Boston, s'efforçant de retenir ses larmes. Les passagers du *Herald* étaient débarqués seulement deux jours plus tôt, riant de voir de nombreux immigrants embrasser le sol ; maintenant, soudainement, ils se séparaient — certains partaient vers l'ouest et d'autres au nord. Elle avait été si prise par la traversée en soi puis par leur arrivée en Amérique et les formalités officielles qu'elle avait repoussé l'idée de devoir se séparer de Kaatje et des autres — surtout de Kaatje.

Elle savait qu'elle était ridicule de s'accrocher à sa si chère amie, mais elle ne pouvait s'en empêcher. C'était comme quitter Bergen de nouveau.

— Écris-moi, s'il te plaît, supplia-t-elle Kaatje en relâchant son étreinte.

— Tu sais bien que je n'y manquerai pas, répondit Kaatje en se penchant vers elle pour l'enlacer une dernière fois.

Elsa se tourna vers Soren et lui décocha un regard sévère. Elle baissa le ton.

— Promets-moi que tu prendras soin d'elle, ordonna-t-elle.

Soren rit de gêne devant un tel commandement.

— Bien sûr. C'est ma femme.

Elsa s'approcha de lui davantage, le fixant dans le blanc des yeux.

— Non, Soren. Je suis sérieuse. Promets-moi que tu prendras soin d'elle.

— Bien sûr, répéta-t-il, clairement irrité, avant de prendre le bras de Kaatje tout en soulevant le sac de cette dernière. Viens, Kaatje. L'embarquement est commencé.

— En voiture ! cria le chef de train tandis que la cloche sonnait. En voiture !

Kaatje se mit sur la pointe des pieds et fit une dernière accolade à son amie, leurs larmes se mêlant sur les joues d'Elsa. Puis elles se séparèrent. Elsa se sentit littéralement déchirée. Elle fit ses adieux aux autres, leur souhaitant que tout aille bien et leur murmurant des conseils jusqu'à ce qu'ils soient tous à bord du train Baltimore-Ohio à agiter chapeaux et mouchoirs.

— Dernier appel pour le train Baltimore-Ohio ! Washington ! Pittsburgh ! Chicago ! cria le chef de train. Dernier appel pour le B&O !

— Au revoir, cria Elsa, étonnée de ressentir tant de peine.

Il était toujours plus facile de partir que de regarder partir, se rappela-t-elle, et elle se demanda si ses parents s'étaient sentis ainsi lorsque le *Herald* avait disparu à l'horizon.

Kaatje se pencha par la fenêtre au moment où le chef de train faisait siffler la sirène, ajoutant au bruit caractéristique des roues sur les rails qui annonçait la mise en branle des wagons. Elle regarda Elsa et les autres rapetisser au fur et à mesure que le train s'éloignait sur une légère pente descendante. Reverrait-elle un jour sa chère amie ? Elle l'espérait. Kaatje était triste de quitter un être cher, mais il faisait bon d'être en route vers la destination finale de son couple. Soren lui prit les mains tandis qu'ils s'installaient dans leurs sièges rembourrés marron, abîmés. Elle lui jeta un regard et vit qu'il était déjà au Dakota du Nord à planter des graines et à récolter sa moisson.

De la fumée de charbon parvenait à leur fenêtre, mais elle était accompagnée d'une douce brise bienvenue qui aidait à combattre l'horrible humidité de l'air. La sueur dégoulinait sous le corset de Kaatje, qui se replaça sur son siège pour mieux sentir le vent. Elle aurait dû porter sa robe de coton, songea-t-elle, non pas cette affreuse robe de laine. Mais la fierté l'avait poussée à revêtir ce qu'elle avait de plus beau, et tant pis si ce choix allait la faire suffoquer. Ses compatriotes de Bergen avaient tous fait la même chose, et pour un groupe de fermiers pauvres, ils avaient l'air plutôt bien, donnant à leur wagon de classe économique un air de première classe.

Derrière Kaatje et Soren se trouvaient Birger et Eira Nelson. Cette dernière s'y connaissait dans les herbes et dans les arts de la guérison ; peut-être pourrait-elle aider Kaatje à accoucher de son enfant le moment venu. Derrière eux se trouvaient deux célibataires : Nels, qui exultait à l'idée de toute cette terre pour ses futurs moutons, et Mathias, futur propriétaire de ranch qui avait été rebaptisé Matthew aux bureaux de l'immigration. Elle sourit en l'écoutant raconter de nouveau l'histoire.

— Donc, devant moi se trouvait un Juif allemand qui était si énervé et désorienté que lorsqu'ils lui ont demandé son nom il a répondu « Ich habe vergessen »...

— Ce qui veut dire « j'ai oublié », l'interrompit Nora, qui parlait aussi bien allemand qu'anglais.

— Ce à quoi l'inspecteur a répliqué « Bienvenue en Amérique, Ike Abe Fergusson. Suivant ! »

Tous les passagers du wagon éclatèrent de rire, trouvant l'histoire toujours aussi drôle.

— Et quand ce fut mon tour, je ne me suis pas opposé non plus lorsqu'il m'a renommé Matthew après que je lui eus pourtant dit que je m'appelais Mathias ! J'aime avoir un nom américain, dit-il fièrement, la main sur la poitrine. Ça me fait déjà sentir encore plus chez moi !

De l'autre côté de l'allée, sur la même rangée que le nouvellement baptisé Matthew, se trouvaient le pasteur Lien, sa femme, Amalia, et Klara, leur fille de cinq ans. Kaatje songeait avec émerveillement à quel point la fillette s'était bien tenue à bord du bateau. Elle avait joué silencieusement et écouté attentivement son professeur, apprenant l'anglais beaucoup plus rapidement que de nombreux adultes. Devant elle se trouvait son enseignante, Nora, et Einar, les nouveaux mariés, se tenant les mains et parlant doucement, têtes rapprochées. Kaatje était heureuse de leur union. Nora avait attendu si longtemps la grande demande d'Einar. Kaatje lança un sourire à Nora. Somme toute, voyager avec neuf compatriotes de Bergen était mieux que rien. Ensemble, ils pourraient continuer de former une communauté pour s'aider les uns les autres avant qu'ils ne développent un sentiment d'appartenance avec les gens du coin.

Nora s'étira par-dessus l'allée et tendit son éventail à Kaatje.

— Non, je ne peux pas, protesta Kaatje.

Elle savait qu'Einar l'avait acheté d'un marchand de Boston comme cadeau de mariage pour Nora, une rare folie de la part d'un homme aussi simple.

— Prends-le, insista Nora. C'est l'avantage d'être enceinte, tous te traitent un peu plus gentiment.

— Merci, dit Kaatje en acceptant le luxueux éventail à contrecœur.

Ses poignées étaient faites d'ivoire, et le lin qui le couvrait était d'une couleur presque semblable. L'éventail était orné d'une représentation délicatement peinte d'une Japonaise dans son kimono, assise à côté d'un minuscule arbre étrange au tronc courbé. Elle avait en main un éventail comme celui que tenait Kaatje.

— C'est un éventail exotique pour une jeune fermière de Bergen, n'est-ce pas ? demanda-t-elle à Soren.

— Un éventail digne de ma femme, dit-il en lui touchant tendrement la joue. J'aurais dû en acheter un moi aussi, l'autre jour, avec Einar.

Elle baissa les yeux, surprise qu'il la complimente ainsi. N'était-ce pas là une preuve qu'il s'était réengagé dans son mariage ? Il l'aimait. Elle serait pour toujours la première et la meilleure. Le doux ballottement du train et les mains de Soren dans les siennes rassurèrent Kaatje ; tout allait bien dans son monde, surtout maintenant qu'ils avaient quitté la tentatrice aux cheveux foncés de Soren. À un endroit où chaque personne qui le souhaitait pouvait obtenir cent soixante acres de terre, il y aurait sûrement peu de femmes autour d'eux. Sur leur terre, ils bâtiraient leur propre petit pays, cent soixante acres de sûreté. Oui. Au Dakota, elle et Soren trouveraient leur voie.

Tora soupira de soulagement en voyant le train disparaître. Elle était finalement débarrassée de Soren, une étape de plus d'accomplie dans sa conquête d'un avenir brillant. Elle fit une grimace lorsque Lars se mit à s'époumoner, amenant Kristoffer à la chercher avec empressement du regard. S'armant de courage, elle se dirigea vers ce dernier. Malgré elle, quelque chose dans les cris du bébé la prenait par les sentiments et la poussait à agir. Et, après tout, songea-t-elle, elle devait les convaincre qu'elle avait accepté son destin, si elle voulait un jour pouvoir s'enfuir.

En marchant dans la chaleur suffocante du quai, Tora plaça une main sur son ventre. Depuis ce dégoûtant et lourd petit-déjeuner à l'hôtel, elle avait la nausée. Cette sensation lui fit monter les larmes aux yeux.

Kristoffer lui jeta un coup d'œil, se méprenant sur ses yeux embués.

— Tu as de la peine de les voir partir ?

Elle réprima un sourire, prête à tourner l'inquiétude du père à son avantage.

— Oui. J'ai l'impression d'être encore plus loin de chez moi, dit-elle de façon charmante pendant que Lars se blottissait sous son menton, malgré la chaleur, pour aussitôt se calmer.

— Tu vas aimer Camden-by-the-Sea, dit-il en lui prenant le bras. Je m'y suis rendu de nombreuses fois en bateau avec Peder. Il y a des magasins et une librairie qui te tiendront occupée lorsque tu auras besoin de prendre une pause des garçons.

— Je l'espère, dit-elle.

Ils quittèrent ensemble la gare, et Kris héla un taxi, un carrosse noir tiré par un cheval. Un jour, elle aurait son propre phaéton George IV comme ceux qu'elle voyait dans les rues de Boston. Ces élégants carrosses, à la forme d'une pantoufle, étaient découverts pour que les belles robes des demoiselles soient visibles. Oui, elle aurait ce type de carrosse et une paire de chevaux dorés pour le tirer. Elle irait rapidement, partout, car le temps comptait par-dessus tout. Ils gaspillaient tous tellement de temps ! Cinq mois de plus lui semblaient une éternité.

Tora jeta un coup d'œil par-dessus son épaule en entendant un autre train siffler son départ. Qu'est-ce qu'elle aurait donné pour être à bord, pour se rendre à un endroit excitant, où tout pouvait arriver. Elle était plutôt destinée à reprendre ce bateau maudit pour être emportée vers une ville somnolente du nord. Telle était sa vie. Mais son heure viendrait bientôt.

Peder poussa un soupir de soulagement lorsqu'Elsa et lui hélèrent une voiture de louage. Il avait l'impression, avec le départ de ses passagers à bord de ce train, que la moitié de ses responsabilités venaient de s'envoler après cinq longues années de planification. Il leur souhaitait bonne chance. Karl et lui avaient dit aux hommes tout ce qu'ils savaient au sujet des terres arides vers lesquelles ils se dirigeaient, espérant qu'ils prennent bien conscience de la réalité qui les attendait. Mais il savait qu'ils demeuraient pleins d'espoir que leur terre serait à l'image de ce que les sociétés de chemins de fer avaient promis, un éden dans un monde de déserts.

— Père céleste, ne les abandonne pas, pria-t-il à voix basse en montant dans le carrosse à côté d'Elsa.

Elle baissa la tête à son tour, l'accompagnant dans sa prière.

— Oui, Père. Nous te demandons de veiller sur eux. Aide-les à prendre de bonnes décisions et fais en sorte qu'il ne leur arrive rien de mal. Aide-les à trouver des terres fertiles sur lesquelles s'installer et se construire. Sois toujours au-devant d'eux.

— Amen, fit Peder en plaçant un bras autour d'elle. Et maintenant, rendons-nous à cette nouvelle terre qui est la nôtre. As-tu hâte ?

— Terriblement. Mais je suis si soulagée que tant de personnes de notre groupe viennent avec nous. Si tout ce monde était monté à bord du train, je crains que j'aurais été horriblement triste.

— Et c'est toi qui dis ça, toi qui disais vouloir voyager avec moi ! laissa tomber Peder de façon fort pertinente. Tiens, je nous imagine à Hong Kong, et toi qui, souffrant du mal du pays, me supplies que nous repartions. Non, pour moi c'est évident, une femme a besoin d'un village, d'une communauté à laquelle elle peut appartenir.

Elsa resta silencieuse, les yeux baissés sur ses mains, les muscles de ses mâchoires contractés. Lorsqu'elle prit la parole, ses mots avaient été bien pesés.

— La place d'une femme est auprès de son mari. Oui, je me sentirai peut-être seule sans mes amis et voisins à bord, mais je me sentirais beaucoup plus esseulée sans toi.

Peder la regarda. Comment allaient-ils résoudre ce dilemme ? Il avait espéré que son commentaire signifiait qu'elle était finalement d'accord avec lui.

— Ça m'a fait plaisir de voir Tora partir chez Kris cet après-midi, dit-il, évitant avec tact le sujet sur lequel ils ne s'entendaient pas. Elle semble finalement comprendre. Peut-être qu'avec le temps, Kris et elle deviendront… attachés.

— Tu n'exagères pas un peu ? dit doucement Elsa.

— On ne sait jamais.

— Effectivement, on ne sait jamais. Mais je suis certaine que Tora a autre chose en tête. Ce séjour à Camden équivaut à une sentence de prison pour elle, et elle va tout faire pour se creuser un tunnel pouvant la mener à ce qu'elle considère la liberté.

— Et si elle s'enfuit ?

— Ce sera ainsi. Je ne peux pas être sa gardienne. Et je ne pourrais que déplorer le fardeau qui retomberait sur les épaules de Kris.

— Tu vas recueillir ses enfants si elle devait les abandonner, lorsque lui et moi serons en mer, déclara Peder.

— Je vais les recueillir si toi et moi sommes à la maison, le corrigea-t-elle sans agressivité aucune dans la voix. Et je vais parler à Ebba Erikson ou à Ola Thompson pour que l'une ou l'autre puisse intervenir lorsque nous serons tous les deux en mer.

Peder songea à la reprendre, puis il choisit de ne pas insister. Il aurait le temps de la convaincre. Une fois qu'ils seraient à Camden, Elsa serait si occupée à les installer dans leur nouvelle maison qu'elle ne remarquerait probablement pas qu'il était parti en mer sans elle. Ce dont ils avaient besoin, c'était de quelques enfants à eux, songea-t-il, en se faisant à l'idée.

Oui, avec quelques enfants, Elsa serait heureuse de rester à la maison.

Amères vérités

SEPTEMBRE 1880 — AVRIL 1881

Chapitre 13

ELSA ERRAIT DISTRAITEMENT DANS LEUR PETITE MAISON DE Camden. Elle s'était remise à penser à son mari pour la cinquième fois ce jour-là. Il lui manquait. Il était parti en mer depuis six semaines, après une terrible dispute au cours de laquelle il lui avait interdit de l'accompagner. Il lui avait même ordonné de rester.

— S'il te plaît, Peder. Ne comprends-tu pas ? C'est par amour que je veux être auprès de toi.

— Non, Elsa. J'ai pris ma décision. Tu dois la respecter.

— Sans plus ? Et si je ne crois pas que tu aies vraiment pris la peine d'y penser ?

Il s'était tenu devant elle, le regard noir.

— Ne conteste pas ma décision.

— Je n'ai pas d'ordres à recevoir de toi.

— C'est fini. C'est tout. J'ai décidé.

Prise dans ce tourbillon de pensées, elle sentit le besoin de prendre l'air. Elle sortit sur la véranda. La beauté de cette journée d'automne capta son attention et apaisa momentanément ses angoisses. Devant ces feuilles qui changeaient de couleur, devant ce ciel bleu éclatant, Elsa sentit le besoin de peindre. Heureuse de cette idée parmi d'autres qui lui permettrait de s'aérer la tête, elle se dépêcha d'aller chercher son matériel et sortit une toile vierge, un crayon et, nouveauté tout à fait récente dans son cas, ses pots de peinture à l'huile. Elle dessinerait leur nouvelle maison sur une petite toile qu'elle pourrait faire encadrer afin que son œuvre se retrouve dans la cabine de Peder à bord du *Herald*.

« Notre cabine », se corrigea-t-elle.

Aussi belle que fut leur nouvelle maison, elle était déterminée à prendre part au voyage suivant de Peder.

Elsa déposa son matériel dans les longues herbes sèches devant chez elle et rentra chercher un chevalet et une chaise. Cinq minutes plus tard, elle était installée à faire un croquis de la maison. Chaque fois qu'elle contemplait sa demeure de ce point de vue, elle en avait toujours le souffle coupé. D'une certaine manière, quand elle était à l'intérieur de son logis, elle ne remarquait plus sa beauté toute simple. De l'endroit où elle peignait maintenant, tout le charme des lieux lui revenait en tête. Elle sentit une fraîche bourrasque qui remontait de l'Atlantique jusque vers le haut de la colline. Elle sourit, contente d'avoir eu l'idée de peindre. Après tout, il y avait une limite au nombre de lettres qu'elle pouvait écrire à Kaatje ?

Elle se concentra sur le décor devant elle, devenant de plus en plus intéressée à sa tâche. Elle avait été bouleversée en voyant les chantiers Ramstad pour la première fois, et encore plus en apercevant la pittoresque petite maison qui se trouvait juste à côté. Elle avait été saisie lorsque Peder lui avait fait faire le tour de leur nouvelle demeure. Seuls l'extérieur et le rez-de-chaussée étaient terminés. « Il faudra attendre, pour le reste, que les chantiers Ramstad connaissent du succès », avait-il expliqué, souriant et exultant de la voir aussi heureuse que lui de leur nouvelle maison. Autant Peder l'avait rendu furieuse d'être parti seul, autant en ce moment Elsa avait hâte de revoir son sourire.

Elle étudia le contraste entre les étroites planches à clin du rez-de-chaussée et le motif complexe de celles de l'étage. Les pignons étaient abrupts, et la véranda qui encerclait la maison était constituée d'éléments architecturaux en forme de fuseaux que l'on trouvait souvent sur les maisons conçues par des architectes s'inspirant du maître de la reine Anne, Richard Shaw. Mais sa partie favorite de la maison demeurait la tourelle du côté nord, au sommet de laquelle elle pouvait surveiller l'arrivée de Peder comme elle l'avait fait du haut des collines autour de Bergen. De nombreuses fenêtres laissaient entrer un maximum de lumière, et une cheminée de type médiéval promettait des feux chaleureux l'hiver venu.

Tandis que le soleil baissait dans le ciel, Elsa termina le premier croquis et se mit à peindre, utilisant les plus petits pinceaux pour les détails. Une maison ne pouvait qu'être statique par comparaison avec des bateaux, mais Elsa ne manquait pas d'inspiration. Car elle savait que c'était par amour et au prix de sacrifices que Peder lui avait fait construire cette maison. Si seulement il avait pu être auprès d'elle en ce moment, songea-t-elle.

Une pensée lui traversa l'esprit. Peder adorait le talent qu'elle développait, il l'encourageait dans ce sens, d'ailleurs. Peut-être pourrait-elle faire valoir qu'elle devait voyager avec lui pour faire de la recherche. Comment sinon pourrait-elle ajouter cette touche de réalisme, doublé de romantisme, qui faisait la renommée des artistes ? Si cet argument ne suffisait pas à le convaincre, elle discuterait jusqu'à elle se tue à lui faire comprendre. Pourquoi se marier, si ce n'était que pour être continuellement séparés ?

Elle jeta un coup d'œil par-dessus son épaule. Plus bas aux chantiers Ramstad, des employés étaient à terminer l'atelier de calfatage où les hommes enrouleraient et prépareraient bientôt le cordage ; d'autres personnes s'employaient à finir la maison longue, un bâtiment d'un seul étage où les artisans élaboreraient des modèles ou dessineraient les membrures du nouveau schooner. Tous les hommes de Bergen étaient cependant partis en mer à bord du *Herald* pour amasser plus d'argent avant l'arrivée de l'hiver. Kristoffer était le seul qui était resté, pour surveiller la construction aux chantiers Ramstad ainsi que pour s'occuper de sa maison et prendre soin des enfants. Les travailleurs des chantiers avaient fait de bons progrès au cours des six dernières semaines, et le projet prenait forme. Elsa regarda de nouveau vers la maison, désireuse de reproduire les couleurs des feuilles d'automne avant de ranger sa peinture pour la journée. L'année avait été pluvieuse, s'était-elle fait dire, les couleurs étaient donc plus douces ; les années sèches, elles seraient d'un doré brillant, d'un orange cru et d'un rouge vermillon. Mais Elsa préférait les nuances plus subtiles d'ocre, de brun roux, de terre de Sienne et de moutarde — elles renfermaient une profondeur qui la captivait. À l'aide de son pinceau, elle mélangeait les huiles jusqu'à obtenir précisément la bonne couleur. Elle était excitée de s'essayer à la peinture. La maison Ramstad avait l'air chaleureuse et accueillante, et elle voulait coucher ce jour-là à jamais sur la toile.

Peder observait la mer turquoise et rêvait de revoir sa femme. Avait-il eu tort de la laisser à Camden ? Ces dernières semaines à ressasser leur dispute avaient été angoissantes, et il n'avait cessé de se demander s'il avait pris une sage décision de partir sans elle. Il n'arrivait pas à être en paix avec sa décision.

Peder voulait qu'Elsa soit avec lui. Ses courts voyages vers les Antilles pour aller chercher du sucre et des ananas tiraient à leur fin. Lorsque le schooner serait prêt, il irait chercher de la laine en Australie et de la soie en Chine. Il serait en compétition avec les clippers moyens qui dominaient maintenant les voies maritimes vers ces pays — et il les battrait avec son bateau plus rapide. Pour ces voyages qui l'éloigneraient durant des mois, il voulait Elsa auprès de lui.

Mais comment pourrait-il se décider à l'amener ? N'avait-il pas promis à Dieu d'aimer Elsa, de l'honorer et de la protéger ? Et n'avait-il pas promis à Amund qu'il la garderait en sûreté ?

Il n'avait pas prévu qu'elle lui manquerait autant. Peder secoua la tête et retourna à ses cartes pour mesurer la distance qui le séparait de Camden. À ce rythme, il serait bientôt de retour. Il sourit. Comme il serait bon de revoir Elsa. Ils pourraient réussir à résoudre leurs différends. Il la prendrait dans ses bras et la mènerait dans leur lit. Il lança son poing en l'air comme si une vague d'énergie venait d'exploser en lui. Si le bateau ne battait pas des records de vitesse, il n'était pas digne d'être capitaine.

Riant de lui-même, il sortit de la cabine et se rendit au gouvernail. Karl le regarda, surpris de le voir se déplacer aussi rapidement. Peder étudia le vent et les voiles un moment, puis il se tourna vers Karl.

— Déployez toutes les voiles, ordonna-t-il d'un ton débordant de joie. Nous devons arriver à Camden dès que possible !

— Mais, capitaine, protesta Karl à voix basse pour que personne ne l'entende, nous sommes presque à la ligne de flottaison. Lever les autres voiles pourrait nous faire chavirer.

Peder se calma et réévalua son commandement. Karl avait raison de douter ; ils filaient déjà à toute allure. Mais il demeurait possible de gagner encore un peu de vitesse.

— Je maintiens ce que j'ai dit, confirma-t-il avant de rebrousser chemin vers sa cabine.

— Toutes voiles dehors ! cria Karl sans hésiter.

— Toutes voiles dehors ! répondirent les marins pour accuser réception de l'ordre qui leur était donné.

— Capitaine ? l'appela Karl.

Peder se tourna.

— Je suppose que tu penses à la maison.

— Oui.

— À notre arrivée, j'aimerais m'occuper de la marchandise du *Herald*. Je pourrais accompagner une partie de notre cargaison à New York par train et rapporter les matériaux dont nous avons parlé pour les chantiers. Je veux de toute manière aller y faire de la recherche pour notre bateau à vapeur.

Peder esquissa un large sourire. Non seulement arriverait-il plus tôt à la maison, mais son premier second ferait les commissions qui l'auraient encore éloigné d'Elsa dès son retour.

— Ça m'arrangerait beaucoup, Karl.

— Considère que c'est déjà fait, répondit Karl.

Il leva les yeux pour vérifier les voiles. Les marins qui travaillaient haut dans les cordages et ceux d'en bas, au cabestan, remontaient les dernières voiles.

Peder les observa un moment en songeant à l'offre de son ami. Il lui semblait incroyable que qui que ce soit puisse vouloir repartir dès son arrivée, mais Karl n'avait pas d'Elsa à prendre soin. Ce dernier avait-il fait cette proposition par amitié ? Il avait peut-être remarqué que son capitaine était distrait, qu'il avait tendance à se tenir à la proue pour regarder au nord-ouest, vers le Maine.

Peu importe les raisons de Karl, Peder était reconnaissant. Pour ce dernier, c'était comme une réponse à une prière.

Tora était étendue sur son lit étroit tandis que Knut jouait sur le plancher à côté d'elle avec six cubes que Kristoffer lui avait sculptés. Heureusement, Lars dormait, et Knut semblait sentir encore une fois que Tora voulait profiter d'un peu de paix et de tranquillité. Elle ferma les yeux avec lassitude. Prendre soin des enfants sans Kristoffer n'était pas facile. Tenir la maison — même une maison aussi petite que leur cottage de style fédéral à trois chambres — était épuisant. Comment pouvait-on vivre sans bonne ? Mais pire encore était ce fléau qui avait envahi son corps et qui l'obligeait à faire une sieste d'une heure deux fois par jour. C'était le pire aspect de sa grossesse.

Elle calculait qu'elle était enceinte depuis plus de deux mois. « La colère de Dieu » s'était manifestée en elle, se disait-elle intérieurement. Eh bien, elle lui montrerait. Ce n'était pas Dieu non plus qui allait lui dicter sa conduite. Elsa, juchée sur sa colline dans sa maison des Ramstad, avait déjà mentionné qu'elle souhaitait avoir un enfant. Tora accoucherait bientôt et se débarrasserait du bébé, le laissant à la porte de sa tante Elsa pour qu'elle l'élève. Sa sœur en avait les moyens. Elle en avait envie. Et Tora avait décidé de vivre dans des endroits plus grandioses. Un enfant ne faisait pas partie du tableau, et encore moins les enfants de Kristoffer.

Tora tourna la tête sur le côté et se mit à observer Knut qui construisait une tour à l'aide de ses cubes, la démolissait et la reconstruisait, encore et encore. Elle s'était relativement attachée aux garçons durant les dernières semaines, mais elle ne faisait que purger sa peine. Elle ne ressentait aucun de ces sentiments qu'éprouvent les mères pour leurs petits — ni ce qu'elle avait observé de sacrifices et de générosité de la part de sa propre mère. Pour Tora, c'était un travail, un travail qui serait fort heureusement terminé dans quatre mois. Trois mois plus tard, le bébé naîtrait. Serait-elle capable d'abandonner son propre bébé aussi facilement que les enfants de Kristoffer ? Qu'adviendrait-il d'eux ?

Elle écarta ces questions obsédantes et se passa la main sur le ventre. En plus de l'épuiser, sa grossesse lui faisait prendre du poids. Y avait-il quelque chose de plus injuste que de refiler l'accouchement aux femmes, le sexe faible ? Tout était de la faute de cet affreux Soren. Après tout, il n'avait pas à porter le poids de leur relation torride. Quel était le prix à payer pour lui ? Il s'en tirait sans conséquence, songea-t-elle en poussant un rire sans joie. Il avait probablement déjà trouvé quelqu'un au Dakota du Nord pour la remplacer, que Dieu bénisse cette pauvre âme.

Tora gloussa soudainement. Le seul aspect positif de sa situation, c'était qu'elle aurait la chance de chambouler la vie parfaite d'Elsa. Elle s'assit.

— Prends ton manteau, Knut. Ta tante Elsa nous a invités à prendre le repas chez elle ce soir. Et j'ai une nouvelle à lui apprendre.

Le garçon bondit sur ses pieds et courut chercher son manteau tandis que Tora se peignait les cheveux et mettait son chapeau. Elle étudia son image dans le miroir. Elle avait un air affreux, ce qui eut pour effet de lui faire perdre sa bonne humeur. Elle avait la peau enflée et les yeux creux.

Que lui arrivait-il ? À elle, Tora Anders ! Ça ne se terminerait pas ainsi. Elle ne se laisserait pas couler dans cette petite ville ennuyeuse, elle ne s'occuperait pas non plus de ces garçons jusqu'à ce qu'elle soit vieille et moche. Elle partirait ! Bientôt…

sinon elle allait s'enliser à jamais dans ses rêves dans ce lamentable Camden-by-the-Sea. Elle était née pour une meilleure vie qu'un cottage de trois chambres à coucher sur les rives d'une terre oubliée. Elle voulait de l'argent et tout ce qu'il lui permettrait de se procurer. Elle voulait des vêtements chers et être entourée de belles choses. Elle voulait être la femme d'un homme puissant. Et cet homme n'était pas Kristoffer.

— Je suis prêt, dit Knut en la tirant par la main.

— Très bien, dit Tora en se jetant un dernier regard déterminé dans le miroir. Laisse-moi aller chercher Lars, et nous partons.

Elle enroula le bébé dans une douce couverture de laine que Kris avait achetée en Australie au cours d'un de ses voyages, puis elle suivit un Knut sautillant qui sortit à l'extérieur. L'enfant de trois ans était content de sortir de chez lui, et Tora ne pouvait qu'être d'accord. Il courait devant elle, connaissant le chemin jusqu'à la maison des Ramstad, située à seulement cinq minutes de marche. Un sentier s'était pratiquement tracé au fil des jours dans les longues herbes mourantes, tant Knut aimait se rendre chez sa tante Elsa.

Tora trouvait fort convenable que les enfants grandissent proches de leur tante. Peut-être qu'Elsa prendrait aussi Knut et Lars avec son bébé le moment venu. Ou peut-être que Kris trouverait une autre personne pour jouer les esclaves et s'occuper de ses fardeaux tandis qu'il surveillerait les chantiers ou qu'il serait parti en mer. Elle faillit tomber en trébuchant sur une roche, puis fronça les sourcils en regardant autour d'elle. C'était un endroit minable, isolé. Et si ennuyeux. Elle voulait une vie mondaine, des dîners à l'extérieur, des promenades dans les carrosses de la haute société, non pas une balade dans les champs pour aller chez sa sœur. Elle aurait pu rester à Bergen, à tout prendre, et y trouver mieux.

Loin devant, Knut arriva à la maison et se précipita dans les bras tendus d'Elsa. Elle lui fit un câlin et rit de ses propos, puis se redressa et attendit que Tora les rejoigne. Elsa portait pour le dîner une élégante robe que sa mère lui avait donnée, et elle était ravissante sous le porche. Son sourire s'évanouit en voyant l'expression sérieuse de Tora.

— Bonsoir, Tora, dit-elle. Bon sang, tu sembles fatiguée. Est-ce que ça va?

— Ça va, dit Tora en montant les marches, souriant faussement à sa sœur au passage. Je ne suis qu'enceinte, lança-t-elle par-dessus son épaule.

Elle grimaça toutefois en entendant Elsa retenir son souffle. Pourquoi ne pouvait-elle pas tenir sa langue? Elle ne voulait surtout pas, loin de là, qu'Elsa pense qu'elle était fière de son état. Tora se recomposa un visage et se tourna vers sa sœur à la recherche de sympathie.

— Qu'est-ce que..., commença à dire Elsa.

— C'est affreux, n'est-ce pas? lança Tora. Je ne sais pas ce que je vais faire.

Quelques larmes s'accumulèrent au coin de ses paupières et roulèrent sur ses joues. Tora ne les essuya pas.

Le visage d'Elsa était livide.

— Knut, dit-elle. J'ai de nouveaux cubes avec lesquels tu peux jouer dans la cuisine.

Tora les suivit en reniflant. Knut leva les yeux vers elle, inquiet.

— Knut, ta tante Tora va bien, poursuivit Elsa. Nous devons seulement discuter un moment, elle et moi. Pourrais-tu s'il te plaît t'amuser seul comme un grand garçon et surveiller ton frère?

Elsa prit Lars des bras de Tora et l'installa dans le berceau de bois qu'elle gardait près du foyer pour leurs visites.

— Oui, madame, répondit-il sobrement.

Elsa laissa la porte se refermer et fit s'asseoir Tora sur une chaise de la salle à manger.

— Dis-le-moi. C'est qui ? Comment est-ce arrivé ? Oh, Tora, comment as-tu pu laisser…

— Je n'ai pas « laissé » qui que ce soit, dit Tora en se relevant le menton. Non. Tu dois me croire ! Oh, Elsa, tu dois m'aider à trouver quoi faire ! Tu dois absolument m'aider !

Elsa tendit les bras, et Tora accepta son étreinte.

— Je suis là, dit Elsa d'un ton apaisant, aussi maternel que Tora le souhaitait. Je ne veux pas entendre les détails sordides. Concentrons-nous sur ce que tu peux faire pour t'en remettre.

— M'en remettre ? demanda Tora, entendant le ton hystérique de sa propre voix et se dégageant de l'étreinte d'Elsa pour essuyer les larmes de ses joues. Ce n'est pas quelque chose dont on puisse se remettre.

Elle se leva et se mit à faire les cent pas dans la longueur de la pièce, jetant occasionnellement un coup d'œil à Elsa.

— La seule chose à laquelle je puisse penser est d'avoir ce bébé puis de vous le donner en adoption, à toi et à Peder.

Elsa secoua la tête.

— Attends. Tu vas beaucoup trop vite pour moi. Je viens tout juste d'apprendre que tu es… enceinte.

— Mais pense à maman ! Une telle nouvelle la tuerait !

— Pensons d'abord à toi. Nous nous occuperons de nos parents plus tard. Assois-toi. Dis-moi, pour quand attends-tu cet enfant ?

— Pour avril, j'imagine.

— Il y a des foyers pour les jeunes femmes…

— Tu m'enverrais là-bas ? cria Tora.

— Non, non, dit Elsa en faisant des signes de main pour calmer Tora. Bien sûr que non. Je ne fais que songer à toutes nos options.

Tora réprima le sourire qui menaçait d'apparaître sur ses lèvres. Sa sœur considérait déjà le problème comme le sien. Elsa l'aiderait sûrement à trouver une manière de s'en sortir !

Elsa avait ressenti une vague d'inquiétude toute naturelle pour sa sœur lorsque celle-ci lui avait annoncé la nouvelle. Ce ne fut que plus tard, en retournant la situation dans sa tête, qu'elle se fâcha. Comment, après tout, pouvait-elle être sûre que Tora avait été involontairement entraînée dans une telle situation ? Elle avait elle-même été témoin de la façon dont Tora tirait profit de ses attributs féminins pour obtenir ce qu'elle voulait. À ses pensées gênantes, Elsa sentit une chaleur lui monter dans le cou. Tora pouvait-elle être libertine plutôt que victime ?

Cette pensée l'accabla et l'attrista. Elle se sentait si responsable de sa sœur ! Ne devrait-elle pas l'être aussi de l'enfant à naître ? Oh, si sa mère avait été à ses côtés ! Celle-ci aurait sûrement su quoi faire ! N'avait-elle pas déjà assez matière à s'inquiéter sans qu'il s'en ajoute ? Elsa se pencha la tête pour prier à son pupitre, incapable de faire autre chose.

« Seigneur, seigneur ! L'implora-t-elle en silence. Je me sens si perdue. Désorientée. Que dois-je faire d'elle ? De l'enfant ? »

« Tu n'as pas à porter le poids de cette épreuve. »

Cette réponse claire à sa prière décontenança Elsa.

— Mais c'est ma sœur, pria-t-elle à voix haute.

« C'est aussi ma fille. »

— Mais… nous sommes si loin de chez nous…

« Tu vis à l'endroit que j'avais prévu pour toi. »

— Je suis si inquiète, Père...

« Sois tranquille. »

Je ne peux pas. Je ne peux pas lui tourner le dos.

« Sois tranquille. »

Par cette réponse qu'elle entendait de Dieu, Elsa sut ce qu'Il voulait d'elle. Il voulait qu'elle lui fasse confiance, qu'elle ait confiance qu'Il saurait s'occuper de Tora. Au bon moment, à sa façon, Il s'occuperait de Tora Anders et de son enfant. D'ici là, Elsa lui ferait confiance, et elle savait qu'Il la guiderait dans le rôle qu'elle devrait jouer auprès de Tora. Avec lassitude, elle dit :

— Père, je te confie ma sœur et son enfant.

Elle ouvrit les yeux et se les essuya avec un mouchoir, regarda par la fenêtre de longues minutes, puis elle se tourna pour lire la lettre qu'elle avait reçue de Kaatje ce jour-là.

« Il est difficile de croire qu'il ne reste que quelques mois d'ici l'arrivée du bébé. Au moins, l'épuisement qui a accompagné mes premiers mois de grossesse a disparu. Tout comme se sont effacés mes pires souvenirs de Soren à Bergen et à bord du *Herald*. Même si notre ferme est encore dans un état lamentable, je suis reconnaissante de tous les changements que nous vivons. Ça me rassure, et je remercie Dieu pour ma nouvelle vie. Notre nouvelle vie, devrais-je dire. Oh, Elsa, je suis heureuse, plus heureuse que dans tous mes souvenirs.

Soren travaille du lever au coucher du soleil à défricher et à préparer la terre. Il peut compter sur un Bai de Cleveland de forte carrure, au tempérament flegmatique. Ce cheval m'ignore quand j'apporte le café dehors à Soren. Mais pas mon mari. Cette terre est plus aride que ce qu'on nous avait promis, mais nous avions été prévenus de nous méfier de cette promesse. Et le sol est riche et fertile. Si nous pouvions bénéficier d'au moins une pluie décente, nous devrions bien nous en tirer.

Certains immigrants sont repartis aussitôt arrivés, abandonnant leur ferme asséchée et ses difficultés. Mais nous, nous adorons la nôtre. À certains endroits, nous avons une vue imprenable sur des kilomètres à la ronde. Ça me rappelle la mer. Je me sens comme si j'étais sur le point d'être témoin d'un miracle. C'est notre nouveau départ, Elsa. Il ne saurait plus y avoir d'embûche. À n'en pas douter, rien ne nous empêchera de progresser. »

Elsa fit une pause et porta son regard sur la mer, percevant le rire joyeux de son amie dans ses mots. Dieu souriait finalement à Kaatje et à Soren !

Chapitre 14

ELSA MONTA LES MARCHES DE LA TOURELLE, NOTANT À SON ARRIVÉE au deuxième étage, ouvert et non encore terminé, que l'air avait nettement refroidi. Elle jeta un coup d'œil aux chênes marron et aux érables rouges qui bordaient la cour ; beaucoup de feuilles étaient tombées, celles qui tenaient encore aux branches ne servaient plus que de pâle rappel de l'automne. Peder avait tout manqué, songea-t-elle tristement. Sa peinture, si belle soit-elle, ne rendait pas cette impressionnante fluidité qui habitait encore les arbres quelque temps auparavant. Ce terme était le seul qui lui venait en tête pour décrire les couleurs des feuilles dans la fraîche brise d'automne. Elle avait durement travaillé pour les reproduire à la perfection, mais elles lui semblaient tout de même ternes.

C'était pour cette raison qu'elle préférait les bateaux. Il était plus facile de donner de la vie à un bateau en mouvement qu'à une feuille mourante. Elle avait hâte d'être de nouveau en mer. Elle avait sûrement autant manqué à Peder que celui-ci lui avait manqué. Les arguments d'Elsa auraient ainsi plus de poids lorsqu'il reviendrait. Le *Herald* devait arriver d'un jour à l'autre, mais probablement plus tard au cours de la semaine. Tout de même, Elsa ne pouvait s'empêcher de monter à la tourelle, comme si son sixième sens lui disait qu'il approchait. C'était comme à Bergen. Elle avait attendu de longues journées sur les collines, à chercher le *Herald*, sachant, même sans avoir reçu de lettre, que Peder arriverait bientôt.

Elle scruta l'horizon. Il était environ dix heures du matin, et après sa routine matinale qui consistait à lire un chapitre de la Bible, à prier et à écrire quelques lignes à Kaatje, Elsa trouvait peu à faire. Depuis que Tora lui avait appris la terrible nouvelle, Elsa s'était changé les idées en se lançant à corps perdu dans le ménage ou en s'absorbant dans la peinture. La maison était immaculée, et elle avait terminé trois tableaux : un de la maison et deux de bateaux ancrés dans le port en contrebas.

Ce n'était toutefois plus suffisant pour la distraire de ses inquiétudes à l'égard de Tora et de l'enfant à venir, ni pour chasser ce douloureux éloignement qu'elle ressentait par rapport à son mari, surtout qu'ils s'étaient quittés sur une mauvaise note. Elle regarda vers le nord et vit de sombres nuages menaçants qui se rassemblaient près de la rive, s'approchant résolument des chantiers Ramstad. Peder avait-il traversé une autre tempête ? Cette pensée la rendit malade d'inquiétude.

Elsa détourna le regard des nuages et décida de s'accrocher à l'espoir qu'il arriverait du sud, et c'est alors qu'à l'horizon elle aperçut la silhouette d'un bateau. Le *Herald* ? Son cœur s'emporta. Elle ne pouvait en être certaine, mais intérieurement elle savait. Son mari arrivait. Il serait bientôt chez lui. Elle poussa un petit cri de joie et descendit en courant au rez-de-chaussée chercher le télescope de Peder. Elle remonta ensuite à l'étage, ajusta la lentille de ses mains tremblotantes, et son pressentiment fut confirmé. C'était Peder !

— Merci mon Père ! cria-t-elle en tapant des mains et en levant les yeux au ciel.

Elle dévala de nouveau l'escalier. Soudainement, une multitude de petites choses lui revenait en tête, des choses qu'elle s'était promise de faire avant le retour de Peder, tout particulièrement lui préparer un dîner raffiné. Elle devait trouver le poissonnier ambulant et sa charrette, arrêter chez le boucher, puis chez le boulanger. Elle espérait qu'il lui resterait de bons pains plats ! Elle préparerait le mets préféré de Peder, de la truite salée, si le marchand avait encore du poisson frais à vendre. Sinon, elle lui ferait son deuxième repas de prédilection, un rôti de porc accompagné d'une sauce brune aux oignons.

Elle n'irait pas l'accueillir au quai des marchandises cependant, car ce pourrait être jugé inconvenant de la part de la femme du capitaine. Et Peder semblait particulièrement soucieux de ces conventions sociales, au point de parfois passer pour moralisateur. Il avait par exemple refusé qu'elle porte des salopettes à bord du bateau, même si c'était là un vêtement pratique.

De plus, ce serait bon pour Peder de venir à sa rencontre. Elle était encore un peu fâchée de la manière dont il l'avait quittée après leur dispute, lui donnant des ordres comme un roi dans son château. Mais elle ferait en sorte que leur maison soit un véritable paradis, le contraignant à ne plus repartir — ou du moins qu'il l'emmène le cas échéant. Elle éclipserait son cuisinier !

Elsa saisit sa bourse, sortit et se rendit à l'écurie derrière la maison. Elle n'avait pas le temps d'aller chercher le voisin, qui avait accepté de l'aider pour effectuer de telles tâches. Elle y gagnerait au change à harnacher elle-même le cheval et à se mettre en route tout de suite. Les chevaux frappèrent le sol de leurs pattes et hochèrent la tête comme pour l'accueillir lorsqu'elle ouvrit la porte. Elle rit et leur répondit par un beau bonjour. Elle siffla son préféré, Muskatnøtt, ainsi nommé en raison de sa couleur muscade, l'attela au boghei et fut sur la route en un rien de temps.

Peder s'inquiéta en ne voyant pas Elsa au quai à l'arrivée du bateau. La nouvelle était sûrement parvenue à ses oreilles. Était-elle toujours aussi fâchée contre lui ? Il se calma en se disant que les gens auraient pu trouver enfantin et déplacé de les voir tous les deux s'enlacer au vu et au su de tous, mais il en fut tout de même blessé. Son absence se voulait sûrement une critique.

Il soupira, heureux de déléguer la responsabilité de la cargaison à Karl. Il n'avait qu'une autre chose à faire avant de rentrer auprès d'Elsa ; il devait demander au capitaine de port s'il pouvait y laisser le *Herald* quelques jours. Peder prévoyait aller rapidement chercher du bois de construction à Bangor et l'emporter à New York avant que l'hiver ne s'installe. Il secoua la pluie de son manteau et observa le ciel gris duquel émanait un brouillard humide.

« Bon, d'accord, avant que les vraies conditions hivernales ne s'installent », se corrigea-t-il.

Karl et lui voulaient garnir leur compte en banque avant de se remettre à construire des bateaux à temps plein. Ils pourraient ainsi acheter plus de parts dans leurs bateaux respectifs et donc bénéficier d'une plus grande partie des profits.

— À plus tard, cria-t-il à Karl en prenant congé.

— À plus tard, répondit Karl qui traversa la passerelle pour lui serrer la main.

— Bon vent, mon ami. J'espère que tout se passera bien à New York cette semaine. Demande le maximum possible pour le sucre.

— Comme toujours.

— Et ne rassemble pas trop d'information sur les vapeurs, car je ne veux pas que tu reviennes ensuite ici m'embêter pour que nous construisions d'abord ton bateau.

Karl lui fit un sourire de connivence.

— Allez, mon homme. Je vais te câbler des nouvelles lorsque je serai rendu à New York dans deux jours.

— C'est bon.

Il lui fit un signe par-dessus son épaule, pressé de rentrer auprès d'Elsa pour voir de quoi il en retournait. Il espérait qu'il n'y ait pas un trop grand gouffre qui les sépare. Il avait hâte de la tenir contre lui et de l'embrasser comme jamais auparavant.

Kristoffer hocha la tête et fit un sourire de bienvenue à Peder, qui descendait sur la passerelle. Ils se serrèrent fermement la main.

— La salle à tracer est terminée, capitaine.

— Très bien, s'exclama Peder en lui donnant une tape sur l'épaule. Et l'atelier de calfatage ?

— C'est prêt. Nous avons même fini la rampe de bateau. Tu veux que je te ramène chez toi ?

— Non merci, Kris. Je crois que je vais plutôt me réhabituer à marcher sur terre.

— Parfait, alors. À demain.

Peder lui dit au revoir et s'éloigna du quai des marchandises en direction de la petite ville, où il descendit la rue principale sinueuse en pavé rond. Une fois qu'il eut parlé au capitaine de port et organisé le séjour au quai du *Herald*, la pluie avait cessé. En cinq minutes, il avait atteint l'extrémité de la rue principale, et il sourit en apercevant les chantiers Ramstad. Il y avait de nouveaux bardeaux luisants sur le toit de la salle à tracer. Le nouveau revêtement de pin des murs semblait d'un jaune frais, et lorsqu'il leva le nez en l'air, la brise de l'océan lui souffla une odeur de nouvelle construction.

Dans une pente, près de l'eau, se trouvait l'atelier de calfatage, ou la corderie. Et encore plus bas sur cette pente se trouvait la rampe terminée sur laquelle les bateaux Ramstad seraient construits, une longue rampe dont le degré d'inclinaison équivalait à la norme établie de 1,587 centimètres sur une distance de 30,48 centimètres. Cette inclinaison ne mettait pas trop de pression sur les bateaux en construction et elle permettait de les faire glisser dans l'eau une fois prêts.

Peder sourit. Oui, il était devant les chantiers Ramstad d'Amérique. Tous ses rêves devenaient réalité.

Il se tourna vers la maison. De la cheminée émanait un petit tourbillon de fumée qui donnait un air encore plus invitant à sa demeure. Une douce lumière de lampe à pétrole luisait par la fenêtre. Elle l'avait donc vu arriver. C'était sûrement sa manière de l'accueillir. Avec un regain de vigueur, il marcha vers sa maison et sa femme qui, l'espérait-il, lui aurait préparé un dîner. Son estomac gargouilla en guise d'acquiescement, et son corps frissonna à l'idée de finalement tenir Elsa dans ses bras.

Au même moment, elle ouvrit la porte, magnifique dans sa robe violette, et il se mit à courir. C'était comme si Peder avait oublié l'existence du monde et de ses soucis en la voyant qui souriait. Il ne lui importait plus que de l'enlacer. Il monta les marches deux par deux et se précipita vers elle. Avant qu'elle ne puisse dire mot, il pencha la tête et l'embrassa, écrasant son corps contre le sien.

Lorsqu'il put finalement se résoudre à la lâcher, il se dépêcha de parler le premier.

— Pardonne-moi, Elsa. Je suis désolé d'être parti après des mots si durs. Après notre dispute, nous aurions pu trouver un terrain d'entente. Ce fut affreux d'être loin de toi toutes ces semaines, à craindre que tu sois toujours fâchée.

— Oh, Peder. Bien sûr que j'étais fâchée. Mais j'étais désolée, moi aussi, que nous nous soyons quittés sur une telle note. C'était horrible, ces semaines, loin l'un de l'autre... sans savoir si... ne refaisons plus jamais ça.

— D'accord.

Il la prit dans ses bras pour une autre étreinte féroce, puis la regarda dans les yeux.

— Je ne savais pas que je pouvais me sentir ainsi, Elsa. Je ne savais pas qu'il pouvait faire si bon de revoir une personne.

— C'est merveilleux, n'est-ce pas ? demanda-t-elle en lui souriant.

— En effet, répondit-il en reniflant. Est-ce bien ce à quoi je pense ?

— Oui. Le poissonnier n'avait pas de truite, alors j'ai dû me rabattre sur le porc accompagné d'une sauce brune à l'oignon.

— Ah, les sacrifices que je dois faire ! Viens, ma femme, rentrons, mangeons vite, et allons nous coucher tôt.

— Tu es fatigué ? demanda Elsa, consternée.

— Pas du tout, répondit-il en souriant.

Comme personne ne venait lui ouvrir après qu'elle eut cogné à la porte, Tora entra dans la maison et sourit en entendant les Ramstad se disputer.

« Eh bien, eh bien. »

Et le *Herald* n'était rentré que depuis la veille.

— Allô ? lança-t-elle sans vraiment lever la voix, désireuse en fait de découvrir la cause de cet émoi avant de faire sentir sa présence.

Peut-être se disputaient-ils à son sujet, auquel cas elle préférait en être avertie. Elle se glissa vers les portes ouvertes de la bibliothèque. Comme Elsa n'avait pas encore de serviteurs, Peder devait de toute évidence supposer que leur discussion avait lieu en privé. Tora le voyait de dos assis à son pupitre, et elle entrevoyait Elsa qui faisait les cent pas devant lui.

— Pour un si petit trajet, je pourrais assurément t'accompagner, disait Elsa.

— Au contraire, rétorqua Peder, pour une absence de si courte durée, il est plus sage que tu restes à la maison. Je serai de retour dans deux semaines, Elsa !

— Et je t'ai dit que j'en ai marre d'être ici. Seule.

— C'est regrettable, commenta-t-il en baissant le regard, comme s'il voulait bien penser à ce qu'il allait répondre. À quoi exactement t'attendais-tu en épousant un capitaine de bateau ?

— Je ne sais pas. Pas à ça. Tes retours à la maison sont formidables, mais quel genre de mariage est-ce ? Après l'hiver je te verrai… quoi ? Trois semaines dans l'année ?

Elle avait la voix haut perchée.

— Seulement pour un certain temps, Elsa, répondit Peder en parlant comme s'il s'adressait à un enfant.

— Tu as dit pendant trois ans !

— Trois courtes années, réitéra-t-il. Puis je serai de retour ici avec toi et nos enfants pour superviser les chantiers Ramstad.

Tora s'appuya contre le mur à panneaux de bois. Ainsi donc, la chère Elsa n'avait pas tout ce qu'elle voulait. C'était une première. Elle se reprocha d'être si méchante ; sa sœur, après tout, n'avait pas encore accepté de s'occuper de l'enfant à naître. Comme elle avait besoin d'Elsa, elle jouerait à la bonne sœur dévouée pour l'amadouer. Avec Peder, elle jouerait à la victime. Son seul espoir était la surprise. Ils ne devaient pas soupçonner qu'elle planifiait de s'enfuir, sinon elle se retrouverait prisonnière de ce morne Camden pour le reste de ses jours.

— Et chaque fois que tu inaugureras un bateau ? rétorqua Elsa, dont le ton qui montait attira un autre coup d'œil de la part de Tora. Je ne sais pas pourquoi, je n'arrive pas à t'imaginer sur le porche avec moi pendant qu'un nouveau bateau fera son baptême de l'eau. Et ce n'est pas non plus ce que je souhaite, ajouta-t-elle en soupirant. Peder, tu es né pour la mer. Je ne veux pas que tu sois enchaîné à notre maison.

— Ce n'est pas une maison dans laquelle je me sentirais enchaîné, dit-il, irrité.

— Bien sûr que non ! lança Elsa en se tordant les mains. Tu me comprends mal. Notre maison est magnifique. Mais mon cœur n'est pas ici.

Elle s'approcha de lui, s'agenouilla et déposa sa joue sur sa cuisse.

— Mon cœur est avec toi. S'il te plaît, Peder, s'il te plaît. Je veux voyager avec toi. Je veux faire ma vie auprès de toi — ici, à la maison, lorsque nous serons à terre, en mer le reste du temps.

Elle leva le regard vers lui, le visage inondé de larmes.

— Je ne te manque pas durant tes voyages ?

Tora choisit ce moment pour se manifester. Elle recula d'abord de quelques pas, toussa et lança un « allô » à la cantonade comme si elle venait de le faire plusieurs fois. Elle entra dans la bibliothèque et s'arrêta subitement, feignant la surprise devant la scène qui se déroulait devant ses yeux.

— Oh ! Pardonnez-moi ! Je vous ai appelé quelques fois depuis la porte, dit-elle en pointant par-dessus son épaule. Kristoffer est à la maison avec les garçons, et j'ai pensé venir saluer mon cher beau-frère.

Elle avait un faux air de contrition qu'elle continua d'afficher quelques secondes en prononçant les mots qui suivirent.

— Le moment est mal choisi. Pardonnez-moi. Je vais revenir plus tard.

— Non, Tora, dit Elsa en se levant et en s'essuyant les joues.

Elle observa le visage stoïque de Peder et détourna le regard, de toute évidence malheureuse. Elle avait la voix tendue, comme si elle était au bord des larmes.

— Tu peux rester. Je crois bien que notre discussion tournait en rond. Excuse-moi, je vais aller prendre l'air.

Elle s'arrêta à côté de Tora et se retourna pour jeter un regard à Peder.

— Tu peux souhaiter la bienvenue à mon mari. Reste donc à dîner aussi.

Puis, elle baissa la voix.

— Mais garde ta nouvelle jusqu'à ce que je revienne.

— Parfait, fit Tora en haussant les épaules, et elle s'installa sur une chaise de la bibliothèque.

— Elsa, l'appela Peder.

— J'ai besoin de prendre l'air, Peder, lança-t-elle du couloir. Je serai de retour dans une heure. Je veux faire faire une promenade à Muskatnøtt.

Peder la laissa partir, puis il se mit à regarder divers papiers. Tora voyait bien qu'il ne lisait pas, il ne faisait que tenir les feuilles pour masquer sa détresse.

— Quelle est cette nouvelle, Tora ? demanda Peder avec lassitude en déposant ses papiers pour se frotter les sourcils d'une main, alors que la porte d'entrée claquait.

— Elsa m'a demandé d'attendre...

— C'est quoi, la nouvelle ? rugit Peder en se levant pour se pencher par-dessus le pupitre.

Tora se porta la main à la gorge. Comment osait-il se montrer si menaçant dans son ton et son attitude envers elle ! Elle se retint de ne pas se laisser emporter par la colère qui lui dictait de répondre : « Du calme, du calme. Elle fait simplement référence à ma grossesse. » Une telle réplique aurait remis cet homme dominateur à sa place ! Mais elle savait que ça jouerait contre elle. Elle utilisa plutôt cette vague d'émotion pour se laisser aller aux larmes.

Peder s'assit, plissa les yeux et la regarda d'un air suspicieux.

— Vraiment, Peder, mes nerfs ne supportent pas une telle violence.

Il soupira et se pinça les lèvres.

— Je suis désolé. Je ne suis pas fâché contre toi, c'est juste... Tu devrais peut-être attendre ta sœur.

— Non, dit-elle en essuyant une grosse larme sur sa joue. Ça va. Nous sommes maintenant de la famille, n'est-ce pas ? ajouta-t-elle en prenant une profonde inspiration. Ce que j'ai à te dire, c'est que je suis dans une situation délicate.

— Tu veux dire..., commença Peder en rougissant.

— Oui, répondit-elle en hochant la tête. J'ai bien peur que Soren Janssen ait abusé de moi un soir à bord du bateau. J'étais horrifiée, bien sûr, et je ne voulais rien de plus qu'oublier ce qui s'était passé. Je ne l'ai dit à personne, car je ne voulais pas causer de tort à Kaatje. Le jour où tu nous as trouvés dans le couloir, il essayait de profiter de moi de nouveau.

Elle se laissait entraîner par son histoire qui approchait maintenant de la vérité, et elle pouvait sentir l'indignation justifiée qui allait, elle le savait, submerger Peder.

— Je lui ai échappé de justesse. Il est venu sur moi dans la cabine alors que je faisais une sieste. Tu t'imagines !

Elle s'éventa, comme si elle voulait repousser les mauvais souvenirs et retenir ses larmes.

— J'ai réussi à me rendre dans le couloir et à lui dire de ne plus jamais m'approcher, et il m'a giflée. C'est à ce moment que j'ai crié à l'aide.

Tora baissa rapidement les yeux, car elle voulait que Peder ait d'elle l'image d'une jeune fille à qui l'on a fait du tort, l'image d'une victime.

Il resta silencieux durant une longue minute, puis il dit :

— Est-ce la vérité, Tora ? Regarde-moi.

Elle leva les yeux vers les siens, sachant que son avenir se jouait à cet instant précis. Ce fut difficile, mais elle réussit à soutenir son regard.

— Oui, dit-elle en hochant la tête, le fixant attentivement avant de cligner rapidement des yeux. Chaque mot est vrai.

Sur son cheval loué, Karl se promenait dans les hautes collines au-dessus de Camden, en suivant un sentier à peine visible dans lequel se remarquaient de récentes empreintes d'une autre monture. Ce n'était guère étonnant que d'autres cavaliers circulent en cet endroit magnifique. Les lieux semblaient hantés, avec ces squelettes d'arbres et toutes ces feuilles mortes aux couleurs défraîchies qui jonchaient le sol de la forêt en une épaisse couverture. Il changea de direction à un tournant dans le but de monter plus haut, espérant pouvoir atteindre le sommet de cette colline où il s'arrêterait pour contempler son avenir. D'ici le soir, la cargaison du *Herald* serait déchargée et prête pour le train. Il partirait le lendemain pour New York, et il était déjà impatient de partir. À Camden, il n'arrivait à penser à rien d'autre qu'à Elsa. Il avait failli devenir fou en faisant les cent pas dans sa chambre d'hôtel en ville, jusqu'à ce qu'il se décide de sortir faire une promenade en après-midi.

Cette décision avait été sage. L'air l'avait revigoré et lui avait permis de chasser ses pensées obsessives. À maintes reprises,

ses réflexions romantiques vagabondes avaient laissé place à des considérations plus terre-à-terre sur ce qui l'attendait dans ses entreprises — faire construire d'abord un schooner, puis son bateau à vapeur. Il avait beaucoup de travail de recherche devant lui étant donné qu'aucun compatriote de Bergen n'avait auparavant travaillé à bord d'un vapeur et que peu de gens à Camden s'y connaissaient en la matière.

La jument de Karl leva la tête et hennit tandis qu'ils avançaient. Elle était soudain animée d'un regain d'énergie, comme si elle avait senti un tas de grains dans sa stalle et qu'elle se dépêchait de rentrer. L'explication de son comportement apparut vite clairement. Un peu plus loin devant se trouvait une jument brune, de couleur muscade. Son cœur bondit. Ce ne pouvait assurément pas être le cheval de Peder. La dernière chose dont il avait besoin était de croiser Peder et Elsa dans un environnement aussi romantique. Il pensait que son cœur ne le supporterait pas.

Mais son cœur aurait à supporter bien pire. Car en s'approchant, il put entendre une femme pleurer, et ses sourcils se froncèrent d'inquiétude. Était-ce Elsa? Était-elle blessée? Il fit un bruit de gorge pour forcer sa monture à s'arrêter, et il sauta au sol. Il grimpa tant bien que mal la colline, glissant sur les feuilles humides, en direction de l'endroit d'où provenaient ces tristes pleurs. Il atteint finalement le sommet pour émerger dans une clairière de granit qui dominait la forêt, et le port au loin. La vue était magnifique. Mais ce n'est pas ce qui arrêta son cœur de battre. C'est Elsa qui en fut plutôt la cause. Elle était seule, assise sur une énorme pierre plate, les bras sur les genoux et la tête dans les mains. Son corps était secoué de sanglots, et en la voyant et en l'entendant, Karl fut déchiré par sa détresse.

— Elsa? dit-il avec hésitation.

Il essuya ses mains moites sur son pantalon.

Elle leva la tête, et un sanglot se coinça dans sa gorge. Elle tenta rapidement d'essuyer ses larmes pour se rendre présentable.

— Karl, réussit-elle à articuler, que fais-tu ici ?

— J'étais sorti faire une promenade… j'ai croisé Muskatnøtt…

— Et tu m'as entendue, termina-t-elle pour lui.

— Est-ce que ça va ? Je ne veux pas troubler ta tranquillité, mais je voulais m'assurer que tu n'as rien.

Il fouilla dans sa poche et lui tendit son mouchoir.

Tout émue de cette gentillesse, elle se remit à pleurer. Il s'assit à ses côtés avec hésitation. Le cœur serré, il lui demanda :

— Elsa, qu'y a-t-il ? Que se passe-t-il ?

Elle se leva soudainement et s'essuya les joues avec le mouchoir de Karl.

— C'est ce Peder, cracha-t-elle. Il est si obstiné ; il refuse de m'emmener dans son prochain voyage. Vous ne serez partis que deux semaines ! C'est un aller-retour facile, mais il refuse tout de même de me laisser l'accompagner !

Elle se mit à faire furieusement les cent pas près de la pierre. Karl retint son souffle, s'émerveillant de la voir ainsi devant le paysage saisissant en arrière-plan. Il voulait la prendre dans ses bras. Mais une toute petite voix calme lui disait que son rôle était celui d'un ami fraternel, rien de plus. Elle n'était pas sienne. Et elle ne le serait jamais. Cette pensée menaçait de le faire lui-même pleurer.

Elsa s'arrêta soudainement et l'étudia du regard.

— Que penses-tu de tout ça, Karl ? N'est-il pas trop protecteur ? Si j'étais ta femme, ne m'emmènerais-tu pas ?

« Mon Dieu, pria silencieusement Karl en se passant la main dans les cheveux. Ne sait-elle pas ce qu'elle me demande ? Est-ce toi qui la pousse à me poser cette question, Seigneur ? Ou est-ce le diable qui me fait subir un doux supplice ? »

Il osa lever les yeux vers elle.

— Ne me pose pas une telle question, répondit-il.

— Pourquoi pas ? Tu es son premier second, non ? Son ami cher. Peut-être que si tu étais d'accord avec moi, tu pourrais le persuader…

— Elsa ! dit-il, un peu plus fort qu'il ne l'aurait voulu. Arrête, dit-il en baissant le ton et en se remettant sur pied. Tu ne devrais pas me mêler à tout ça. C'est votre mariage. C'est privé. Et c'est à Peder et à toi de prendre la bonne décision.

Elle se détourna de lui, faisant tournoyer sa jupe et voler sa longue tresse. Il lui avait fait de la peine en ne la soutenant pas, et il en avait le cœur meurtri.

— Je suis désolé, Elsa.

Elle leva une main comme pour le faire taire.

— Non, Karl. C'est moi qui suis désolée. Pardonne-moi de t'avoir mêlé à tout ça. Tu es un bon ami, et tu es sage de ne pas t'interposer.

Karl se retint. Voilà. Leur rencontre était terminée. Une voix intérieure lui ordonnait de partir, alors que tout son être lui disait de rester. Se sentirait-il littéralement déchiré s'il se retournait pour partir ?

— Puis-je te raccompagner chez toi ? réussit-il à demander.

— Non, merci. Je vais y aller bientôt, répondit-elle en se retournant pour lui faire un demi-sourire. Ne t'inquiète pas pour nous, Karl. Peder et moi allons résoudre nos problèmes en un rien de temps.

Karl hocha la tête, puis se fit violence pour tourner le dos et descendre de la pierre. Il se sentait pourtant comme s'il restait derrière à regarder un autre homme partir. Oh, s'il avait pu en être ainsi. Il s'approcha de son cheval qu'il enfourcha rapidement, lui fit faire demi-tour et retourna à la ville tel un homme chassé par le démon.

— Eh bien ! qu'attends-tu de moi, mon Dieu ? cria-t-il lorsqu'Elsa fut trop loin pour l'entendre, comment veux-tu que je démêle tous ces sentiments ?

Il fit s'arrêter la jument et brandit le poing vers les cieux.

— Qu'attends-tu de moi ? cria-t-il, l'écho de sa question se répercutant sur les falaises tout près. Es-tu à faire mon procès ? demanda-t-il d'un ton malheureux. Cherches-tu à savoir si je suis un digne serviteur ?

Karl reprit sa promenade, épuisé, désespéré et faible. Comment pouvait-il à la fin résoudre cette situation d'une façon digne d'un homme de foi ? Et comment pourrait-il y parvenir alors qu'il se sentait lui-même aussi lamentablement distant de son Sauveur ? Peut-être avait-il été complètement abandonné, songea-t-il. Une seule idée le soutenait : le lendemain, il monterait à bord du train pour New York, s'échappant ainsi de Camden et de la tentation.

Kaatje grimaça en se levant du lit, sentant les ligaments tendus qui supportaient son abdomen s'étirer sous cet effort. Comment son corps arriverait-il à grossir encore pendant ces deux autres mois de croissance du bébé ? Elle se sentait gonflée et ronde, ses chevilles étaient horriblement enflées, mais tout bien compté, sa vie était géniale. Kaatje sourit en marchant sur le plancher de terre pour aller chercher le seau d'eau à la porte. Ce matin-là, il faisait plus chaud qu'à l'habitude, c'était une température davantage de fin d'été que d'automne. Pour la première fois depuis des semaines, elle ne frissonna pas en quittant son lit chaud. Mais lorsqu'elle poussa le drap de côté — leur porte d'entrée de fortune —, il n'y avait aucun doute, le mordant de la brise fraîche de l'extérieur annonçait l'hiver.

Cette matinée s'était déroulée jusqu'à maintenant comme toutes les autres, ces derniers temps. Soren s'était levé avec le soleil, pressé de se mettre à l'ouvrage, et il avait allumé un feu dans la cour pour faire bouillir du café. Puis il avait marché presque un demi-kilomètre pour aller quérir, à l'intention de Kaatje, un seau d'eau fraîche dans le puits des voisins. Pendant que le café bouillait, Kaatje s'était levée et s'était rendue, encore endormie, jusqu'au seau près de la porte pour se laver le visage.

Kaatje s'essuya le visage à l'aide d'un vieux chiffon. Puis elle se croisa les bras, observant Soren qui travaillait sans chemise à creuser un puits. Ses puissantes épaules surplombaient un torse mince qui reposait sur une taille svelte. De la sueur lui coulait sur le visage et la poitrine en de petites rigoles sur sa peau poussiéreuse, même si le souffle de son haleine formait des nuages de buée dans la lumière matinale. Il travaillait sans relâche, déterminé à ce que leur propre puits soit prêt avant la première neige.

Kaatje sortit un châle de son coffre de cèdre et l'enroula autour d'elle, sentant un frisson d'excitation descendre dans son dos à la pensée de pouvoir effrontément sortir dans la cour à moitié vêtue. Leur ferme se trouvait à presque un demi-kilomètre de leur voisine la plus près. Engvold la vieille fille, comme tous l'appelaient, avait acquis quatre cent soixante acres de terre, en ayant elle-même reçu cent soixante et acheté le reste. Sa terre bordait la leur à l'ouest et au sud. Fred et Claire Marquardt, dont la maison était située à presque un kilomètre, possédaient la terre au nord, et à l'est habitait un sympathique néerlandais nommé Walter van der Roos.

Walter était venu se présenter peu après leur arrivée et avait rougi en offrant à Kaatje une paire de sabots de bois, joliment sculptés d'un motif complexe, que sa défunte femme avait jadis portés. Kaatje les avait acceptés sans hésiter en songeant aux gros trous dans ses bottes, qui avaient été réparés à maintes reprises au fil des ans. Les sabots étaient un peu trop grands, mais assez confortables. Elle les enfila et se rendit au feu de camp, tout en songeant à de ridicules superstitions. Soren avait pu acquérir cette parcelle de terre de premier choix parce que personne n'en voulait en raison de la présence d'un vieux cimetière dans son coin sud-est. Pourquoi toutes ces histoires ? Kaatje était souvent allée se promener parmi les croix usées et les pierres tombales décolorées pour s'occuper des tombes à l'abandon. Cet endroit était en quelque sorte fascinant. C'était pour elle une façon de se rappeler à quel point elle était bien vivante malgré la proximité de la mort.

En s'accroupissant près du feu, Kaatje se versa du café dans une tasse d'étain que Soren avait laissée à côté. Son mari ne la voyait toujours pas. Elle le regarda silencieusement au travers de la fumée de son café amer, ce qui lui donnait l'illusion de voir un fantôme. Après un certain temps, Soren déposa sa pelle et s'essuya le visage avec un chiffon. Il regarda à l'horizon, puis vers la cabane. Il l'aperçut finalement.

— Ah ! ah ! Ma femme est enfin levée !

— Ça fait déjà un certain temps, se défendit-elle en souriant.

— Et depuis combien de temps m'observes-tu comme un chien de prairie ?

Kaatje rit. Les chiens de prairie étaient leurs perpétuels compagnons, ils s'assoyaient sur leur derrière et surveillaient leurs moindres mouvements.

— Depuis assez longtemps pour apprécier ton travail.

Soren pencha la tête sur le côté.

— C'est un travail d'homme.

— Et je suis reconnaissante qu'un homme travaille aussi fort pour me construire un chez-moi.

Soren s'extirpa du trou et s'approcha de sa femme. Elle se leva pour lui offrir sa tasse de café. Il but, puis la lui redonna en l'étudiant de près.

— C'est mieux ici, n'est-ce pas, Kaatje ?

Kaatje hocha la tête. Soren fit un pas vers elle et mit ses mains sur ses hanches.

— Et j'aime bien que tu puisses te promener en robe de nuit et en châle, dit-il en levant les mains et en tournoyant comme un tourbillon de poussière. Liberté ! Intimité ! Une place bien à nous ! L'Amérique !

Il s'était délecté à détacher chaque syllabe du mot « Amérique ». Il sourit et la serra contre lui une fois de plus.

— Nous avons fait un très, très bon choix.

— En effet, dit Kaatje, entièrement satisfaite, avant de secouer la tête et de reculer d'un pas. Je dois maintenant préparer le petit-déjeuner. Peux-tu tenir une autre heure ? J'aurais bien voulu donner une lettre à monsieur Marquardt ce matin pour qu'il l'emporte en ville. Il a dit qu'il passerait vers neuf heures.

— Bien sûr, répondit Soren. Va écrire ta lettre à Elsa. Dis-lui que je prends bien soin de toi, ajouta-t-il avec un sourire. Dis-lui que j'ai eu trop peur pour ne pas le faire après son avertissement féroce.

— Je vais lui dire, promit-elle en se hissant sur la pointe des pieds pour embrasser son mari. Tu prends bien soin de moi.

Soren la tira contre lui le plus qu'il le pouvait et déposa le menton sur sa tête.

— Je l'espère, *elske*. Je veux que tout ici soit parfait pour toi.

— Et pour toi pareillement.

Chapitre 15

MAINTENANT QU'ILS ÉTAIENT DE NOUVEAU RÉUNIS, SANS menace de séparation imminente, ils ne vivaient plus dans l'urgence, et Elsa se détendait dans l'apprentissage de leur vie à deux à Camden. Chaque matin, Peder se levait, prenait le petit-déjeuner avec elle, puis se rendait aux chantiers. La charpente de chêne blanc du *Sunrise*, le premier bateau qui sortirait des chantiers Ramstad, s'élevait sur la rampe. Elle ressemblait aux côtes délavées d'une énorme baleine échouée. Mais personne ne travaillerait ce jour-là. C'était leur premier jour férié en Amérique, l'Action de grâce, et Elsa avait demandé l'aide d'une voisine américaine pour la préparation d'un festin traditionnel.

Elle sourit de nouveau lorsqu'elle sentit l'odeur de la dinde qui rôtissait sur le poêle en fonte de la cuisine. Elsa fit mentalement la liste des tâches qui restaient à faire tout en cherchant ses boucles d'oreilles en perle. Il restait à « piler » les pommes de terre, comme le disait Bessie Walters, sa nouvelle amie originaire du Sud, et à faire bouillir les patates douces. Bessie disait qu'elle ajoutait toujours un ingrédient spécial — un secret de famille — aux patates douces confites, et Elsa espérait pouvoir la surprendre.

« Il faisait bon d'être entouré d'amis, songea-t-elle, anciens et nouveaux, pour une telle occasion. »

Ils accueilleraient ce soir-là Karl, Kristoffer et ses garçons, Tora, Bjorn et Ebba, Mikkel et Ola, ainsi que Bessie, Richard, son mari, et leurs deux filles.

Elsa regarda son image une fois de plus dans le miroir. Peder avait fait le bon choix. Elle était vêtue d'une jupe de soie blanche à trois volants de dentelle délicate et portait un corsage de fine soie dorée, dont les manches étaient légèrement froncées aux épaules et les poignets ornés de dentelle assortie à la jupe. Ce vêtement ayant une haute encolure, elle portait une broche de sa grand-mère près de la gorge. La coupe ajustée de cette tenue avantageait sa silhouette. Elsa se demanda ce qu'elle ferait une fois enceinte. Dire adieu à toutes ces tenues ? En acheter de nouvelles ? Peder dépensait à ne plus compter pour lui procurer des vêtements, mais elle savait la réalité de leur situation. Elle s'en soucierait un autre jour. Ce n'était pas le moment de s'inquiéter en cette journée d'Action de grâce.

Peder sortit du petit salon pour aller répondre à la porte au même moment où Elsa sortait de la chambre. Il était lui aussi bien mis, à la mode dans une veste croisée à col et manchettes de velours, qu'il portait avec un pantalon de laine rayé.

— J'y vais, dit-il en s'arrêtant pour embrasser sa douce sur la joue. Tu es magnifique.

— Merci, répondit Elsa tandis qu'il allait ouvrir la porte.

Elle le suivit, voulant être aux côtés de son mari pour accueillir leur premier invité.

Karl était à se balancer d'un pied sur l'autre, un nouveau chapeau melon en main, puis il leva le regard comme Peder ouvrait la porte. Il paraissait bien, lui aussi, dans son nouveau veston ajusté de près et son pantalon assorti. La laine grise de son nouvel ensemble faisait ressortir la couleur de ses yeux. Il serra fermement la main de Peder et se pencha pour embrasser Elsa sur la joue comme un parfait gentleman. Sans qu'elle ne sache trop pourquoi, Elsa repensa à cet après-midi au sommet de la colline dominant leur maison. Se sentant ridicule et un peu coupable d'avoir confié à Karl sa dispute avec Peder, elle n'avait pas raconté cette rencontre à son mari.

Par chance, ses manières enfantines n'avaient pas eu de conséquence. Karl s'était seulement montré plus distant les trois ou quatre fois où elle l'avait vu depuis. Ses sottises l'avaient peut-être repoussé. De toute manière, leur relation était demeurée cordiale, mais convenablement distante. De ce qu'elle avait pu observer — ou de ce que les autres avaient pu remarquer —, tout était réglé ou n'avait jamais été que le fruit de leur imagination. Karl Martensen était obsédé par son bateau à vapeur, non par elle.

— Entre, Karl, l'invita-t-elle chaleureusement. Je vois que tu as fait les magasins avec Peder. Puis-je prendre ton manteau ?

— Certainement, répondit-il en le lui tendant. Il semble que j'ai fait ma part dernièrement pour garnir le portefeuille des commerçants. Je dois me tenir loin de New York ! Les gens là-bas sont d'une autre espèce et m'emplissent la tête de folies.

— Comme de bateaux à vapeur, le taquina Peder.

— Je parlais d'une envie déraisonnable d'acheter des vêtements, précisa Karl en haussant un sourcil.

Elsa rit, heureuse de les entendre plaisanter, et elle les suivit au petit salon.

Peu de temps après, les autres invités arrivèrent, et la maison fut animée de conversations et de rires lorsqu'ils prirent place autour de la table de la salle à manger, Peder à un bout, Elsa à l'autre. Bjorn était en pleine discussion avec Kristoffer sur le bien-fondé des plans du nouveau schooner du chantier.

— Nous devrions simplement construire un autre clipper, dit doucement l'homme aux allures d'ours, espérant de toute évidence que Peder ne l'entendrait pas.

Peder sourit. C'était la première fois de sa vie que Bjorn chuchotait.

— Tu verras, Bjorn, dit-il à voix forte. Notre schooner saura bien vite gagner ton cœur.

— Et si ce n'est pas lui, ajouta Karl, ce sera notre vapeur.

Les hommes rirent, et Peder leva son verre de cristal lorsqu'Elsa les eut tous servis de nouveau.

— À cette fête américaine... à notre fête... l'Action de grâce. Cette année, il y a beaucoup de choses dont nous devons être reconnaissants.

— Oui, oui, lancèrent les hommes, et ils levèrent tous leur verre simultanément.

Par-dessus le sien, Elsa surveillait Tora. Celle-ci avait à peine l'air enceinte, malgré ses quatre mois de grossesse. Elsa se demanda si sa sœur en avait parlé à Kristoffer, et elle regarda Tora se pencher vers ce dernier pour lui murmurer quelque chose à l'oreille. L'homme au long visage bronzé sourit, puis lui fit un clin d'œil. Une fois de plus, Elsa se demanda ce qui se passait dans la petite maison à trois chambres du bas de la colline. Astrid était morte cinq mois plus tôt, et autant les deux avaient été amoureux, autant Kristoffer avait terriblement besoin d'avoir une femme à lui. Il ne pourrait être éternellement en deuil.

Elsa fronça les sourcils. Il n'était pas tout à fait convenable qu'une jolie jeune fille comme Tora vive sous le toit d'un homme célibataire, indépendamment du rang ou des fonctions de cette dernière ou même si Kristoffer dormait aux chantiers Ramstad. Elsa regarda Peder au bout de la table. Elle savait par expérience que deux personnes vivant sous un même toit pouvaient développer certaines familiarités, encore plus dans une petite maison comme celle de Kristoffer. Kristoffer et Tora rirent ensemble une fois de plus, et Elsa se mit à espérer que sa sœur ne ferait pas de peine à cet homme. Kris était toujours en deuil ; il n'avait pas besoin de se faire davantage briser le cœur.

Bessie se rendit de nouveau à la cuisine, et Peder se pencha vers Mikkel, qui était assis bien droit à côté de sa femme Ola, à observer ce qui se passait autour de lui, affectant de tolérer le chahut des bambins.

— Nous allons bien manger ce soir, n'est-ce pas, Mikkel ? fit Peder.

— Plutôt bien, concéda Mikkel.

Ce vieux singe à l'air sombre demeurait encore solide. Peder disait qu'il y avait peu d'hommes tels que Mikkel Thompson aux chantiers Ramstad, sur lesquels il pouvait compter autant. Ola et lui faisaient figure d'aînés à Bergen, affichant souvent leur supériorité, mais ils étaient une mine de connaissances sur toute une variété de sujets. Peder et lui étaient de vrais amis. Et personne n'arrivait à gérer un équipage comme Mikkel. Le vieil homme parvenait à faire travailler ses hommes plus longtemps et plus efficacement que n'importe qui d'autre connu de Peder. Bjorn était aussi un bon travailleur, et sa femme, Ebba, faisait honneur à son nom, qui signifie « forte comme un sanglier ».

Tout compte fait, ces gens solides de Bergen formaient un bon groupe, et c'était un bon départ pour les chantiers Ramstad, songea Elsa. Ensemble, ces gens bâtiraient l'entreprise de Peder. En regardant autour de la table, jamais Elsa ne s'était sentie plus reconnaissante.

Tora aida Bessie et Elsa à apporter la nourriture à la table, même si elle se sentait de nouveau terriblement fatiguée. La comédie qu'elle jouait était épuisante, et Tora se demanda combien de temps elle tiendrait. Peut-être ne devrait-elle pas continuer ainsi. Ses robes, après tout, ne pourraient s'étirer beaucoup plus. Kristoffer s'en rendrait bientôt compte. Elle ferait mieux de lui annoncer elle-même la nouvelle, le choc serait peut-être moins grand.

Elle sourit en s'approchant de la table et déposa une main délicate sur l'épaule de Kristoffer en se penchant pour placer le plat de farce devant lui.

— Pardonne-moi, dit-elle d'un air modeste.

— Ça va, répondit-il en lui adressant un sourire.

Ses yeux noisette étaient encore tristes, et Tora éprouva un certain sentiment de culpabilité et un étrange désir de lui effacer sa douleur. Elle écarta immédiatement ces deux envies. Sa grossesse bouleversait tout simplement ses émotions. Elle ne ressentait certainement rien envers Kristoffer. Il n'était que le deuxième second sans valeur de son beau-frère. Quelque part, quelqu'un de mieux l'attendait. Elle le trouverait.

Knut accourut et tira sur sa jupe.

— J'ai faim, geignit-il.

— Ton repas est dans la cuisine, répondit-elle. Va rejoindre les autres enfants à la table de cuisine.

— Je veux de la dinde ! lança-t-il en s'y précipitant.

— Tu en auras bien assez vite.

Lars était dans la chambre principale, profondément endormi sur le lit de Peder et Elsa, entouré d'oreillers. Tora sentit encore une fois son cœur se serrer étrangement. Qui s'occuperait des garçons lorsqu'elle serait partie ? Elle savait maintenant qu'elle ne tiendrait pas toute la durée de sa grossesse. Peu importe où elle irait, elle trouverait un bon foyer pour son bébé, mais elle devait quitter Camden. Il le fallait. Kristoffer n'aurait qu'à trouver une autre nounou. Sûrement que quelqu'un au village...

— Tora? dit Elsa, irritée, en lui tendant un bol de purée de pommes de terre. Apporte ce plat à la table.

D'une main, Tora essuya la sueur qui lui perlait sur le front. La chaleur du poêle rendait la cuisine étouffante. Comme à Camden, songea-t-elle en acceptant le bol des mains de sa sœur, il lui fallait s'enfuir, ou elle se détruirait petit à petit.

À la table, les hommes discutaient encore d'ennuyeuses nouvelles de l'industrie maritime, avec en tête Richard Walters, le mari de Bettie, qui racontait les derniers potins. Richard était propriétaire de son propre petit chantier, voisin des chantiers de Peder, et ils étaient rapidement devenus de bons amis. Cette fois-ci, Tora évita soigneusement de toucher Kristoffer en déposant le bol sur la table, mais il se leva immédiatement pour lui tirer une chaise.

Elsa entra avec la dinde, et tous s'exclamèrent, l'arôme de la volaille dorée les faisant saliver. Un véritable festin se dressait devant eux. Tora essaya de sourire lorsque Kristoffer lui fit remarquer à l'oreille qu'elle était une bonne mangeuse. Il avait donc noté que son appétit avait augmenté. Elle semblait incapable de parvenir à se remplir l'estomac, ces derniers temps. Sa prise de poids se voyait, et pas seulement sur son ventre. Elle se rongeait les sangs avec ses bras et ses cuisses qui grossissaient, et pourtant elle n'arrivait pas à manger à satiété.

Kristoffer n'avait pas voulu être méchant. Il voulait lui faire de toute évidence un compliment en lui disant qu'elle avait l'air en santé. C'était quelqu'un de bien sous de nombreux aspects, mais il n'était pas et ne serait jamais l'une des conquêtes de Tora. Elle savait qu'elle pourrait l'ensorceler si elle le voulait. Il lui mangeait déjà dans le creux de la main. Mais elle ne voulait pas de lui, ni maintenant, ni jamais. Elle quitterait Camden. Dès qu'elle le pourrait.

Lorsque Tora s'excusa en disant qu'elle voulait rentrer mettre les enfants au lit, Karl s'excusa aussi. Il avait observé Tora et Kristoffer tout le long de la soirée, et leur comportement l'inquiétait. Il marcha derrière elle et les garçons un certain temps. La lanterne qu'elle portait découpait sa silhouette. Karl étudia les courbes qui accompagnaient son gain de poids et conclut avec désintéressement qu'elle n'en était que plus attirante et dangereuse. Kris la voyait-elle comme la mégère qu'elle était ? Il trottina pour la rattraper, soudainement fâché de la revoir dans son souvenir mettre la main sur l'épaule de Kristoffer.

— Il ne pourra pas supporter de se faire briser le cœur une autre fois, lança-t-il sans préambule.

Le souvenir du cri de détresse de Kristoffer lorsque les marins avaient jeté le corps d'Astrid par-dessus bord le réveillait encore la nuit.

Tora se retourna, Lars endormi dans une écharpe sur son épaule. La lanterne vacilla dans une de ses mains, l'autre tenant celle de Knut.

— Karl ! Tu m'as fait une de ces peurs !

— Désolé, dit-il, momentanément décontenancé, mais il continua, voulant faire passer son message. Je ne veux tout simplement pas que tu le blesses. Il vaudrait mieux que tu partes maintenant que de gagner son cœur pour le quitter ensuite.

— Je ne sais pas de quoi tu parles, répliqua Tora en pivotant pour s'éloigner de lui le nez en l'air.

Il la rattrapa facilement.

— Tu le sais parfaitement. Tu sais ce qu'il a vécu. Bon sang, tu étais là quand sa femme est morte.

Karl jeta rapidement un coup d'œil vers Knut, qui semblait trop somnolent pour se soucier de ce que disaient les adultes.

— La perte d'Astrid l'a presque tué. Ce ne sont que les garçons qui le poussent à continuer. Il n'a vraiment pas besoin que tu viennes jouer avec ses sentiments. Il y a des limites à ce qu'un homme peut endurer, Tora.

Elle le dévisagea silencieusement.

— Tu parles d'expérience ? demanda-t-elle avec un faible sourire, comme si elle savait.

— Bien sûr que non, répondit-il en rougissant.

— Bien sûr que si, au contraire. Alors, voilà. Tu connais mes secrets, et je connais les tiens, Karl Martensen, déclara-t-elle en se penchant vers lui. Ou, du moins, tu penses lire dans mes pensées.

— Ah non, contesta-t-il. Je ne prétendrais jamais pouvoir entrer dans le labyrinthe de ton esprit.

— Reste en dehors de ma vie, Karl. Tu as dit ce que tu avais à dire, maintenant va-t-en. Rentre t'isoler dans ta petite maison louée pour rêver tristement à ma sœur.

Pourquoi l'avait-il suivie ? Son inquiétude envers un ami l'avait exposé à cette attaque. Il ne voulait pas se quereller avec Tora Anders. Il voulait simplement qu'elle laisse Kristoffer tranquille. Il leva les mains, sentant les muscles de ses mâchoires se contracter. Elle le rendait furieux.

— Je ne sais pas de quoi tu parles, rétorqua-t-il, et je ne veux pas le savoir. Comme tu l'as mentionné, j'ai dit ce que j'avais à dire. Mais il y a une chose que je veux ajouter. Si tu ne veux pas te montrer délicate par égard pour Kristoffer, fais-le au moins par égard pour les garçons. Pense à ce que tu leur fais.

Il fit demi-tour et sortit du cercle lumineux de la lanterne avant qu'elle ne puisse répondre. Il s'enfonça dans l'obscurité fraîche et il inspira profondément pour la première fois depuis qu'il était entré dans la maison des Ramstad plus tôt ce soir-là.

Chapitre 16

ELSA SE RÉVEILLA AVEC LE SOLEIL EN PENSANT À KAATJE ET À Soren. Elle comprenait à quel point son amie devait être désespérée. Pour sa part, lorsque Peder partait en mer, Elsa continuait d'habiter une maison confortable avec des voisins tout près. Kaatje, quant à elle, était fin seule. Elsa se leva, alluma un feu et s'assit sur la banquette de sa fenêtre de chambre. Elle prit la lettre de Kaatje et la lut encore une fois.

« Le 25 novembre 1880
Chère amie,
J'ai pensé à toi plusieurs fois ce soir, ta compagnie me manque et je me demande si nous pourrons un jour célébrer cette Action de grâce américaine ensemble. J'espère que tu as passé la journée entourée de tes proches comme j'avais moi-même espéré le faire. Soren a plutôt insisté pour que nous invitions nos nouveaux voisins, Fred et Claire Marquardt, Mme Engvold et Walter Van der Roos, puisque nous voyons les gens de Bergen chaque dimanche. J'ai acquiescé. Ce fut une journée particulièrement affreuse.

Nous venions tout juste de nous mettre à table dans notre minuscule maison lorsque d'autres voisins se sont arrêtés. Nous avons rapidement fait de la place pour ces quatre personnes supplémentaires, même s'il y avait déjà à peine assez de *tykmelksuppe*, de jambon et de pommes de terre pour tous. Il s'agit d'une gentille famille norvégienne, mais terriblement pauvre, qui est arrivée au Dakota il y a quatre ans. Ils partent pour le territoire du Montana, où ils ont de la famille. Le moment est mal choisi pour déménager, mais ils semblaient désespérés, incapables, je suppose, de passer l'hiver ici. Je leur souhaite bonne chance. Il va bientôt neiger, et ils ont une longue distance à parcourir avant de trouver une maison et un accueil chaleureux.

Mais ce n'est pas le pire. Soren s'est mis en tête que nous devrions demander d'obtenir leur terre. Peux-tu imaginer? Comment fera-t-il, seul avec trois cent vingt acres? On m'a déjà dit qu'un homme peut généralement s'occuper de trente acres. J'essaie malgré tout de garder mes opinions pour moi. C'est à l'homme de prendre de telles décisions. Soren a des idées grandioses, et je n'ai pas le cœur de l'arrêter. Mais si son énorme terre venait à bout de lui? Et si, à vouloir trop en faire, il n'arrivait plus à ne rien faire? J'ai tellement peur! La seule bonne nouvelle de la journée, c'est que Soren était si excité à cette idée qu'il a à peine remarqué notre jolie voisine, Mme Marquardt.

Je suis désolée de t'accaparer avec mes problèmes personnels. Je ne voudrais pas t'importuner. Soren dirait qu'il est particulièrement impoli et impardonnable de parler de ce projet à nos chers compatriotes de Bergen, mais j'avais besoin de le raconter à quelqu'un, alors je me suis tournée vers toi, mon amie. Je vais attendre ta lettre, Elsa. Comme toujours, je t'embrasse et je te sers en pensée dans mes bras.

Affectueusement,

Kaatje »

Elsa se rendit à son pupitre et trempa sa plume dans son encrier.

« Le 15 décembre 1880
Chère Kaatje,
Merci pour ta lettre. Il m'arrive aussi d'avoir peur de certaines décisions de Peder à l'égard des chantiers Ramstad. Elles sont parfois incertaines, mais je me console en me disant que qui ne risque rien n'a rien. Cette réponse contribue-t-elle à t'aider ? La vie est en soi risquée. Et la seule chose à faire est d'avancer. J'espère que Soren a su prendre une sage décision et que tu sauras trouver la paix. »

Elsa chiffonna la feuille, qui devint toute tachée d'encre. Elle se leva et la lança dans le feu. Ses mots sonnaient banals, trop légers pour ce que Kaatje vivait, de toute évidence. Ne connaissait-elle pas elle-même une telle angoisse ? Peder tenait encore à partir en mer sans elle, et elle se sentait perdue rien qu'à y penser. Elle espérait aussi qu'il se mettrait bientôt à étudier les plans de Karl pour son bateau à vapeur. Elle soupira, se sentant impuissante si loin de Kaatje.

« Je te remets la situation entre les mains, Père, pria-t-elle silencieusement, les yeux levés vers le plafond de la chambre. S'il te plaît, Jésus, prends soin de Kaatje. Et accompagne Soren. Aide-le à devenir un mari sage et bon. »

Elle se tourna pour observer Peder, qui était encore endormi dans leur grand lit à baldaquin.

« Aide-le à veiller sur Kaatje comme Peder veille sur moi. »

Elsa se sentait coupable de toujours désirer voyager avec Peder. Après tout, elle aurait pu elle aussi se retrouver dans les plaines du Dakota, à vivre dans une lamentable cabane avec un mari dont les rêves étaient plus grands que ce que l'État pouvait lui offrir. Peder avait commencé à assumer son rêve, et elle en récoltait une belle maison avec de bons voisins. Mais elle ne pouvait pas s'empêcher de vouloir l'accompagner. Elle aimait Peder de toute son âme et elle voulait être toujours auprès de lui.

— Jusqu'à ce que la mort vous sépare, chuchota-t-elle en répétant ses vœux de mariage par respect envers lui.

Pourtant, la situation avait peu à voir avec le respect qu'elle devait lui porter ; il était tout simplement déraisonnable que Peder ait si peur pour elle.

Elle se leva du pupitre pour se diriger vers le lit. Elle s'assit du côté où elle dormait toutes les nuits, et d'une main délicate elle se mit à frôler le profil de Peder, à un poil de sa peau. Il avait un nez long et droit — « aristocratique », comme le décriraient certains —, de même qu'un fort menton. Sa barbe de la veille luisait dans la faible lumière du lever de soleil. Sur le devant de sa chevelure brune tout ébouriffée se détachait une boucle collée sur son front. Elsa devait souvent s'efforcer de ne pas rire lorsqu'il se levait, car il avait plutôt l'air ridicule avec ses cheveux en broussailles, écrasés par endroits.

Il cligna des yeux et sourit de voir la main d'Elsa si près de son visage. Il la saisit de sa main chaude, lui embrassa tendrement la paume et se tourna vers elle d'un air endormi.

— Bonjour.

— Bonjour, mon amour, dit-elle.

— Que fais-tu debout si tôt ?

— Je songeais.

— À quoi ? demanda-t-il, ouvrant les yeux de nouveau.

— À Kaatje. À Soren. À Tora. À nous.

Elle s'étendit et regarda le plafond, visualisant chaque visage en prononçant les noms.

— Tu ne peux pas vraiment aider Kaatje et Soren. Ils doivent tracer leur propre voie.

— Je sais, mais elle va bientôt avoir son bébé et elle est si loin. Et Tora... que fera-t-elle ? Elle n'a même pas encore parlé à Kris de son... indisposition. Qui s'occupera d'elle et des enfants ? Ce ne sera pas moi. Mais comment puis-je rester indifférente ? À moins...

— Quoi ?

— À moins que j'emmène son petit en mer avec moi, dit-elle en se rassoyant pour étudier Peder intensément. Je veux encore partir avec toi le printemps venu, Peder.

Ce dernier fronça les sourcils et retira sa main. Il sortit les jambes du côté du lit et se passa la main dans ses cheveux indisciplinés.

— Nous ne sommes qu'en décembre, Elsa, dit-il, d'une voix fatiguée. Tout ça n'est que conjecture. Nous verrons en temps et lieu, d'accord ?

Il lui jeta un coup d'œil par-dessus son épaule.

Elle soupira et soutint son regard.

— D'accord, en temps et lieu. Mais écoute-moi bien, Peder. Tu ne m'ordonneras pas de rester à la maison de nouveau. Si nous en arrivons mutuellement à cette décision, d'accord, je resterai. Mais je ne recevrai pas d'ordres comme les marins sur ton bateau.

Peder se leva, irrité de voir Elsa défier ouvertement son autorité. Mais lorsqu'il la regarda, son cœur se radoucit. Elle était magnifique dans sa simple robe de nuit, qui lui donnait davantage l'air d'une jeune fille que d'une femme adulte. Ses cheveux retombaient en vagues dorées sur sa poitrine, et ses yeux étaient plus grands qu'à l'habitude en raison du regard franc et direct qu'elle osait braquer sur lui. Le cœur de Peder éclata presque à l'idée de la quitter une fois de plus. Elle aimait vraiment la mer, et elle peignait de plus en plus. Elle devenait même plutôt bonne, selon lui. D'autres capitaines emmenaient leur famille entière à bord, mais pour l'enfant de Tora, c'était une tout autre histoire. Ses pensées se dirigèrent vers le père. Peder n'attendait que l'occasion d'administrer une bonne correction à Soren Janssen. Elsa en serait morte si elle avait su.

— Elle ne l'a toujours pas dit à Kristoffer ? demanda-t-il.

Elsa soupira.

— Je lui ai dit qu'elle avait un mois pour le faire, sans quoi je lui annoncerais moi-même. Vraiment, il faut la traiter comme une enfant. Je me sens comme sa mère.

— Une enfant malicieuse qui va avoir un enfant.

— Oui. Elle n'a pas la capacité d'élever son propre fils ou sa propre fille. Ce serait malheureux de notre part de refuser d'intervenir.

— Mais tu as toi-même dit que Tora ne saura apprendre que si elle assume les conséquences de ses actes.

— Mais je me demande si c'est juste, considérant ses allégations contre celui, peu importe qui, qui a… abusé d'elle.

— J'hésite aussi, avoua Peder, qui s'était mis à faire les cent pas. Mais à vrai dire, j'ai des doutes sur sa version des faits.

— Effectivement…, marmonna Elsa.

— T'a-t-elle ouvertement demandé de prendre l'enfant ?

— À quelques mots près. C'est en partie ce qui me contrarie — elle présume que je le ferai, ce qui la libérerait de tous ses problèmes. Elle est très étrange. Je ne sais même pas si elle continuera de demeurer à Camden pour toute la durée de sa grossesse si je refuse le bébé. Son engagement envers Kristoffer se termine ce mois-ci.

— Où irait-elle?

— Je ne sais pas. Elle n'a que peu ou pas d'argent.

— Je ne peux pas l'imaginer vivre ici, Elsa.

— Peder, elle fait partie de la famille.

Il lui jeta un bref coup d'œil. Si Tora venait vivre à la maison, il vaudrait peut-être mieux qu'Elsa et lui partent ensemble à bord du *Sunrise*. La jeune fille pourrait ainsi trouver sa propre voie, et ils s'épargneraient la douleur d'avoir à la surveiller. Mais il avait encore du temps devant lui avant d'annoncer à Elsa qu'il lui permettrait peut-être de l'accompagner en mer. Pour l'instant, ils n'auraient qu'à se mettre d'accord sur leur désaccord jusqu'à ce qu'il ait mûri sa décision.

C'est à la mi-décembre que Tora trouva finalement le courage de parler à Kristoffer. Chaque jour, il devenait de plus en plus clair que Kris éprouvait des sentiments envers elle, et elle savait qu'il prendrait mal la nouvelle. Elle choisit de lui dire un soir que les garçons étaient couchés et que Kristoffer se préparait à aller dormir dans sa cabane décrépite.

— Kristoffer, attends. Je dois te parler.

Il se tourna vers elle, les yeux doux dans la chaleureuse lumière du feu. L'espoir se lisant sur son long visage, il avança ensuite d'un pas. Il tordit son chapeau dans ses mains.

— Je dois aussi te parler, Tora.

— Attends, dit-elle, en levant la main et s'assoyant sur le bord de la chaise berceuse près du feu. Laisse-moi parler la première. Je ne crois pas que tu auras beaucoup à me dire après coup.

À l'extérieur, des gouttes de pluie grosses comme des billes commençaient à battre sur le toit.

— Si c'est au sujet de ton départ à la fin du mois…, commença-t-il en s'assoyant sur un banc près d'elle.

— Non, l'interrompit-elle. C'est au sujet de nous deux. J'ai passé de meilleurs mois que ce à quoi je m'attendais, Kris. Tu as été gentil envers moi. Mais je vais partir à la fin du mois.

— Tu n'es pas obligée. Tu pourrais rester…

— Non, je vais partir, se dépêcha-t-elle d'insister. Tu vois, Kris… j'attends un bébé.

Karl ouvrit la bouche légèrement, et même dans la faible lumière, Tora le voyait blêmir. Il secoua la tête, puis la déposa dans ses mains.

— J'ai été si stupide, dit-il. Ça se passait sous mes yeux tout ce temps-là.

Son incrédulité se changea en colère. Il se leva, la pointant du doigt.

— Je commençais à m'intéresser à toi. Mais tu es… tu n'es rien qu'une petite…

Elle bondit sur ses pieds, immédiatement sur la défensive face à sa colère montante.

— Une quoi ? De quoi allais-tu me traiter, Kristoffer ? As-tu pris le temps de penser qu'on m'a fait du mal ? Blessée ? Prise sans mon consentement ?

Vertueusement indignée, Tora commençait à croire sa propre histoire.

Les mots restèrent suspendus dans l'air un long moment. Puis Kristoffer fronça les sourcils encore plus, et ses yeux s'assombrirent.

— Sors, dit-il d'une voix grave. Sors. L'entente ne tient plus.

Tora fit un pas en arrière et heurta la berceuse sur laquelle elle retomba assise. Il s'attendait à ce qu'elle sorte sous la pluie? En pleine nuit?

— Sors!

Il fit un pas vers elle et lui prit le bras, la forçant douloureusement à se lever. Il la tira jusqu'à la porte, prit un châle qui pendait à un crochet tout près et le lui mit brutalement dans les mains.

— Tu pourras revenir chercher tes choses demain, mais tu ne passeras pas une nuit de plus sous mon toit.

Sur ces mots, il la poussa dehors, et il referma la porte derrière elle.

Tora se renfrogna, enragée qu'il puisse la traiter ainsi après tout ce qu'elle avait fait pour lui et les garçons. Et sous la pluie! Elle mit rapidement le châle sur sa tête, mais elle fut trempée en quelques secondes. Elle n'avait pas prévu une telle réaction. Elle n'avait même pas eu le temps de lui raconter son histoire, de gagner son appui! Ayant réussi à convaincre Elsa et Peder, elle croyait sûrement pouvoir récidiver auprès de Kris. Mais il l'avait jugée sans appel! Et il se disait chrétien...

La fureur et la confusion lui tirèrent vite les larmes. Sa fierté l'empêchait de cogner à la porte ou d'aller chez sa sœur. Elle avait besoin de temps pour réfléchir. Mais où?

Une lumière au sommet de la colline brillait comme un phare à la rescousse d'un bateau perdu. Karl. Si exaspérant fût-il, il ne refuserait pas d'accueillir une femme détrempée et hystérique venue frapper à sa porte. Elle regarda vers la maison de Bessie et Richard à sa gauche, et vers les maisons de Bjorn et de Mikkel à sa droite. Toutes étaient plongées dans l'obscurité.

« Ce sera chez Karl », décida-t-elle.

Karl était assis auprès du feu, quelque peu somnolent, à lire *L'Américain* de Henry James, lorsqu'il entendit cogner à sa porte. La surprise fut telle qu'il se leva instantanément, tout à fait réveillé. Il n'avait pas pensé que ce pouvait être Tora, mais elle était là, en pleurs, trempée jusqu'aux os et hystérique. Elle le regarda au travers de ses longs cils. De ses yeux bleus, elle capta son regard. S'il lui regardait les yeux assez longtemps, il pourrait parvenir à croire qu'Elsa se trouvait devant lui. Comme dans un rêve, elle se précipita dans ses bras, et il lui fit une étreinte maladroite.

Son petit corps froid mouilla les vêtements de Karl, qui recula d'un pas.

— Entre, Tora, dit-il d'un air sévère en faisant un signe vers le foyer. Tu es complètement trempée.

— Il m'a jetée dehors ! Sous la pluie ! sanglota-t-elle en s'assoyant dans son fauteuil près du feu.

Il faisait vraiment froid à l'extérieur, Karl croyait même que la pluie allait se changer en neige au cours de la nuit, et Tora ne portait qu'une robe mouillée et un châle. Elle tremblait si fort qu'il se mit à s'inquiéter après un moment.

— Tu dois enlever ces vêtements mouillés. Va dans la chambre, enveloppe-toi de la couverture de mon lit, et reviens auprès du feu. Je vais te verser du thé.

— Merci, dit-elle, la voix tremblotante en raison des soubresauts qui la secouaient tout entière.

Elle revint un instant plus tard, son cou nu et ses épaules nues dépassant de la couverture. Karl détourna le regard. Une terrible raison, quelle qu'elle fut, devait avoir incité Kristoffer à agir comme il l'avait fait envers Tora, et Karl refusait de se laisser piéger par cette dernière.

— Tu peux me raconter ? lui dit-il comme s'il s'adressait à un enfant.

— Il n'y a rien à raconter ! C'est un véritable tyran !

D'une main tremblante, elle leva la tasse jusqu'à ses lèvres et aspira une gorgée de thé chaud.

— Je ne te crois pas, Tora. Kris est l'un des hommes les plus raisonnables que je connaisse. Qu'as-tu donc fait ?

Tora lui décocha un regard malveillant, puis fixa de nouveau le feu. Elle souleva le menton.

« Nous y voilà », songea Karl, un peu amusé par ses manières.

Au moins, elle le distrayait en cette longue soirée solitaire.

Mais elle n'eut pas l'occasion de placer mot. Un cognement à la porte l'arrêta, et elle jeta craintivement un regard par-dessus son épaule.

— Kris ? lui demanda calmement Karl en haussant un sourcil.

Il se rendit d'un pas nonchalant à la porte et l'ouvrit. Kristoffer se tenait dans l'embrasure, la pluie tombant de son chapeau trempé sur son ciré.

— Karl, dit-il en hochant brièvement la tête. Je cherche Tora. Nous nous sommes disputés et…

Sa voix s'estompa lorsque Karl fit un pas de côté pour lui laisser voir Tora devant le feu. Karl comprit trop tard ce qui s'offrait à la vue de Kris : les épaules nues de Tora qui dépassaient d'une couverture. Dans un hurlement, Kristoffer se rua sur Karl, qui se retrouva plaqué au sol, le souffle coupé. Kris lui donna un coup de poing avant que ce dernier ne retrouve son équilibre, mais Karl arrêta le coup suivant.

— Attends ! Ce n'est pas ce que tu penses !

— Si ! J'en ai assez vu…

— Kris ! Elle est arrivée toute détrempée et frissonnante. Il fallait qu'elle enlève ses vêtements mouillés. Nous ne faisions que parler.

Kristoffer porta le regard vers Tora, qui se tenait maintenant près de son fauteuil et qui les regardait comme s'il s'agissait d'une pièce de théâtre.

— Est-ce vrai ?

Elle hocha la tête, pour une fois apparemment sans voix.

Kris, qui se sentait de toute évidence comme l'idiot du village, se leva et aida Karl à se remettre sur pied.

— Je… je suis désolé, dit-il, visiblement malheureux.

— Ça va, dit Karl en se massant les mâchoires endolories. Tora semble passée maître dans l'art d'extirper ce qu'il y a de meilleur en chacun.

Ensemble, ils la regardèrent, et elle leva le nez en l'air.

— Si tu crois que je vais rentrer avec toi, Kristoffer Swenson, tu ferais mieux d'y repenser.

— Tora, je… euh… j'ai été injuste. J'aurais dû te laisser me raconter comment c'est arrivé.

— Comment quoi est arrivé ? demanda Karl.

— Comment elle… commença-t-il, mais, gêné, il refusa d'en dire davantage.

— Comment je suis tombée enceinte, dit Tora avec défiance en dévisageant Kris, puis Karl. Un homme a abusé de moi à bord du *Herald*, commença-t-elle, détournant le regard comme ses yeux s'emplissaient de larmes. Mais ma peine n'est pas terminée, n'est-ce pas ? Je devrai subir les jugements encore et encore. Comment vais-je vivre ? Qu'adviendra-t-il de mon enfant ?

Kristoffer se serra les mâchoires en s'approchant de Tora en pleurs tandis que Karl assemblait les pièces du puzzle. Tora enceinte. Le *Herald*. Soren Janssen. Tout concordait, et Karl fit une courte prière pour eux tous. Que Dieu leur vienne en aide, quel gâchis. Et Kris qui croyait l'histoire de Tora.

Karl se sentait déchiré, il ne savait que faire. Tora le regarda avec ses grands yeux bleus qui lui faisaient tant penser à Elsa, le priant manifestement de ne rien ajouter. Et Kris… eh bien, Kristoffer avait besoin d'elle. Il avait besoin d'une femme et d'une mère pour ses enfants. Et Tora, puisque Soren était le mari d'une autre, avait besoin d'un père pour son enfant. Peut-être que la meilleure solution pour tous serait qu'ils s'épousent. Alors, il n'ajouta rien tandis que les deux parlaient à voix basse près du feu.

Ils partirent ensemble quelques instants plus tard, après que Tora eut remis sa robe mouillée dans la chambre tandis que Kris s'excusait encore une fois d'avoir tiré des conclusions hâtives. Lorsque Karl ferma la porte derrière eux, il fit une autre prière de remerciements, reconnaissant de ne pas être celui qui devrait composer avec cette fille.

Mais Karl savait qu'il ne dormirait pas cette nuit-là, car il avait l'impression qu'il venait de mettre au pâturage un agneau avec une louve.

Kaatje frissonnait sous sa courtepointe, regrettant l'édredon en duvet de sa tante qu'elle avait laissé à Bergen. Son ancien lit de plumes et son édredon lui auraient peut-être permis de lutter sur un pied d'égalité avec ce froid mordant. Elle fixait la chandelle qu'elle faisait brûler à côté de son lit, attendant nerveusement que Soren rentre de l'étable. Kaatje avait entendu parler de ces histoires d'hommes qui se perdaient dans la neige entre la maison et l'étable, errant jusqu'à ce qu'ils meurent de froid, mais Soren avait insisté pour sortir.

À l'extérieur, le vent sifflait, et cette cabane mal construite sur leur nouvelle terre n'arrivait pas à l'empêcher de se faufiler à l'intérieur. Elle devait admettre que des fenêtres et des planchers de bois donnaient un air plus civilisé que le pisé, mais les murs n'offraient pas la même isolation que la bonne vieille boue. Ça et là, Kaatje avait tenté de boucher des fissures avec des chiffons, mais le vent s'infiltrait tout de même. Et dehors, la première neige commençait à tomber. Oh, comme elle aurait voulu être dans les bras de Soren ! Et s'il ne revenait jamais, la laissant seule dans la prairie du Dakota ! S'il pouvait simplement rentrer à la maison et aller au lit avec elle, elle pourrait se détendre, confortablement au chaud contre son corps pour leur première tempête hivernale.

La porte s'ouvrit et des flocons tourbillonnants précédèrent l'entrée d'une silhouette sombre. Kaatje s'assit, la main à la gorge, le cœur battant contre sa poitrine.

— Soren ! Tu m'as fait peur

— Quelle solitude sur ces terres, n'est-ce pas ?

Kaatje sourit et souleva les couvertures.

— Si. Maintenant, déshabille-toi et viens me rejoindre. Je songeais justement qu'il ferait bon que tu viennes te coller contre moi.

Il fut auprès d'elle en un instant et il la prit dans ses bras.

— Devrais-je éteindre la chandelle ? demanda-t-il.

— Pas tout de suite.

Elle regarda par la fenêtre les énormes flocons tourbillonner et tomber, un spectacle enchanteur et hypnotisant. Ils restèrent allongés un long moment avant que le bébé ne bouge. Soren, surpris, retira sa main.

— Qu'est-ce que c'était ?

Elle sourit, se sentant comme le père Noël, ou « Saint Nick », comme l'appelaient les Américains.

— Eh bien, c'est ton enfant, répondit-elle.

Soren siffla et s'assit. Kaatje soupira, s'ennuyant déjà de sa chaleur pendant qu'il attendait que le bébé se manifeste encore, la main placée sur son ventre gonflé. Après un moment, le bébé donna un autre coup de pied, puis il se retourna.

Soren en resta bouche bée.

— Tu sens ça tous les jours ?

— Chaque jour, toute la journée.

— C'est un miracle ! cria Soren.

Kaatje rit de son exubérance.

— Oui, en effet. Et bientôt, le bébé va sortir faire notre connaissance, commença-t-elle, avant que cette pensée ne l'assombrisse. Je ne veux pas être seule, ce jour-là, Soren. Tu devras aller chercher Eira.

— Dès que tu me le diras, jura-t-il solennellement en lui caressant la joue. Ne t'inquiète pas, *elskling*, ajouta-t-il en se penchant vers son ventre pour s'adresser au bébé. Et je vais m'occuper de toi aussi. Devrais-je te parler de toutes les fermes que nous aurons un jour, mon grand ? Qu'il pleuve, qu'il fasse beau, toi et moi établirons ici un ranch qui s'étendra sur des kilomètres. Pour ta maman et moi, ce n'est qu'un début.

Chapitre 17

Lorsque Peder revint à la maison à Noël avec une lettre des parents d'Elsa, ce fut pour elle le plus beau des cadeaux. Elle étendit la lettre sur ses genoux, savourant chaque mot sous ses yeux comme s'il s'agissait d'un câlin de sa mère éloignée, et elle se mit à lire à haute voix. Peder s'installa dans un fauteuil tout près pour l'écouter.

« Le 15 novembre 1880
Chers Elsa et Peder,
Joyeux Noël à vous deux, et bonne année. J'aurais dû vous écrire plus tôt, mais j'ai été passablement occupée ces derniers temps. J'espère de tout cœur que vous vivez des jours heureux et que vous serez bien installés pour l'arrivée de la nouvelle année. Nous avons été si soulagés d'apprendre que Tora va bien et qu'elle est avec vous. Merci de nous avoir immédiatement avertis. Au moment de sa fuite, Amund et moi avions tout de suite conclu qu'elle devait se trouver à bord du Herald. Je suis désolée, mes chers, de tous les embêtements que vous devez

supporter en raison de sa décision impétueuse. Merci d'avance de vous occuper d'elle. »

Elsa jeta un coup d'œil à Peder. Sa mère ne savait pas, pas encore, tout ce qui était arrivé à Tora pendant et après la traversée à bord du *Herald*. Serait-elle fâchée contre sa fille aînée de ne pas avoir pris Tora sous son aile ? Elsa continua sa lecture.

« Je vous communique d'abord une bonne nouvelle : Garth s'est mis à courtiser sérieusement Carina, et pour la première fois, elle semble ouverte à l'idée. Peut-être que votre mariage à vous, plus jeunes, leur en a donné envie. En tout cas, je m'attends à une demande officielle d'un jour à l'autre.

J'ai aussi de mauvaises nouvelles dont je dois te faire part : ton cher père faiblit. »

Elsa laissa tomber la lettre sur ses genoux. Papa ! Il faiblissait. Et il était si loin…

— Elsa, poursuis ta lecture, lui suggéra Peder, ce n'est peut-être pas si pire qu'il n'y paraît.

Les mains tremblantes, Elsa reprit la lettre.

« Le docteur croit qu'il s'agit de nouveau d'un problème cardiaque. Il est alité depuis des semaines, il se sent faible et il a les orteils et les doigts engourdis. Il ne peut pas travailler, et il se démoralise d'être ainsi obligé de garder le lit. Mais le pire s'est produit il y a trois jours. Il a eu une attaque, et maintenant il ne peut plus se servir de son côté gauche et il a de la difficulté à prononcer ses mots. Je dois lui donner sa soupe à la cuiller et lui fermer les lèvres pour qu'il avale.

Pardonnez-moi de vous le dire aussi froidement, mes chers, mais je prie pour que la mort l'emporte s'il ne peut plus guérir. Je lui souhaite de reposer en paix au paradis et de retrouver sa forme auprès de Jésus. Un homme aussi fier qu'Amund ne peut vivre dans un tel état. Ce serait pire de le regarder dépérir lentement que de pleurer son départ. Allez-vous m'accompagner dans mes prières ? Pour qu'il guérisse ou que la mort le libère.

Je suis reconnaissante d'avoir Carina auprès de moi, mais mes deux autres filles me manquent. Encourage s'il te plaît Tora à m'écrire. Les jeunes doivent faire leur propre chemin dans la vie, nous lui avons pardonné sa fuite. J'aimerais recevoir une lettre de sa part. Je vous envoie à chacun mon amour et je récite une prière d'abondance à votre intention.

Une mère aimante,
Gratia »

— Oh, Peder, je dois absolument me rendre auprès d'eux !

Peder se leva, s'approcha d'elle et déposa une main sur son épaule.

— Je suis désolé, ma chérie. C'est impossible. Fort peu de bateaux oseraient entreprendre la traversée en plein hiver. Regarde dehors.

Les yeux d'Elsa se tournèrent vers les eaux grises tourbillonnantes, puis vers sa peinture. Elle savait qu'elle se montrait irrationnelle, mais son cœur était meurtri à l'idée que son père ne trépasse avant qu'elle ne puisse l'embrasser une dernière fois. Elle voulait s'envoler comme les oiseaux vers Bergen, marcher dans les collines qui dominaient le fjord et observer de nouveau les aurores boréales à ses côtés.

— Non, dit-elle tristement en laissant couler ses larmes. Il ne peut pas mourir maintenant. Il ne peut pas. J'ai encore tant à lui communiquer ! Peut-être que mama pourrait l'amener ici au printemps. Peut-être que nous pourrions aller les chercher !

Elle leva le regard vers Peder, aussi désespérée que pouvait l'être le ton de sa voix.

Il s'agenouilla à côté d'elle et lui prit la main. Son visage était triste.

— Mon amour, je comprends ta douleur. Mais ils sont si loin. Lorsque tu es montée à bord du *Herald*, tu leur disais en réalité adieu à jamais.

— Mais Karl a dit…

— Quoi ?

— Que tes bateaux passeraient peut-être un jour par Bergen. J'avais cru que je reverrais un jour mes parents. Au moins une fois. Et maintenant, Papa se meurt.

Elle ne put rien ajouter, car les larmes l'étouffaient. Elle se sentait si éloignée ! Si retirée ! Si impuissante !

— Tu sais que je te ramènerais chez toi si je le pouvais. Mais c'est impossible. C'est vraiment trop dangereux. Nous devons rester ici et prier pour tes parents. Concentre-toi sur le Seigneur, Elsa. Il va nous guider.

— Dieu ! Mais où est-Il ? Il ne peut pas vouloir cette épreuve.

— Nous allons tous mourir un jour.

— Mais pas Papa ! Il est trop jeune !

— Il a presque soixante-dix ans. Son propre père est mort à quel âge, déjà ? Soixante-cinq ?

Dans sa tentative de raisonner Elsa, celle-ci se fâcha. Ne voyait-il pas qu'elle ne voulait pas recevoir une leçon de logique, mais bien de l'amour et de la commisération ? Pourquoi les hommes devaient-ils toujours tout trancher avec leurs inévitables commentaires pratiques ?

— Je dois aller trouver Tora, dit-elle froidement en se levant et en retirant ses mains des siennes.

— Elsa...

— Je dois trouver Tora ! répéta-t-elle en se précipitant hors de la chambre.

Comme Elsa ne se levait pas pour le dîner, Peder se rendit à leur chambre. Il avait sûrement failli à ses devoirs, en après-midi, pensait-il, lorsqu'il avait tenté de la raisonner. De toute évidence, elle n'était pas d'humeur à entendre des faits si crûment. Comprendrait-il un jour les subtilités du mariage ? En comparaison, il était simple de gouverner un bateau. Les hommes étaient des hommes, et ils se comprenaient facilement. De plus, en tant que capitaine, ce qu'il disait faisait loi, contrairement à chez lui. Les mêmes tactiques, employées à la maison, tendaient à engendrer du mécontentement, ce qui était loin du havre idyllique qu'il s'était imaginé trouver sur la terre ferme. C'était un tout nouveau monde dans lequel Peder se sentait comme un explorateur.

Elsa était allongée sur le lit dans une obscurité morose. Peder alluma une lampe à l'huile au-dessus de sa tête et il déposa doucement sa main sur elle. Elle avait au moins cessé de pleurer. Il chercha les bons mots pour atténuer sa douleur.

— Mon amour ? osa-t-il.

— Oui, répondit-elle. Je suis désolée, Peder. Je me suis tenue éloignée de toi toute la journée, mais je sentais que j'avais besoin d'être seule.

— Je ne t'en veux pas. J'ai été ridicule. Tu avais manifestement besoin d'une oreille attentive, pas d'un capitaine au gouvernail.

Elle se retourna et fit un petit sourire.

— Ce n'est pas de ta faute. Tu essayais simplement de me faire voir la réalité en face.

— Au prix de ne pas m'occuper de toi de mon mieux.

Elle rit sans joie.

— Nous apprenons encore tous les deux. Nous avons jusqu'à maintenant passé toi et moi autant de temps éloignés qu'ensemble l'un et l'autre.

Peder lui prit la main et l'appuya sur son cœur.

— J'ai réfléchi ces derniers temps. Je ne suis pas encore certain de ma décision, la prévint-il, mais j'admets que ce serait bien de t'avoir à bord au printemps.

Elsa hocha la tête, de toute évidence effrayée d'en ajouter pour l'instant.

— J'ai un cadeau pour toi.

— Pour moi ? demanda-t-elle en se retournant pour s'asseoir.

— Eh bien, oui. C'est Noël, tu te souviens ? Même si la journée a mal commencé, elle devrait se terminer sur une bonne note.

Ils avaient célébré la veille avec de nombreux amis de Camden, se réservant la journée pour eux deux.

Peder se leva du lit et alla chercher un énorme tableau emballé près de la porte. Elle mit quelques secondes à défaire les ficelles de l'emballage de papier brun, puis son visage s'illumina de joie, comme chez un enfant.

— Oh, Peder ! Un Long ! Une peinture de Fergus Long !

Elle regarda attentivement la peinture avec révérence, puis elle lui demanda de rapprocher la lampe. C'était une représentation de trois brigantins et d'un trois-mâts à l'aube au port de Boston.

— Regarde tous ces détails ! Son œuvre est si apaisante, c'est presque spirituel.

Peder sourit, content que son cadeau lui plaise tant et qu'il lui permette d'oublier son père quelques instants.

— Il a accepté de te prendre comme élève.

— Comme élève? demanda-t-elle avec étonnement, comme si elle ne saisissait pas tout à fait la nouvelle.

— Oui. J'ai pris la liberté d'emporter deux de tes peintures pour les lui montrer...

— Non! Comme c'est terrible! Elles ne sont pas adéquates. Peder, tu aurais dû me le demander...

— Et il a été très impressionné. Il croit que tu as un don naturel qui doit être cultivé. En fait, Long a exigé que je t'emmène le voir.

— Tu te moques de moi.

— Non, dit Peder en mettant la main dans sa poche de veston pour en sortir deux billets de train. Nous partons la semaine prochaine. Nous resterons au moins une semaine à New York, peut-être plus, si tes rencontres se déroulent bien avec monsieur Long, et nous descendrons au Park Avenue Hotel. Joyeux Noël, mon amour.

— Oh, Peder, cria-t-elle en le faisant tomber sur le lit pour l'étreindre. C'est merveilleux! Tu es un mari vraiment, vraiment formidable!

Il gloussa et pencha la tête en arrière.

— Incroyable comment quelqu'un peut passer de goujat à mari merveilleux en un jour, n'est-ce pas?

La solution au dilemme de Tora se présenta dans le même sac postal que l'affreuse lettre de sa mère. Elle était plus désolée pour sa mère que pour son père. Il devait être horrible de voir quelqu'un dépérir sous ses yeux. Tora secoua la tête et se dandina jusqu'au poêle pour sortir les biscuits du four. Au cours de ses six mois de service, Tora était devenue assez bonne cuisinière. C'est ainsi que, ayant lu sur l'expansion des chemins de fer et sur le besoin urgent de restaurants décents le long des voies ferrées, elle avait concocté un plan.

Elle resterait avec Kristoffer et les garçons plus longtemps que prévu, car elle pourrait ainsi continuer à épargner et à se préparer. Kristoffer avait commencé à lui verser un salaire, et avec cet argent, de même qu'avec celui qu'elle avait dérobé à son père, elle pourrait se rendre au Minnesota et il lui resterait encore un montant assez important à verser dans un compte d'épargne.

La lettre qui venait d'arriver était comme une réponse à ses prières. Dieu lui souriait finalement après tout ce temps. Dans sa missive, Trent Storm, un nabab des restaurants des chemins de fer, la convoquait à une entrevue en mars. Un poste s'ouvrait sur la ligne Northern Pacific, et le bilinguisme de Tora serait utile.

Trent Storm avait copié son style d'affaires sur Fred Harvey, homme d'affaires réputé, en aménageant des restaurants le long des chemins de fer. Ces cantines étaient devenues si populaires que les sociétés de chemins de fer faisaient de la publicité pour leurs billets en annonçant « Mangez en route chez Storm ».

Tora avait lu un article au sujet de cet homme peu après être arrivée en Amérique et elle se souvenait qu'il aimait embaucher « des jeunes femmes attirantes ayant de bonnes valeurs et agréables de caractère ». Les restaurants Storm ne servaient jamais de nourriture en boîte, et ils coordonnaient leurs menus de manière à ce qu'aucun client ne mange deux fois le même repas en chemin. C'était une amélioration majeure par rapport aux anciens relais routiers, où les voyageurs se faisaient souvent servir de maigres repas, des repas gâchés ou des repas infestés de vermine.

Tora avait considéré comme providentielle la parution d'une annonce à cet effet dans le journal. Même si les « filles de chez

Storm » étaient « soigneusement choisies, surveillées de près et vivaient dans un dortoir », on s'attendait aussi à ce qu'elles vivent dans « l'Ouest sauvage et dangereux ». Ça lui semblait bien, songea Tora en riant, tout en observant par la fenêtre cette petite ville somnolente au sud. Ce serait dans cet Ouest sauvage et dangereux qu'elle trouverait un homme brillant à l'esprit entrepreneurial digne de la conquérir.

— Duluth, dit-elle en lisant l'en-tête encore et encore.

C'était sûrement une plus grande ville que Camden. Peut-être même plus grande que Boston ! Et tout irait à merveille. Elle resterait à Camden encore quelques mois, elle aurait son enfant, puis elle quitterait ce lieu maudit à jamais. Mais il y avait un hic : monsieur Storm voulait la rencontrer en mars, mais elle ne devait accoucher qu'en avril. Elle pourrait sûrement reporter l'entrevue au mois de mai.

« Monsieur Storm, formula-t-elle dans sa tête, en raison d'une urgence familiale, j'ai le regret de vous annoncer que je ne pourrai pas arriver à Duluth avant mai. »

Une fois au Minnesota, elle étudierait les options pour son enfant. Elle pourrait sûrement trouver des parents adoptifs adéquats dans une si grande ville ! La semaine précédente, Elsa l'avait informée, les larmes aux yeux, que l'enfant était la responsabilité de Tora, indépendamment de la façon dont celle-ci était tombée enceinte. Elle prévoyait voyager avec Peder… Un enfant serait de trop… Tora et son enfant pouvaient venir demeurer chez eux…

C'était une sans-cœur, conclut Tora, refusant d'écouter un autre sermon de sa sœur aînée. Elle verrait bien ! Le moins qu'elle eût pu faire aurait été de prendre l'enfant, de sa propre chair et de son propre sang, et dire à leurs parents qu'il était le sien. Elle exigeait plutôt que Tora leur écrive pour leur annoncer la nouvelle ! Tora ne pouvait s'y résoudre, ce serait là un choc qui pourrait tuer leur père !

Tora rit jaune, songeant une fois de plus aux exigences déraisonnables de sa sœur. Elle n'écrirait certainement pas maintenant à ses parents. Non, sa famille serait bientôt chose du passé. Elle avait toute une vie devant elle. Et cette vie commencerait dans un endroit du nom de Minnesota.

Chapitre 18

KARL SE PENCHA VERS L'AVANT LORSQUE LE TRAIN S'ARRÊTA DANS UN grincement de freins. Il se leva dès qu'il entendit l'annonce du chef de train :

— Saint Paul ! Les passagers à destination de Minneapolis doivent descendre au prochain arrêt !

En parcourant l'allée, Karl sourit pour la première fois depuis ce qui lui avait paru des semaines. Il était à des kilomètres de Camden-by-the-Sea et d'Elsa, et il avait déjà suffisamment à penser pour se tenir l'esprit occupé. Ses pairs à New York l'avaient beaucoup aidé dans ses recherches l'automne précédent, mais ils l'avaient prié d'aller rencontrer John J. Hall à Saint Paul. Karl lui avait écrit une lettre, et l'un des associés de M. Hall lui avait répondu qu'il était le bienvenu. Les Américains étaient fantastiques, conclut Karl en descendant les marches abruptes du wagon de passagers. Ouverts et chaleureux pour la plupart, ils tendaient même la main à un concurrent potentiel.

Il regarda autour de lui tout en ajustant son long manteau croisé qui lui donnait fière allure avec sa cape aux épaules, ses poches à rabat et ses larges manchettes. Il toucha le rebord de son chapeau melon lorsqu'une jeune brunette attrayante tourna les yeux en sa direction, et il se sentit plus vivant que jamais depuis des mois. S'il ne pouvait avoir Elsa, peut-être qu'une autre femme gagnerait son cœur. Dans l'intervalle, il avait fort à s'occuper avec son entreprise. Il avait l'intention de devenir lui-même un magnat à la tête d'une fructueuse entreprise de vapeurs. Les chantiers Ramstad n'étaient qu'un commencement, Karl se rendrait plus loin. Il visait en effet beaucoup plus.

Comme les passagers quittaient graduellement le quai, quelques gentlemen venus attendre des visiteurs devinrent plus faciles à voir. Karl les observa l'un après l'autre, et il en remarqua finalement un qui lui lança un regard accueillant.

— Monsieur Martensen ? demanda l'homme en s'approchant.

— Oui monsieur, dit Karl en lui tendant la main. Vous devez être monsieur Bresley.

— En effet. Mais vous pouvez m'appeler Bradford ou Brad, et vous pouvez aussi me tutoyer, répondit-il en serrant fermement la main de Karl.

Karl l'aima instantanément.

— Appelle-moi Karl, et tu peux aussi me tutoyer, lui dit-il à son tour.

Il étudia l'homme qui semblait avoir à peu près son âge et presque sa taille, mais avec les yeux et les cheveux bruns. Bradford Bresley lui rappelait un peu le frère aîné de Peder, Garth.

— D'où viens-tu, Karl ? lui demanda Brad tandis qu'ils circulaient entre les bagages à la recherche de la valise de Karl.

— De Bergen, en Norvège. Plus récemment, de Camden-by-the-Sea, dans le Maine.

— Ah, dit Brad. J'avais bien cru détecter un accent scandinave.

— Je suis maintenant Américain, dit Karl en pointant son sac. Le voici.

— Un homme qui voyage léger, commenta Brad. Je crois que nous allons devenir amis, ajouta-t-il en donnant une tape sur l'épaule de Karl.

À l'extérieur de la gare, il mena Karl à un magnifique carrosse. Cette voiture à quatre roues ressemblait à ces carrosses d'État qui transportent les bien nantis, et Karl avait un peu l'impression d'attirer les regards. C'était le carrosse personnel de John, l'informa Brad. En jetant un regard compréhensif au cocher et au valet, qui s'assoyaient à l'extérieur, exposés aux éléments, il monta à côté de Bresley, soulagé d'échapper aux énormes flocons de neige mouillée qui tombaient.

— As-tu déjà vu les villes jumelles ? demanda Brad.

Comme Karl secouait la tête, Brad suggéra :

— Dans ce cas, nous allons faire une visite rapide. John serait bien venu t'accueillir lui-même — il adore les entrepreneurs —, mais il est au Canada, il travaille sur le chemin de fer Canadien Pacifique.

— Sur le chemin de fer ? Je croyais qu'il était dans l'industrie maritime.

— Sa compagnie de navigation va bien. Cependant, les chemins de fer ont toujours été sa passion. En fait, il a fondé son entreprise de bateaux à vapeur pour mieux desservir les chemins de fer. Il a travaillé pour une entreprise de transport de fret jusqu'en 1866, puis il a créé sa propre agence de transport et d'entreposage sur une propriété louée auprès des chemins de fer Saint Paul et Pacifique. C'est ainsi que tout a commencé. Puisque sa firme avait été spécialement conçue pour le transfert facile des cargaisons entre les bateaux à vapeur et les trains, elle a immédiatement connu le succès. John a remporté contrat sur contrat.

— Tu admires cet homme, constata Karl.

— En effet, confirma Brad avant de s'interrompre un instant. Mon seul conseil, travaille toujours de concert avec John, ne lui fais jamais obstacle. Tant que tu garderas ça à l'esprit, tout ira bien. Si tu te mets en travers de ces plans, il va te passer sur le corps.

— Je vais m'en souvenir. Mais je doute de ne jamais rencontrer cet homme. Mes affaires seront probablement terminées avant même qu'il ne rentre du Canada.

— On ne sait jamais, dit Brad avec un sourire contagieux. John Hall ratisse large. Et il aime les marins. Il dit qu'ils sont son genre d'hommes. Tu es capitaine ?

— Premier second.

— Tu ronges ton frein avant de pouvoir prendre le gouvernail, hein ?

— Non, j'ai ma part de quarts au gouvernail. C'est l'idée de posséder un bateau qui m'attire.

— Et tu as jeté ton dévolu sur les bateaux à vapeur.

— En effet. C'est la voix de l'avenir, non ?

— Je le crois. Mais les voiliers…, commença Brad, et ses yeux prirent un air lointain. Qu'est-ce que je donnerais pour prendre le large de nouveau.

— Tu es capitaine d'un vapeur sur le fleuve ?

— Je l'étais. Depuis un certain temps, John me fait travailler à de nouveaux projets.

— Une promotion ?

— D'une certaine manière. Mais je préfère le gouvernail à un bureau. Je réfléchis à l'idée de demander une rétrogradation.

Les deux hommes rirent ensemble et continuèrent de discuter amicalement jusqu'à ce qu'ils arrivent au port.

Karl se pencha par la fenêtre. Cinq vapeurs étaient amarrés aux quais, tout droit sortis des chantiers, à en croire les bateaux frais peints. Il jeta un coup d'œil à Brad, qui lui sourit comme un parent fier de sa progéniture.

— La meilleure flotte sur la rivière Rouge, dit-il. Viens, allons rencontrer les hommes. Ils ont hâte de te raconter tout ce qu'ils savent sur la vapeur.

Après sa cinquième journée complète au chantier des bateaux à vapeur, Karl prit un bain à l'hôtel dans une profonde baignoire en cuivre, puis il revêtit les vêtements ridiculement chics que Brad lui avait la veille fortement suggéré d'acheter. Il y avait ce soir-là un bal chez un partenaire de Hall, et Brad avait resquillé une invitation pour Karl. Seule condition imposée à son nouvel ami, Karl ne devait pas l'embarrasser en portant des vêtements démodés.

— Nous voulons attirer les femmes, Martensen, avait-il dit, pas les repousser.

Karl se tenait maintenant devant son miroir pleine longueur à admirer le travail du tailleur. Le complet de fine laine bleue comportait un court veston avec une couture à la taille, des boutons recouverts et ce que le tailleur appelait une « poche à billets ». Les manchettes étaient taillées avec style. En riant, il prit la canne que Brad lui avait fortement suggéré d'acheter, et il secoua la tête en pensant à cette folie. Qu'était-il advenu du marin ? Il ressemblait à un donneur de leçons qui aurait pris les manières de la ville.

Il fut distrait par un coup à sa porte, et il alla accueillir Brad. Son ami portait un complet semblable, mais d'un brun riche.

— Nous n'aurons aucune difficulté à attirer les demoiselles, dans ces beaux costumes, dit Karl. Mais je t'avertis, Brad. Si je dois rester dans cette camisole de force trop longtemps, je vais probablement exploser.

— Pour ça, la danse va t'aider. Tu vas plonger ton regard dans les yeux d'une débutante, et tu ne penseras plus à ton complet. Mais elle, si. Tu as fait un bon achat, Martensen.

— Merci, répondit-il d'un ton sceptique.

Il suivit Brad à l'extérieur de la pièce et dans le couloir jusqu'au petit ascenseur élégant derrière son grillage de cuivre ajouré. Tandis qu'ils descendaient dans le lobby, Karl s'émerveilla encore une fois de la technologie implantée dans cette ville.

Quelques minutes plus tard, ils étaient tous deux bien assis au chaud en toute sécurité dans une voiture de louage, en route pour le bal. Ils empruntèrent la Third Street, où Karl observa au passage la myriade de magasins qui s'offraient à son regard : la boutique de vêtements Boston One Price, le magasin de tissus pour hommes R. A. Lanpher, où il avait acheté son habit cette journée-là, les magasins de tissus et d'articles de mercerie D. W. Ingersoll & Company ainsi que Mannheimer Brothers, le magasin d'alimentation Griggs & Company, la boutique de viandes fumées George Lamb — un nom prédestiné, songea Karl —, et le magasin de fruits tropicaux L. B. Smith. Oui, Saint Paul était une ville agréable. Le temps y était plutôt inclément, mais après des années en mer, Karl pouvait s'adapter à n'importe quoi.

« Je pourrais peut-être vivre ici, songea-t-il. Peut-être est-ce le choix de Dieu. »

Dès que les chantiers Ramstad seraient bien lancés, il y songerait.

— C'est une bonne quincaillerie, dit Brad en pointant Adam Decker's. Nous devrons y aller avant que tu partes, ajouta-t-il.

Karl observa encore une pharmacie, une tabagie et toute une série d'autres commerces avant qu'ils ne tournent le coin de la rue, sortant ainsi du district commercial de la basse-ville. Ils entrèrent bientôt dans un quartier résidentiel cossu, avec des propriétés qui occupaient entre le quart et la moitié d'un pâté de maisons. Les rues étaient bordées de chênes et d'érables géants ; les branches dénudées seraient magnifiques le printemps venu. Des lampadaires à l'huile illuminaient la rue.

Le carrosse s'arrêta derrière une dizaine de voitures de location semblables non loin d'un des manoirs.

— Nous attendons en file, expliqua Brad en voyant l'air déconcerté de son ami. Es-tu déjà allé à un bal comme celui-ci ?

Karl rit.

— Je suis un marin de Bergen. Qu'en penses-tu ?

— Peu importe, sourit Brad. Je vais te montrer, mon vieux. Tu n'auras qu'à me suivre.

Lorsqu'ils arrivèrent à la maison, un valet ouvrit la porte de leur carrosse, et les hommes en descendirent. Le manoir Gutzian était magnifique, de style Second Empire, avec beaucoup d'ornements. Il avait été construit uniquement de pierres, avec de superbes grandes fenêtres. Un tapis rouge avait été déroulé depuis l'entrée principale jusqu'au bas des marches de marbre. Un majordome se tenait à la porte.

— Vos invitations, messieurs ? leur demanda-t-il solennellement.

Karl chercha dans sa poche à billets et en extirpa finalement son invitation. Brad avait déjà tendu la sienne. Derrière eux, un couple montait les marches.

— Vous pouvez entrer, messieurs, dit le majordome avec un sourire détendu.

Une fois à l'intérieur, Karl put entendre de la musique et des rires. Ils tendirent leurs chapeaux et leurs manteaux à un valet, puis Karl suivit Brad dans le majestueux escalier. Il n'était jamais entré dans une telle maison. Ni la demeure des Ramstad à Bergen ni la plus belle maison de Camden-by-the-Sea ne lui étaient comparables. Le plafond s'élevait à sept mètres au-dessus d'eux au rez-de-chaussée et au premier étage. En arrivant à l'étage suivant, Karl se rendit compte que la salle de bal occupait toute la place.

À l'autre bout de la pièce, un petit orchestre jouait à merveille. D'innombrables valets et bonnes circulaient parmi les invités, leur offrant de grandes flûtes de champagne en cristal et des hors-d'œuvre élaborés. Et les femmes..., il semblait y avoir des centaines de jeunes femmes vêtues avec élégance, dont beaucoup regardaient en sa direction. Peut-être son cœur avait-il survécu à Elsa. Peut-être pourrait-il trouver une nouvelle flamme, une nouvelle vie, ici à Saint Paul.

Inconfortable, il passa son doigt dans son col. Il faisait dix degrés de plus ici qu'à l'entrée, et Karl se réjouit rapidement d'avoir acheté un complet de fine laine. Brad prit deux verres du plateau que tenait un valet qui passait parmi les invités et il en tendit un à Karl.

— À demain !

— À ce soir ! répondit Karl en cognant son verre.

— Je suis sûr que tu vas rendre folles toutes ces jeunes femmes, dit Brad, l'œil brillant.

Karl haussa un sourcil.

— Brad..., l'avertit-il.

— Fais-moi confiance, l'ami, dit-il en se tournant vers les deux femmes les plus près. Clarence ! Cassandra ! Laissez-moi vous présenter mon fascinant nouvel ami. Il est devenu depuis peu un baron dans le domaine du commerce maritime, mais il a déjà été marin et a fait le tour du monde.

Ils furent entourés en quelques minutes, et on s'arracha Karl d'un groupe à l'autre. Les femmes semblaient particulièrement intéressées à ses histoires et l'écoutaient, captivées, raconter anecdote après anecdote. Karl s'amusait de plus en plus, il aimait être pour une fois le pôle d'attraction, il n'était plus simplement premier second. Il se sentait séduisant et plein d'esprit lorsqu'il voyait rire les filles à la suite d'une tournure de phrase rigolote. Puis Brad le présenta à la fille de John Hall, Alicia.

Elle avait écouté sa dernière histoire sur son combat contre la malaria et sa traversée d'une tempête avec un équipage réduit, lorsqu'il croisa finalement son regard. Il trébucha sur ses mots et dut se concentrer pour terminer sa phrase. Alicia Hall était captivante. À peine plus grande qu'une jeune fille, elle avait toutefois les formes d'une femme mûre. Ses cheveux châtains, ses yeux d'un vert ensorcelant, sa peau d'un ivoire pâle et son décolleté légèrement plongeant la rendaient séduisante. Il toussa et détourna le regard, tentant de retrouver son équilibre, mais ses yeux étaient attirés par ceux de la jeune femme comme une ancre vers le fond de la mer.

Alicia lui sourit, s'ouvrit un passage dans le groupe comme si elle mesurait trente centimètres de plus et qu'elle était deux fois plus large, puis elle lui prit le bras.

— Capitaine Martensen, dit-elle. J'insiste pour que vous m'emmeniez sur la piste de danse.

Il ne prit pas la peine de la corriger, heureux de goûter à cette notoriété et ravi de croire, pour une fois, qu'il pourrait être capitaine. Après tout, son premier bateau à vapeur serait bientôt prêt. Si ce n'était pas durant l'année en cours, ce serait l'année suivante. Pendant qu'ils tourbillonnaient au milieu des danseurs, Karl se sentit heureux, véritablement heureux, pour la première fois depuis des mois. Il fit un sourire à Alicia, qui soutint effrontément son regard, et il s'émerveilla du désir qu'il éprouvait de la dévisager durant des heures pour mémoriser chaque détail de son visage, de ses cheveux et de son cou.

Ils passèrent finalement les heures suivantes ensemble, à parler, à danser et à rire. Karl trouvait qu'Alicia pouvait curieusement faire preuve d'effronterie et de réserve, jusqu'à ce qu'elle ne laisse paraître graduellement, au cours de la soirée, chaleur et gentillesse. Elle était charmante. À la fin du bal, après avoir traversé avec lui le hall et trouvé un coin sombre, elle se hissa même sur la pointe des pieds pour lui donner un rapide baiser.

Karl se sentit renaître. C'était sa place… un nouveau chez-lui. Il reviendrait à Saint Paul, au Minnesota, dès qu'il le pourrait.

Chapitre 19

Elsa était assise sur un tabouret et peignait nerveusement sur une grande toile, tandis que Fergus Long se tenait derrière elle à épier ses moindres gestes.

— Vous savez, monsieur Long, j'ai beaucoup de difficulté à m'exécuter, avec vous qui m'observez sans cesse. Pourriez-vous sortir et revenir me voir seulement de temps à autre ?

— Oui, oui. Cependant, il est important que je surveille votre technique.

Elsa se tourna pour observer le vieil homme trapu. Il avait un regard ferme, mais des yeux doux.

— Je vous demande pardon, dit-elle d'un air penaud en se sentant rougir. Vous pouvez bien sûr m'observer si ça vous aide à m'enseigner.

Fergus étudia la toile un moment, puis recula de deux pas avant d'incliner la tête pour regarder attentivement Elsa.

— Vous êtes une femme bien, madame Ramstad, dit-il en ignorant son rougissement. Peut-être nous y prenons-nous mal. Consacrons l'après-midi à nous connaître. Nous pourrons converser pendant que je serai à dessiner votre visage, et vous le mien. Ça vous va ?

Surprise, Elsa leva un sourcil.

— Dessiner des visages ? Mais je veux apprendre à bien dessiner des bateaux, pas des personnes.

— C'est étroitement lié, ma chère, répondit-il en lui tendant un carnet à dessin et un crayon à grosse mine.

Il s'assit à cinq pas d'elle et se prit lui aussi un carnet et un crayon.

— Maintenant, dit-il en commençant à dessiner avec le sourire, parlez-moi de Bergen. De votre famille. Des raisons pour lesquelles vous êtes venue en Amérique.

Leur amitié débuta ainsi en cette journée de fin janvier. En quelques heures, Elsa en apprit beaucoup sur cet homme et l'apprécia immensément. Elle découvrit qu'il avait environ soixante-dix ans, qu'il avait fait ses études à Paris, qu'il avait habité à Stockholm, à Londres et à Hong Kong, et qu'il était toujours célibataire. Et il apprit aussi l'histoire d'Elsa.

Long était également quelqu'un de modeste, et contrairement à la plupart de ses condisciples, il n'utilisait pas son travail pour faire la morale ou élaborer des allégories.

— Normalement, je ne peins que des bateaux et des rivages, pas de jolies femmes, dit-il avec un clin d'œil.

Ils avaient déposé leurs croquis, et il lui montrait maintenant certaines de ses œuvres.

Elsa sourit et continua d'avancer dans la galerie, où étaient accrochés tableau après tableau. Ses peintures de bateaux avaient une touche américaine qui plaisait à Elsa — un pragmatisme inspirant, une splendeur de formes inventive. Il reproduisait tous les détails avec beaucoup de réalisme. La plupart des œuvres avait été peintes dans les années cinquante et soixante. Beaucoup d'artistes l'avaient depuis dépassé en renommée, mais Elsa le considérait toujours comme l'un des meilleurs.

— Votre travail est empreint d'une certaine spiritualité que j'aimerais pouvoir reproduire dans mes tableaux, osa Elsa.

Il la regarda avec surprise.

— Que voulez-vous dire ?

— Le calme, les nuances de lumière, dit-elle en montrant de la tête une peinture du port de Boston qui ressemblait à la sienne. Il se dégage de l'ensemble une atmosphère éthérée. Vous réussissez je ne sais trop comment à vous effacer, de manière à ne pas vous interposer entre votre œuvre d'art et votre public. C'est un don.

Fergus s'esclaffa.

— Certains diraient que c'est une malédiction.

Elsa lui fit un sourire de connivence.

— Même après toutes ces années, monsieur Long, vous êtes incapable d'accepter un compliment ?

— Comme vous allez vous en rendre compte, madame Ramstad, une œuvre n'est jamais parfaite aux yeux de l'artiste.

Peder était assis dans le salon des hommes de l'hôtel à fumer un cigare cubain raffiné et à écouter avec plaisir la conversation qui se déroulait autour de lui. Il se sentait encore comme un intrus, comme un garçon qui commençait à jouer dans la cour des grands, et il avait dû se convaincre qu'il était bien à sa place. Il était, après tout, le président des chantiers Ramstad de Camden. C'était son devoir de tisser des liens avec les décideurs de New York et de partout dans le monde. Car ce serait eux qui contribueraient au succès de sa compagnie de navigation.

— Je vous le dis, le bois de charpente de Seattle figure parmi les meilleurs. Et ils en ont plein, dit Henry Whitehall — de la fameuse Whitehall Lumber Company.

Puis il prit une gorgée de whisky écossais.

Peder jeta un coup d'œil au verre que cet homme lui avait commandé, auquel il n'avait pas encore touché et sur lequel suintaient des gouttes de condensation qui tombaient sur une serviette. Whitehall était un homme de grande taille aux cheveux noirs parsemés de gris et aux yeux couleur charbon. Il affichait une contenance redoutable.

— Il y a de l'avenir là-bas, et je veux en faire partie.

— Vous prévoyez partir pour un coin perdu de l'Amérique du Nord ? demanda James Kingsley, un homme plutôt trapu avec une barbe grise taillée courte, lui-même un magnat bien établi et un vieil ami de Whitehall. J'imagine le visage d'Augusta, ajouta-t-il en faisant un clin d'œil à Peder. Non, je crois que vous allez passer le reste de vos jours à New York. Ici, votre femme fait autant partie des meubles que ma chère Hazel.

— Eh bien, si je n'arrive pas à convaincre ma vieille de partir en territoire inconnu, je pourrai peut-être me contenter d'investir.

— Ici, ici, dit Kingsley en levant son verre de cristal.

Un serveur vigilant s'approcha, avec en mains un décanteur de cristal, et il remplit de nouveau le verre de Kingsley après que ce dernier eut pris une gorgée. James jeta un coup d'œil à Peder.

— Peut-être que notre jeune ami Ramstad ici présent a déjà ses entrées dans le marché du nord-ouest, hein ? Vous voyez ? Il ne boit même pas. Un homme sage, je parie.

Il leva de nouveau son verre pour le saluer silencieusement. Peder trouva le geste ironique.

Henry retroussa les lèvres, releva les sourcils et observa Peder. C'était la première fois qu'il le regardait depuis que James avait fait les présentations. Après un moment, il hocha légèrement la tête.

— Eh bien, qu'avez-vous à dire pour votre défense, Ramstad ? Où allez-vous envoyer vos bateaux ? En Extrême-Orient ? Ou sauriez-vous vous satisfaire de transporter du bois pour mon entreprise ?

Peder tira une bouffée de son cigare et expira lentement, soucieux d'avoir l'air aussi théâtral qu'il le souhaitait et espérant que son visage ne verdirait pas sous l'effet de l'infect tabac.

— Je serais heureux d'approvisionner votre entreprise en bois de charpente, lui répondit-il, sous réserve de pouvoir me garder une large part de profits.

Les deux hommes rirent de tant d'audace.

— Vous savez bien vous y prendre, dit Henry en hochant la tête en signe d'appréciation envers le jeune homme. Et j'aime votre cran. Parlons affaires, d'accord ? Dites-moi pourquoi vous construisez un schooner plutôt qu'un bateau à vapeur.

— En fait, nous prévoyons bâtir notre premier vapeur après notre prochain schooner. Mon partenaire est présentement à Saint Paul pour rassembler des renseignements et compléter son financement. Mais pour être bien honnête envers vous, messieurs : j'ai la voile dans le sang. C'est mon partenaire, Karl Martensen, qui est passionné par la vapeur. Je veux m'essayer au gouvernail d'un schooner. Ce type de bateau est plus rapide que les clippers et plus large dans le bas, ce qui le rend parfait pour le transport de marchandises comme le bois d'œuvre.

— Votre vapeur ne sera-t-il pas plus fiable ? Et plus rapide ?

— Parfois, répondit Peder en s'interrompant pour regarder les deux hommes dans les yeux. Mais je préfère me fier aux vents que Dieu m'envoie pour avancer. Ça m'a réussi, jusqu'à maintenant. Nous allons essayer les bateaux à vapeur, mais ils sont capricieux et leurs chaudières ont tendance à exploser, entre autres problèmes. Je préfère de loin la manière que la nature nous a donnée pour voyager — le vent.

— J'admire votre fougue, dit Kingsley. J'aimerais être plus jeune. Je me rendrais avec vous dans le territoire de Washington.

— Vous seriez le bienvenu, dit Peder, qui hésita avant de poursuivre. Je considère aussi l'idée d'emmener ma femme dans mon prochain voyage.

Les deux hommes le regardèrent pour voir s'il plaisantait, puis ils se regardèrent entre eux.

— Je crois avoir vu votre femme dans le lobby ce matin avec vous, dit-il. Si vous me permettez, je dirais qu'elle a fort belle allure.

— Il veut dire qu'elle est superbe, traduisit James.

— Eh bien, euh, poursuivit Henry, l'œil légèrement rieur, je veux simplement dire que je peux comprendre pourquoi un homme ne voudrait pas laisser trop longtemps derrière lui une femme telle que Mme Ramstad.

— Effectivement, approuva James.

Peder sourit et hocha la tête, heureux de se faire confirmer indirectement qu'il avait pris la bonne décision. Après tout, maintenant, les capitaines emmenaient souvent leur femme à bord avec eux. S'inquiéter pour la sûreté d'Elsa, c'était vieux jeu. Et ces derniers mois ne l'avaient que mieux convaincu qu'il la voulait auprès de lui, à longueur de journée. Il expira. Dans la fumée odorante qui se dissipa dans l'air, il se représenta Elsa.

Tora remarqua que Kristoffer restait à la maison plus longtemps que d'habitude après le dîner, bien après que les garçons eurent été mis au lit. À l'extérieur, le vent soufflait et la neige tourbillonnait. Elle se demanda s'il était exaspéré d'avoir chaque soir à quitter la petite maison confortable et la chaleur du feu pour retourner dans cette cabane austère et son lit de fortune. Ça importait peu, en vérité. Dans quelques mois elle serait partie, et il pourrait de nouveau habiter sa propre maison. Quelles conventions ridicules, songea-t-elle. Ils ne s'étaient même jamais embrassés, et pourtant la société exigeait qu'ils dorment dans des bâtiments différents.

Le pétillement soudain bruyant du feu lui fit lever les yeux de son livre, un roman écrit par un Américain arriviste du nom de Twain, dont elle aimait d'ailleurs le style. Mais ses pensées sur l'auteur la quittèrent lorsqu'elle s'aperçut que Kristoffer la dévisageait intensément.

— Qu'y a-t-il ? demanda-t-elle nerveusement.

Il semblait inhabituellement beau dans la lumière vacillante du feu, et Tora comprit que de minuscules germes d'amour étaient peut-être en train de se développer en elle, dans son cœur. Elle se leva et lui souhaita bonne nuit, un peu crispée, se déplaçant aussi rapidement qu'elle le pouvait compte tenu de sa grossesse avancée.

— Tora.

Elle se tourna, incapable de rester, mais tout aussi incapable de quitter la pièce.

— Oui ? demanda-t-elle en feignant le désintérêt.

— Je dois te parler, Tora.

Il se leva et s'approcha d'elle. Elle recula d'un pas. Il se mit à se frotter le cou d'une main, comme pour faire disparaître une douleur.

— Tu vois… je crois que nous devrions nous marier.

Tora grogna et le contourna pour retourner à son fauteuil — comme si sa seule intention était de ramasser le livre qu'elle avait oublié.

— Quelle idée !

Il la suivit, l'obligea à se retourner et déposa une main sur sa joue.

— Tu es une femme complexe, dit-il, mais je crois que je commence à t'aimer.

Elle baissa les yeux en levant sa main pour détacher celle de Kris de son visage.

— Je n'ai pas besoin de ta charité, Kristoffer.

— Tu as besoin de quelqu'un. Malgré ce que tu essaies de faire croire au monde.

— Je peux m'occuper de moi-même.

— Et de ton bébé ? demanda-t-il doucement.

— J'ai des plans pour elle aussi.

— J'aimerais bien être le père d'une fille, dit-il en acceptant de croire que Tora ne se trompait pas sur le sexe de l'enfant à naître.

Tora leva les yeux vers lui. Il était vraiment si gentil, si adorable. Mais il représentait tout ce qu'elle voulait fuir dans la vie.

— Je suis désolée, Kristoffer, vraiment. Mais c'est impossible.

Kaatje regardait par la fenêtre, elle observait la neige tourbillonnante qui ne semblait pouvoir s'arrêter. La neige s'était déjà accumulée contre la cabane — elle avait presque atteint le rebord de la fenêtre —, et le seul bon côté était l'isolation qu'elle procurait contre le vent.

— Comme un Eskimo dans un igloo, chuchota Kaatje à Christina, sa fille d'un mois.

Ce matin-là, l'enfant était difficile, et Kaatje espéra pour la centième fois que Soren rentrerait bientôt. Il avait un don avec le bébé. Dès qu'il la prenait dans ses bras, elle avait tendance à se calmer et à vouloir faire de petits sourires.

Soren lui avait dit ce matin-là qu'il ne rentrerait pas à la maison avant le repas du soir. Il était occupé à rafistoler leur étable de fortune pour protéger leur cheval, leur vache brune et leurs poulets du vent hivernal. Kaatje savait que les animaux étaient nécessaires à leur survie, alors elle n'avait rien dit en entendant ses plans. Peut-être Soren rapporterait-il des œufs. Elle se réconforta à cette pensée et elle pétrit le pain qu'elle mit à lever sur le poêle.

Christina gémit sur le lit en se rapprochant les genoux de sa poitrine comme si elle avait mal. Après s'être rendue auprès de sa fille, Kaatje fut surprise de constater la chaleur qui émanait de ce petit corps. Le bébé était brûlant de fièvre.

— Ah non, murmura Kaatje.

Comment avait-elle pu tomber malade ? Ni Kaatje ni Soren n'avait émis le moindre reniflement au cours des derniers mois… Un début d'explication sembla germer dans l'esprit de la mère malgré ses efforts pour repousser ce à quoi elle pensait.

Fred Marquardt était arrêté la veille en traîneau pour lui demander si elle avait du courrier à envoyer en ville ou besoin de quoi que ce soit d'autre. Il avait emporté quatre lettres et rapporté par la suite un sac de farine et du beurre. Avant qu'il ne retourne chez lui, elle lui avait demandé des nouvelles de sa femme, Claire.

— Oh, elle va bien, malgré sa mauvaise grippe, avait répondu l'homme.

— Quel dommage, avait dit Kaatje. J'espère qu'elle se remettra rapidement.

— Oh, tu connais Claire, avait dit Fred. Elle va s'en tirer et se relever avant que nous ne nous en rendions compte.

En se remémorant cette conversation, elle songea à la toute menue, discrète et trop attrayante Claire Marquardt. Comment une femme aussi superbe avait-elle pu épouser un homme aussi ordinaire que Fred ? Cette réflexion la rendait mal à l'aise. Claire était peut-être devenue insatisfaite, et connaissant la faiblesse de Soren…

Il était possible que durant son bref contact avec Fred, Kaatje ait attrapé la maladie et l'ait transmise à son enfant. Et si ce n'était pas Fred l'explication. Et si, pendant que Fred était parti en ville, Soren était lui-même allé rendre visite à Claire ? Kaatje ne l'avait pas vu de la journée, la veille, et lorsqu'il était rentré pour le dîner, il avait semblé froid et distrait, se contentant de tenir le bébé contre lui et de regarder le feu. Il lui avait peu adressé la parole dans la soirée — et il avait à peine touché à son assiette.

Kaatje prit Christina et se mit à faire les cent pas dans la pièce tandis que le bébé pleurnichait. Elle se dandina d'une jambe sur l'autre, se berça, chanta, mais le bébé était de toute évidence souffrant. Était-ce la conséquence d'une autre indiscrétion de Soren ? Ou s'était-il déjà rendu auprès de Claire Marquardt avant qu'elle ne tombe malade ? Était-ce la raison de son cafard de la veille ? Après tout, les circonstances se prêtaient parfaitement à un rendez-vous galant, avec Kaatje qui croyait Soren à l'étable et Fred parti au village. Son esprit s'emporta. Son cœur pesait lourd comme une pierre.

« Je vais me rendre folle », songea-t-elle.

— Pense pour le mieux, marmonna-t-elle, incapable d'entendre ses propres mots que couvraient les cris de Christina.

Mais ça importait peu.

— Il nous faut croire en un nouveau départ. Les mauvaises habitudes font maintenant partie du passé. N'est-ce pas, Soren ?

Kaatje s'assit pour nourrir Christina, mais peu de temps après avoir bu, le bébé régurgita sur le lit et sur sa mère. Kaatje refoula ses larmes durant tout le temps qu'elle nettoya les dégâts, qu'elle se changea et qu'elle se fit du mauvais sang pour son bébé. Finalement, Christina s'endormit.

— Ô Dieu, pria Kaatje.

Elle avait elle-même l'impression d'être en sueur en songeant au nombre d'enfants qui mouraient de la grippe chaque année. Elle regarda sa fille qui transpirait, affaiblie par la fièvre.

— Guéris Christina, s'il te plaît. Et fais que je me trompe au sujet de Soren.

Elle surveilla le bébé assoupi tout l'après-midi, tout en faisant cuire le pain qu'elle comptait servir avec du porc salé et du beurre. Soren arriva finalement.

— Salut ma douce, lui dit-il avec un sourire qui disparut rapidement lorsqu'il lui vit la mine. Qu'y a-t-il ? Que se passe-t-il ?

— C'est Christina, répondit-elle en se dépêchant de fermer la porte derrière lui. Elle est malade. Je crois que c'est une grippe, ajouta Kaatje en scrutant attentivement son visage.

Mais il se détourna avant qu'elle ne puisse voir son expression et franchit les quelques mètres jusqu'au lit et au bébé. Il retira ses gants et déposa une main rugueuse sur la peau douce du bébé, puis il eut un mouvement de recul comme s'il venait de se brûler.

— Elle est bouillante ! Je vais aller chercher Eira. Elle va savoir quoi faire.

Kaatje hocha la tête en signe d'acquiescement.

— Mange d'abord un peu. Tu vas avoir besoin de toutes tes forces si la tempête ne cesse de faire rage.

Elle regarda par la fenêtre. Il faisait noir, et la neige continuait de tomber.

— Je me demande, Soren. Ce n'est peut-être pas une bonne idée que tu sortes ce soir. Regarde. Il neige encore. C'est peut-être trop dangereux. Tu pourrais te perdre.

— Tout ira bien, dit-il, la bouche pleine en passant un morceau de pain dans le beurre mou de son assiette. Les Marquardt m'ont donné hier une vieille paire de skis.

Kaatje resta figée. Soren la regarda et soutint son regard.

— Quoi ?

— Les… les Marquardt ?

— Oui. Qu'y a-t-il ?

— Je ne savais pas… je ne savais pas que tu étais allé chez eux dernièrement.

— Oui, eh bien, je suis allé emprunter une hache à Fred il y a deux jours.

Kaatje se leva et se dirigea vers la fenêtre, ne voulant pas qu'il voie son expression.

— Et tu as parlé à Fred ? Il était là pour te donner sa hache ?

— Non. Il était parti voir Engvold, la vieille fille. Mme Marquardt était là, par contre. Elle m'a donné les skis. Ils appartenaient à son père, apparemment, et puisqu'ils ont le traîneau, ils s'en servent rarement.

— T'a-t-elle donné autre chose ? demanda Kaatje, un frisson dans la voix.

— Non, répondit-il en la regardant dans les yeux. Kaatje, me demandes-tu ce que je pense que tu me demandes ?

— Devrais-je ?

Elle se tourna pour lui faire face, les mains tremblantes.

Soren se pinça les lèvres, et il la dévisagea.

— T'es-tu approché de Claire ? osa-t-elle. Assez près pour attraper sa grippe et la donner à Christina ? Fred est passé hier et il a dit qu'elle en souffre.

— Bien sûr que non ! Bon, nous étions assez proches pour qu'elle me tende les skis, mais rien de plus.

— Rien de plus ?

Elle le dévisagea et il baissa le regard.

Une seconde plus tard, il se leva soudainement, et son assiette se fracassa sur le plancher. Christina se réveilla et lança un cri de fureur.

Soren traversa la pièce au plancher grinçant, s'arrêta devant Kaatje et agita un doigt devant son visage.

— Je ne subirai pas d'interrogatoire dans ma propre maison, tu m'entends ? Nous avons recommencé à neuf, Kaatje, et je ne tolérerai pas que tu me manques de respect.

— Soren, je…

— Non, je ne veux pas t'entendre. Je serai bientôt de retour. Je vais chercher Eira pour qu'elle s'occupe du bébé.

Sur ce, il enfila son manteau dans des gestes rapides et agressifs, puis il claqua la porte derrière lui. Par la fenêtre, Kaatje regarda sa silhouette disparaître dans la nuit. Lorsqu'elle se tourna pour aller prendre avec lassitude sa fille en larmes, Kaatje éclata elle aussi en pleurs et se mit à se balancer sur le lit tandis que des sanglots lui déchiraient la gorge. Elle ne s'était jamais sentie aussi seule.

Chapitre 20

Le 14 mars 1881

CETTE JOURNÉE-LÀ, EN APRÈS-MIDI, ILS ÉTAIENT AMARRÉS À UN port pittoresque des Antilles. Elsa était complètement charmée par le turquoise translucide de l'eau. Elle n'avait jamais vu une telle eau… une telle couleur… Elle était si transportée devant ces merveilleuses nuances de vert et de bleu typiques de la mer des Caraïbes qu'elle se demandait si elle parviendrait à convaincre Peder de rester encore une journée de plus. D'autres imposants bateaux étaient ancrés tout près, et Elsa se sentait captivée par eux, désireuse de peindre leurs formes gracieuses alors qu'ils se laissaient bercer par les douces vagues qui baignaient le port. Elle était certaine qu'il aurait été impossible d'arracher Fergus Long à cet endroit, même pour le faire échapper à la mort. Elle voulait aussi capter les couleurs des villages qui bordaient les plages de sable blanc et reproduire ces étranges arbres nommés « palmiers », mais elle n'était pas non plus sans savoir qu'il lui faudrait mettre des semaines pour représenter fidèlement toute cette splendeur.

Toutefois, à observer Peder qui jetait des regards inquiets aux nuages qui se déployaient au loin, elle avait conclu qu'il voulait vite hisser les voiles du *Sunrise* à destination d'un endroit lointain de l'autre côté du cap Horn, plus précisément le territoire de Washington. Le bateau était chargé d'approvisionnements pour les villes en pleine croissance du nord-ouest des États-Unis, et, au retour, il rentrerait chargé de bois de charpente pour un dénommé Whitehall. Peder l'avait informée que cet homme avait financé une bonne partie du voyage et qu'en reconnaissance de ce geste, il avait garanti à la Whitehall Lumber Company le premier choix sur ce bois qu'ils rapporteraient avec eux.

Le bateau avait vogué paisiblement depuis leur départ de Camden, et Elsa était heureuse d'être à bord pour admirer, au fil des jours qui se succédaient rapidement, les toutes nouvelles voiles blanches sur fond de ciel azur. Quelle joie d'avoir pu être témoin du lancement du premier bateau des chantiers Ramstad ! Et que pouvait-elle demander de mieux que de faire partie du voyage inaugural ? Karl était rentré du Minnesota prêt à s'embarquer sur le *Sunrise*, mais déterminé à faire entreprendre la construction du premier bateau à vapeur. Elsa sourit en pensant à Peder, qu'elle avait observé la veille en train de débattre avec Karl, tous les deux penchés sur des dessins, son mari toujours à se demander s'il était vraiment sage de poursuivre plus avant cette transition vers la vapeur. Mais il était de plus en plus près d'être convaincu, et elle était heureuse pour Karl et reconnaissante de l'importance que prendrait cette décision dans son amitié avec Peder. Ce serait une affirmation de leur relation — en tant que partenaires et en tant qu'amis.

Kristoffer était de nouveau resté à la maison, cette fois-ci pour surveiller la construction du nouveau schooner — qui devait se faire en même temps que celle du bateau à vapeur de Karl — et pour s'occuper de sa famille. Stefan avait été promu de steward à deuxième second, et Riley de marin à troisième second. Après avoir insisté, Elsa avait obtenu de s'acquitter des tâches que Stefan avait coutume d'effectuer pour le capitaine. Karl, comme d'habitude, servait comme premier second. Quelques nouveaux marins avaient été engagés pour ce voyage, mais plusieurs membres de l'équipage avaient aussi fait la traversée depuis Bergen. Elsa avait appris que Peder était en train de se tailler une réputation de capitaine juste et bon, réussissant ainsi à se constituer un équipage loyal.

Elle-même se sentait plus près de Peder que jamais, mais elle essayait de ne pas trop lui nuire et de garder ses commentaires pour elle. Elle voulait bien s'intégrer et ne pas être considérée comme un fléau ou un fardeau. Elle voulait qu'il oublie sa présence, sauf lorsqu'il avait affaire à elle. C'était en effet le début de leur nouvelle vie, l'apprentissage d'un nouveau rythme : une maison à Camden-by-the-Sea l'hiver, et des voyages sur l'eau le reste de l'année.

Peder semblait avoir compris quelque chose lors de leur séjour à New York en janvier. Elle se demandait même si la force de persuasion de Fergus Long avait opéré dans le changement d'attitude de son mari. Après la semaine qu'elle avait passée auprès du maître, celui-ci avait insisté auprès de Peder pour lui faire admettre qu'enfermer Elsa dans une maison serait comme de museler son inspiration artistique. « Elle a besoin d'air frais, du chant des voiles », avait-il confié à Peder, qui semblait déconcerté. « Si tu ne l'emmènes pas, elle devra trouver une autre source d'inspiration pour son travail. Ne serait-il pas plus avantageux pour vous deux de simplement voyager ensemble ? »

Elsa n'avait pas demandé à Long d'intervenir en sa faveur, mais elle avait été tout de même ravie de l'entendre sermonner

Peder. Elle en avait parlé jusqu'à perdre la voix. Puis, elle avait tout remis entre les mains de Dieu… et un miracle s'était produit. N'était-ce pas un miracle ? Elle s'appuya contre son fauteuil au-dessus de la cabine du capitaine et ferma les yeux vers le soleil pour sentir la chaleur des rayons sur son visage. Il faisait chaud et humide, mais la brise marine sentait frais et la revigorait.

Elle portait une robe droite à manches très courtes faite de coton bleu et blanc, sans corset ni crinoline. Le col ouvert de forme ovale lui permettait de respirer un peu mieux. Elle était merveilleusement confortable, et compte tenu de la température ambiante de plus de 30 °C, Peder avait malgré tout hoché la tête d'approbation devant cette tenue de jeune fille. Elsa allait s'endormir pour une courte sieste lorsque la voix de Karl la surprit.

— Tous les membres de l'équipage ! cria-t-il. Tous les membres de l'équipage ! Rassemblement immédiat sur le pont pour une annonce du capitaine !

Elsa jeta un coup d'œil au premier second, se demandant encore une fois, comme à de nombreuses reprises au cours des deux derniers mois, ce qui lui était arrivé au Minnesota. Il avait changé depuis son retour ; il était encore plus distant, perdu dans ses pensées. Ses rapports avec d'autres personnes ne jurant elles aussi que sur l'avenir de la vapeur l'avaient peut-être éloigné encore davantage de ses amis de Camden. Elle n'avait eu que de brèves conversations avec lui, et là encore elle avait senti qu'il ne la regardait pas. Il avait peut-être rencontré une femme… Elsa sourit. C'était sûrement ça. Elle en était certaine. Karl Martensen était amoureux ! Cette pensée la soulagea, et elle y songea brièvement jusqu'à ce que la voix de Peder la ramène au présent.

— Comme vous le savez, cria Peder.

Il avait la poitrine sortie, affichant ce qu'Elsa appelait sa « posture de capitaine ». Il marchait en parlant, et Elsa sourit à la vue de son beau mari s'adressant à son équipage, ses cheveux bruns frisés luisant au soleil. Ce voyage-ci était différent de leur traversée en provenance de Bergen, au cours de laquelle Peder, lui-même Norvégien, avait été à la fois hôte et capitaine. Cette fois-ci, il n'était que capitaine, et Elsa adorait le voir commander, avec son équipage qui le regardait avec un profond respect. Ce qu'elle aurait manqué si elle était restée à Camden !

— Comme vous le savez, répéta Peder pour plus d'effet, j'exige que tous mes marins sachent nager. Vous dites tous être de bons nageurs, mais je veux le voir de mes propres yeux. Donc, à l'eau, les gars. Sautez par-dessus bord ! Karl va descendre dans une chaloupe pour recueillir ceux qui se fatiguent rapidement.

Plusieurs hommes grommelèrent, certains hésitèrent, mais au moins les deux tiers grimpèrent sur la rambarde du *Sunrise*, et, à grands cris de joie, sautèrent, firent des sauts périlleux ou plongèrent dans l'eau sept mètres plus bas. Leurs éclaboussures et leurs cris firent rire Elsa, qui aurait bien voulu plonger à leur suite. Une baignade aurait constitué un répit bienvenu dans cette chaleur ! Sans réfléchir, elle descendit l'échelle, traversa le pont principal et grimpa sur le bastingage. Elle hésita un instant, le souffle coupé par la hauteur. Tout de même, il lui fallait profiter du moment présent, se dit-elle, entendant vaguement Peder sermonner en ces mots ceux qui étaient restés sur le pont :

— Vous devez absolument savoir nager, bande de moussaillons, si vous voulez avoir la moindre chance de survivre à un naufrage !

Il était à leur enseigner patiemment quoi faire, leur disant qu'ils pouvaient fort bien descendre dans la mer par les cordages et s'y tenir tout en s'exerçant dans l'eau, lorsqu'Elsa prit une grande inspiration, écarquilla les yeux et fit un lent plongeon gracieux. Le dernier son qui lui parvint fut le « Elsa ! » étonné de

Karl et les cris de l'équipage lorsque ses doigts fendirent l'eau, lui permettant de s'immerger dans les fraîches profondeurs.

Lorsqu'elle émergea, se sentant aussi libre que les marsouins qui nageaient fréquemment aux côtés du *Sunrise*, Karl était en train de faire tourner sa chaloupe dans le but de se diriger vers elle, et tous les hommes restés à bord du bateau, bouche bée, la dévisageaient, Peder en tête. Son expression devint sombre, et Elsa détourna le regard, sentant venir les premiers remords d'avoir commis cet acte impulsif, mais voulant profiter un autre instant de ce moment de liberté béni avant de remonter à bord du bateau. Elle tourna la tête vers les hommes qui, dans l'eau, lui souriaient, mais elle n'aima pas le regard insistant que lui lançait le deuxième second, Stefan.

— Elsa ! lança Karl par-dessus son épaule en ramant vers elle. Tiens bon. J'arrive dans un instant.

— Ne sois pas ridicule ! cria-t-elle en levant de nouveau les yeux vers le bateau tout en évitant consciemment le regard noir de Peder. Eh, vous, là-haut ! Matelots ! Si une femme peut le faire, ne pouvez-vous pas au moins descendre dans l'eau par les cordages ?

Le défi surprit les hommes encore réticents demeurés à bord. En quelques secondes, ils enjambèrent tous le bastingage et descendirent par les cordages pour aller dans l'eau. Elsa sourit et osa regarder son mari. Elle rit lorsqu'elle le vit secouer la tête d'incrédulité. Il lui avait apparemment pardonné son incartade. Mais lorsque Peder détourna le regard, il fronça aussitôt les sourcils. Connaissant ces yeux inquiets, curieuse, elle regarda dans la même direction que son mari...

Karl, qui arrivait avec la chaloupe, lui bloquait la vue, mais l'instant d'après, une autre embarcation s'approcha avec à bord quatre inconnus. Les hommes dévisageaient Elsa avec émerveillement, et pour la première fois, elle se sentit gênée. Elle se rendit compte soudainement que sa robe ondulait autour d'elle, et elle se demanda si les hommes étaient en mesure d'apercevoir une partie ou la totalité de ses jambes dans cette eau claire. Elle se sentait nue devant leurs regards concupiscents — particulièrement devant l'homme à la proue qui semblait commander les autres — et elle était fâchée qu'ils ne cessent de l'observer. Elsa jeta un coup d'œil à Karl, souhaitant monter dans sa chaloupe pour retourner au bateau, mais il étudiait attentivement les visiteurs.

— Eh bien, eh bien, eh bien, dit l'homme à la proue, l'accent typiquement britannique. Qu'avons-nous là? Je viens saluer le *Sunrise*, et qu'est-ce que je trouve? Une sirène enchanteresse! commença-t-il en faisant une révérence. Le capitaine Mason Dutton à votre service, madame, dit-il les yeux joyeux, mais avec un rire moqueur.

Il leva les yeux vers Peder, qui se tenait à la rambarde du *Sunrise*.

— Une femme au service de l'équipage? demanda-t-il avec insolence.

Elsa remarqua que l'équipage s'était tu et restait sur place dans l'eau pour écouter la conversation. Tous étaient en état d'alerte. Juste à cause d'elle? Son cœur se serra. Était-ce ainsi qu'elle devait éviter de nuire à Peder?

— C'est ma femme, dit Peder sèchement, défiant l'homme d'en rajouter.

— Je vous demande pardon, répondit le capitaine Dutton, de toute évidence décontenancé. Une supposition des plus malheureuses, ajouta-t-il en jetant un coup d'œil à Elsa. Si j'avais une femme aussi jolie, je l'encouragerais aussi à se baigner, mais pas si effrontément avec les marins.

Karl se leva, sa main se dirigeant vers son arme de poing à la taille. Le bateau tangua légèrement. Elsa sentit son cou rougir. Elle se demanda si la gêne allait la rendre mauve.

Peder leva une main vers son ami tout en continuant de soutenir le regard de Dutton.

— Je suis le capitaine Peder Ramstad. Êtes-vous venu ici pour insulter ma femme et me mettre au défi, capitaine Dutton ?

Mason secoua la tête, souriant avec regret.

— Pas du tout, mon brave homme. Je vous prie de m'excuser si je vous ai donné cette impression. Ce que vous faites avec votre femme vous regarde.

Il baissa les yeux, soupira, puis leva de nouveau le regard vers Peder.

— Encore une fois, toutes mes excuses, et à vous aussi, madame Ramstad.

Son regard vers Elsa était cette fois réservé, poli.

— On efface tout et on recommence ? Je m'appelle Mason Dutton, je suis capitaine de mon navire marchand, le *Lark*, dit-il. Comme vous pouvez le constater, il y a longtemps que j'ai trempé dans les mondanités, et la bonne société me manque. Je me demandais si je pouvais me permettre de m'imposer en vous invitant à venir vous joindre à moi pour le dîner.

Karl se rassit lentement et observa le visage de Peder. Elsa l'observa elle aussi. Tout l'équipage attendait la réponse de leur capitaine, chacun à leur place ou se tenant aux cordages du bateau.

Peder étudia son visiteur un moment avant de parler.

— Merci de votre invitation, capitaine. Mais pourquoi ne vous joignez-vous pas plutôt à nous ? Nous avons un bon cuisinier. Le dîner sera servi à dix-huit heures pile. Vous pourrez venir avec deux hommes, pas plus.

Était-il devenu fou ? Inviter cet homme à dîner ? Elsa tourna le regard vers Karl, mais l'expression de ce dernier ne trahissait aucune pensée. Puis il baissa les yeux vers elle.

— C'est le protocole, murmura-t-il.

Ah, alors c'était ça la raison. Une règle désuète de chevalerie maritime ordonnait que Peder invite l'homme à dîner.

— Parfait, répondit Mason. À ce soir, dit-il en se tournant de nouveau vers Elsa tout en inclinant son chapeau vers elle. Madame Ramstad.

Peder observa attentivement les hommes d'équipage de Dutton qui faisaient tourner leur embarcation pour ramer jusqu'à leur bateau, un vieux clipper. Il était tendu des pieds à la tête. Puis, d'un petit geste de la main et sans regarder Elsa, il ordonna à Karl de la faire remonter à bord. Discrètement, Karl fit embarquer Elsa dans la chaloupe et s'approcha du *Sunrise*. Quelques hommes se remirent à s'arroser et à se faire couler, mais l'ambiance festive avait disparu.

Quatre marins halèrent la chaloupe au cabestan, avec Karl et Elsa à bord. Les hommes détournèrent la tête quand Elsa descendit de l'embarcation, et après un long regard triste et plein de larmes en direction de Peder, elle se dépêcha de se rendre à leur cabine.

Peder voyait qu'elle était malheureuse. Elle avait pris une mauvaise décision et en payait maintenant le prix. Il n'aurait que peu à lui dire, peut-être simplement la mettre en garde ultérieurement et s'assurer qu'elle aurait l'occasion de se baigner en privé de temps à autre. Il lui semblait maintenant évident qu'il avait négligé l'un de ses besoins. Lui-même s'était laissé emporté à l'idée d'une baignade rafraîchissante. Une partie de lui ne pouvait donc pas blâmer sa femme, qui, étouffant de chaleur, avait obéi à une impulsion.

Après être lui aussi descendu de l'embarcation, Karl rejoignit Peder sur le côté du bateau, où ils regardèrent tous les deux à distance Dutton et ses hommes grimpant les cordages jusqu'à bord du *Lark*.

— Que penses-tu de lui ? demanda Peder.

— Je n'aime pas sa façon. Cet homme pue la piraterie.

Il n'était donc pas le seul à penser ainsi, songea Peder. La piraterie avait largement été éradiquée depuis la première moitié du siècle par les patrouilles britanniques, mais les marins marchands ne pouvaient jamais être trop prudents. En effet, Peder connaissait de nombreux capitaines qui entraînaient leurs hommes au combat et les armaient en vue d'une éventuelle attaque. Peder, quant à lui, choisissait des hommes de forte constitution, mais il ne les armait pas. Ils avaient la permission d'apporter des couteaux — les outils du métier — et une arme de poing, cette dernière devant être toutefois rangée dans le coffre.

— Je suis d'accord avec toi, dit Peder. C'est pour cette raison que je ne voulais pas quitter le bateau ce soir.

— Je devrais peut-être doubler les effectifs du petit quart, proposa Karl.

— Fais le nécessaire, confirma Peder. Dis au cuisinier de prévoir un repas pour six, ajouta-t-il. Et j'aimerais que tu te joignes à nous.

Peder et Elsa, voulant profiter de moments en tête à tête, mangeaient seuls depuis leur départ de Camden.

— Parfait.

Avant de partir, Peder jeta un dernier coup d'œil à Karl.

— Comme précaution supplémentaire, postons deux hommes armés dans ma chambre à coucher pendant le repas, dit-il. Au cas où.

— Et deux autres à la porte ?

— Non, il ne faut pas attirer l'attention. Amène-moi les gardes à six heures moins le quart, nous les cacherons dans la chambre. Je veux laisser croire à Dutton que nous ne soupçonnons rien. Nous ne savons pas ce qu'il a en tête, mais nous le découvrirons peut-être ce soir.

Peder quitta Karl pour se rendre à sa cabine. À l'intérieur, Elsa pleurait doucement, assise sur le lit. Il ferma la porte derrière lui et attendit qu'elle lève les yeux. Lorsqu'elle s'exécuta, le cœur de Peder fut sur le point d'éclater.

— Elsa, Elsa, dit-il, sans aucun reproche dans la voix, uniquement désolé de ce qu'elle avait fait.

— Oh, Peder, pourras-tu un jour me pardonner ? Tout avait commencé si innocemment, vraiment… dit-elle avant de s'interrompre pour le regarder attentivement. Les hommes plongeaient, et je ne songeais à rien d'autre qu'à une baignade comme le font les enfants… qui plongent dans les belles eaux glaciales du haut des rochers.

Il s'agenouilla à côté du lit et lui prit le visage dans ses mains.

— Je sais bien que c'était purement innocent, ma chérie. Je te connais, et je sais que tu n'étais coupable d'aucune perfidie. Mais tu dois toujours prendre le temps de réfléchir avant d'agir. L'équipage en général est fiable. Karl et moi avons bien choisi nos hommes. Mais on ne sait jamais. Et avec des requins tels que Dutton qui rôdent dans les parages…

— S'il est un requin, pourquoi l'inviter à dîner ?

— Je veux avoir l'occasion de le connaître sous un autre jour. Peut-être ai-je mal jugé ses intentions. Mais si elles sont mauvaises, je veux le savoir avant qu'il n'attaque.

— Qu'il n'attaque ? lança Elsa en portant une main à sa gorge. Est-il… est-il un pirate ?

— J'espère que non. De nos jours, les pirates se font rares. Cependant, il y a encore quelques marins marchands qui se prétendent d'honnêtes hommes d'affaires, mais qui, en réalité, gagnent leur vie à voler les autres. Le *Sunrise* pourrait être en danger si nous ne restons pas vigilants.

Inconsolable, elle baissa le regard vers ses cuisses.

— C'est pour ça que tu avais peur de m'emmener.

— Oui.

Son ton trahissait le côté sombre de ses pensées. Avait-il pris une terrible décision en choisissant de l'emmener ? Pourtant, il n'avait jamais pensé que la vie pouvait être aussi belle, aussi riche avec la présence d'Elsa à ses côtés. Il était en paix avec sa décision, même face à un danger potentiel. Ils devaient avoir confiance que Dieu les protégerait.

Elsa se leva soudainement. Elle soupira et se redressa les épaules.

— Je vais faire en sorte que tu sois fier de moi, Peder. Tu verras. Je serai la dame par excellence, un trésor de femme de capitaine.

— Je suis déjà fier de toi, Elsa, dit-il en lui touchant doucement la joue. Je te chéris déjà comme un trésor.

Elle sourit et regarda le plancher.

— Si tu veux bien m'excuser, je dois me préparer pour le dîner. Nous attendons de la visite, tu sais.

— C'est ce que j'ai entendu dire, dit-il en la regardant qui s'éloignait pour aller verser de l'eau dans une petite baignoire.

Lorsque le capitaine Mason Dutton se présenta ce soir-là avec ses premier et deuxième seconds, il se comporta en parfait gentleman, n'affichant aucun des signes de mépris étalés en après-midi à l'égard des sentiments d'Elsa. La conversation allait bon train, dans la bonne humeur, et Peder commença à se demander s'il n'avait pas mal jugé son visiteur. Dutton avait un sens de l'humour charmant et incarnait en tous points les caractéristiques d'un homme d'affaires. Peut-être leur relation était-elle tout simplement partie du mauvais pied, songea Peder en souriant à une autre blague de Dutton. Après tout, il était vrai que des capitaines embarquaient des femmes pour leur équipage. Il ne frayait avec aucun d'eux, bien sûr, mais ce n'était pas tout à fait inhabituel de voir des femmes faciles à bord de navires.

Tandis que le cuisinier servait le dessert, il jeta un coup d'œil à Karl. Ce dernier, la bouche tendue, avait toujours les yeux en éveil, laissant Peder s'occuper des mondanités. Le travail de Karl en tant que premier second était de s'assurer que l'équipage et le bateau étaient en sûreté. Il n'était manifestement toujours pas convaincu que Mason Dutton ne représentait pas une menace.

Puis Peder se tourna vers Elsa. Elle avait été ostensiblement silencieuse tout le long du dîner, n'attendant de toute évidence que la soirée se termine en dépit de l'indifférence tacite de Dutton envers elle. Elle était magnifique dans sa tenue violette, et si Dutton parvenait à l'ignorer ainsi vêtue, songea Peder, c'est qu'il n'était pas intéressé.

Lorsque le capitaine du *Lark* se leva pour partir avec ses deux hommes, Peder en était arrivé à la conclusion qu'il s'était trompé au sujet de son homologue. Toute la soirée, Dutton avait été poli et charmant. Peder était même un peu gêné de faire sortir ses deux marins de sa chambre après le départ des invités dans leur embarcation. Peut-être était-ce la présence d'Elsa qui le rendait nerveux, songea-t-il, posant les yeux sur elle, peut-être devrait-il encore s'adapter à de nombreuses choses.

Elle le regarda, les yeux ensommeillés.

— Je suis contente que ce soit terminé.

— Allons, la réprimanda-t-il. Le capitaine Dutton a été charmant.

— Je n'arrivais pas à oublier l'humiliation qu'il m'a fait subir cet après-midi.

— Voyons, voyons, dit-il en lui passant le bras autour des épaules alors qu'ils regardaient le port depuis le pont. Le capitaine Dutton ne se souviendra que d'une nymphe dans les eaux et d'une dame au dîner. Je ferai parler de moi en mer. Tous les hommes envieront ma chance de t'avoir choisi comme femme.

Elle le regarda attentivement.

— Alors, mon comportement ne t'a pas horrifié ?

— Horrifié ? répéta-t-il en s'approchant d'elle. Viens. Je crois que je dois te libérer de ce corset et de cette robe qui doivent sûrement t'étouffer. Ça t'aidera à avoir les pensées plus claires.

Elle lui rendit son sourire espiègle et s'éloigna en douce vers leur cabine quelques minutes avant lui, comme c'était devenu leur habitude.

Dans la faible lueur d'un croissant de lune, Karl observa les intrus en train de grimper le long du bateau aussi discrètement que des serpents. Il fit signe à Stefan d'attendre un moment — pour laisser croire aux pirates qu'ils allaient monter à bord sans être découverts — avant d'ordonner à ses hommes d'ouvrir le feu. Stefan hocha la tête, et Karl avança en rampant sur le pont, un fusil dans une main et un couteau dans l'autre. Puis, sans attendre une seconde de plus, Karl tira le premier homme dans son champ de vision, puis un autre. Poussant un cri surnaturel, les hommes du *Lark* envahirent le *Sunrise* et chargèrent les hommes qui défendaient le bateau. Des coups de fusil retentirent l'un après l'autre, et Peder sortit de sa cabine, à moitié vêtu et armé d'un revolver. Le reste des membres de l'équipage du *Sunrise* débouchèrent de l'escalier qui menait aux cabines, transportant chacun son arme. Karl était content de bien avoir sélectionné les marins. Pour un tel combat, il aurait besoin de tous ses hommes.

Il ne s'était livré à des combats corps à corps qu'une seule fois auparavant, lorsque Peder et lui travaillaient comme marins pour le capitaine Lehman, qui, en ce qui avait trait à la nécessité de savoir se défendre, se montrait aussi intraitable que Peder pouvait l'être sur la nécessité de savoir nager. Lehman avait vaincu chacun d'eux dans les bagarres à coups de poing, mettant beaucoup d'efforts à les entraîner à se défendre et à se préparer pour le pire. Cet entraînement leur avait permis de survivre lors d'une bataille semblable à celle-ci près de la côte de l'Afrique du Sud, de même que plus tard, lorsque Peder et lui s'étaient fait attaquer dans les rues de Séville.

La porte de la cabine se referma derrière Peder, et Karl se réjouit d'entendre que l'on actionnait le verrou de l'intérieur. Elsa était en sûreté dans la cabine.

Au même moment, un homme se précipita sur lui en hurlant. Karl réagit en donnant un coup de couteau à son assaillant lorsque celui-ci arriva à sa portée. L'homme poussa un petit cri et tomba sur le pont.

— Karl ! Derrière toi ! cria Peder.

Karl se retourna alors qu'un marin sautait sur lui du toit de la cabine. Tandis qu'ils roulaient par terre, Karl lui tira une balle dans l'estomac, et l'assaillant devint tout mou. Une odeur d'huile qui brûle et la présence de lumière attirèrent ses yeux vers la rambarde, où montaient trois marins, une torche entre les dents. Du feu. Si les assiégés ne faisaient pas attention, ils pourraient tous mourir.

Karl avait entendu parler de pirates qui incendiaient les bateaux pour piller les décombres, peu importe les maigres restants. Il rechargea son fusil et tira rapidement sur le dernier homme se trouvant sur le parapet. Celui-ci cria de douleur et tomba par-dessus bord. Mais il avait manqué les deux premiers. Où étaient-ils ?

Le cœur de Karl s'arrêta lorsqu'il regarda derrière Peder — qui venait de se débarrasser d'un homme avant de se retourner pour s'occuper de Mason Dutton — et vit les deux marins avec les torches. Ils couraient en posant leur torche sur tout ce qui pouvait flamber, dont la cabine.

« La cabine. Elsa ! »

Karl mit son fusil dans sa ceinture, n'ayant pas le temps de le recharger. Un homme sauta sur lui et le tira vers l'arrière dans une prise d'étranglement. L'attaquant lui porta ensuite un coup à l'estomac et le fit tomber face contre terre, lui coupant le souffle. Karl se débattait, incapable de se libérer, lorsque Riley chargea son assaillant en poussant un cri rebelle. Rapidement, Karl fut libéré de ce poids sur son dos et se remit sur pied avec difficulté.

Le bateau était en feu. Pire, la cabine du capitaine était elle aussi en flammes. Elsa ouvrit la porte, toussant et tenant un bâton contre sa poitrine. Vêtue de sa robe de nuit, les cheveux défaits, elle ressemblait à un ange émergeant de la fournaise ardente de Meshach, Shadrach et Abednego. Le cœur de Karl s'arrêta lorsqu'un homme contourna le mur et s'empara d'Elsa. Elle se mit aussitôt à crier et à faire voler son bâton. Mais son assaillant se trouvant derrière elle, ses coups devenaient inutiles.

En voyant la scène, Karl sentit la fureur monter en lui. Poussant un grognement sourd, il suivit l'homme jusqu'à la poupe et essaya de se concentrer sur ce dernier plutôt que sur Elsa, qui continuait de crier et de lui frapper le dos et les jambes avec son bâton. Partout autour de lui, des hommes tiraient des coups de fusil, se battaient à l'épée, s'éventraient avec des couteaux et s'échangeaient des coups de poing. Des grognements et des cris successifs remplissaient l'air. La fumée âcre de la poudre à canon lui brûlait les yeux et lui faisait monter les larmes.

Le ravisseur d'Elsa approchait du parapet lorsque Karl les rattrapa. Il n'était qu'à un mètre derrière lorsque l'homme de forte carrure déposa Elsa sur le pont, lui arracha le bâton des mains et le lança dans la mer. Il riait, lui tirant les cheveux d'une main vers l'arrière pour l'embrasser, lorsque le couteau de Karl lui transperça un rein.

L'homme tomba par terre, et Elsa se couvrit le visage des mains comme si elle pouvait se dérober à l'effrayante scène qui se déroulait autour d'elle.

— Est-ce que ça va ? lui demanda-t-il avec empressement en la prenant par les bras.

Il devait crier pour se faire entendre, en raison de tout le bruit derrière eux.

Elsa laissa tomber ses mains, puis ses yeux s'écarquillèrent.

— Derrière toi !

Tournant sur lui-même, il se retrouva devant deux hommes au teint basané qui s'approchaient l'un et l'autre de chaque côté de lui.

— Nous ne te voulons rien, dit l'un d'eux à Karl pour le convaincre. Nous avons ordre de prendre la dame.

Ils étaient donc vraiment là pour Elsa. Elle valait beaucoup, dans cette région du monde. Une femme blanche aux cheveux blonds pouvait atteindre un bon prix. Une part de la marchandise, jugeait probablement Dutton.

— Jamais, dit Karl. Un pas, et vous êtes morts.

— Il parle avec courage, commenta le deuxième homme avec dérision. Ne t'inquiète pas, mon cher, nous sommes prêts à suivre le destin de notre Créateur si le moment est venu.

— Ce ne sera pas à lui de décider.

Il se précipita vers l'avant et asséna un coup de couteau à l'un des hommes, puis il se retourna pour donner un coup de coude dans le visage de l'autre. Une fois les deux assaillants au plancher, Karl regarda Elsa et lui fit un signe de tête.

— Saute à l'eau, dit-il des lèvres.

Il haussa les sourcils pour qu'elle se dépêche. Si elle disparaissait et que les marins du *Sunrise* parvenaient à éteindre les feux — la moitié d'entre eux s'y afféraient déjà —, les intrus repartiraient peut-être.

Soudainement, il se sentit puissamment agrippé par l'arrière. Karl grimaça tandis que son assaillant invisible lui tirait les bras avec force. Un autre homme arriva devant lui et lui donna un coup de poing dans le ventre, rapidement suivi d'un coup de poing sous le menton. Il eut le souffle coupé ; ses dents claquèrent. Il trouva tout de même la force de se relever et de repousser d'un coup de pied l'homme devant lui. Karl cherchait son souffle lorsqu'il entendit une balle siffler, et l'étreinte de l'homme qui le retenait par l'arrière se relâcha soudainement. Il se retourna et vit que Peder avait tué son assaillant d'une balle dans la tête. Le bruit de la balle résonnait toujours aux oreilles de Karl, et il se demanda s'il entendrait un jour de nouveau.

Il regarda autour de lui. Les feux avaient été éteints, et les hommes luttaient corps à corps. Ils avaient maintenant de meilleures chances de s'en sortir, au moins, et le *Sunrise* n'était pas en danger pour le moment. Peder trébucha, et Dutton s'avança vers lui avec une épée. Karl plaqua par terre à bras-le-corps le capitaine ennemi. Il lui donna un coup de poing sur son menton parfait avant qu'il ne puisse se relever. Le premier second de Dutton avança vers Karl, qui fit un bond de recul pour éviter les coups de l'énorme couteau de chasse de l'assaillant. Il sentit vaguement une entaille sur la largeur de sa poitrine, mais aucune douleur.

Son attention se portait sur deux marins qui pointaient la baie comme s'ils avaient repéré quelque chose. Elsa. Ils l'avaient vue à la lumière de la lune, il en était certain. Ils arrachèrent leurs chaussures et plongèrent à sa poursuite.

Chapitre 21

COMPLÈTEMENT ÉPUISÉE, ELSA AVAIT PRESQUE ATTEINT LE RIVAGE lorsqu'elle sentit une main sur son mollet. Terrorisée, elle voulut sortir de l'eau, mais elle était ralentie par sa jupe mouillée. Elle se concentra sur la lisière des arbres à moins de quinze mètres d'elle, songeant que si elle pouvait y arriver, elle serait en mesure de se cacher. Mais elle devait d'abord se libérer de l'homme qui l'avait rejoint.

De grosses mains agrippèrent sa jambe et elle entendit un essoufflement qui faisait écho au sien, provoqué par l'effort d'avoir tant nagé. Elle cherchait désespérément un moyen de se libérer tandis qu'il la tirait de nouveau dans la mer. Elle attrapa une grosse coquille alors qu'il la retournait.

— Tu croyais que tu pourrais m'échapper, mam'zelle ?

Un autre homme se tenait derrière lui, souriant dans la lumière de la lune.

Elle voulut couper au visage l'homme le plus près, mais elle n'atteignit que son épaule, le faisant crier de douleur. Du sang sortit rapidement de l'entaille, et Elsa en profita pour se retourner et se mettre à courir en direction de la plage. Elle fut de nouveau terrifiée lorsque l'homme la rattrapa pour l'arrêter.

« Cher Dieu, implora-t-elle du fond de son cœur. Délivre-moi ! »

Il la fit tomber sur le sol en la tenant par les cheveux. Avant qu'elle ne puisse bouger, il s'étendit sur elle, cherchant à lui agripper la figure pour l'embrasser de force sur les lèvres. Elle le mordit, hurla, donna des coups de pied, mais l'homme, costaud et agile, parait facilement ses attaques. Elsa se sentait défaite et lasse. À quoi bon résister ? Même si elle parvenait à s'enfuir, il y avait un autre homme tout près. Tout de même, son cœur lui intimait de se débattre, et elle fit un dernier effort.

Soudainement, elle fut libérée du poids de l'homme. Karl, observa-t-elle un peu perdue, était en train de le rouer de coups et ne s'arrêta que lorsque le pirate perdit connaissance. Elle se rendit compte vaguement qu'elle criait toujours, mais elle ne semblait pas pouvoir s'arrêter.

Karl s'approcha d'elle, les bras tendus, comme s'il voulait apaiser un animal en cage.

— Ça va, Elsa. Il ne peut pas te faire de mal.

— Non ! Il y en a un autre !

Elle regardait furieusement autour d'elle, certaine que le deuxième homme sortirait de l'eau ou du feuillage tropical derrière eux pour les attaquer. Où était-il passé ?

— Non, Elsa, dit Karl à voix basse, les cheveux dégoûtant sur sa chemise trempée. Il y en avait deux. Je les ai eus tous les deux.

— Non, non ! Il va y en avoir davantage. Nous devons nous cacher !

— Viens, dit-il d'un ton rassurant. Allons nous cacher dans la forêt.

Elle hocha la tête et courut à travers de denses bosquets, faisant fi des épines qui lui lacéraient les jambes, puis elle se fraya un chemin dans un mur de palmiers qui les cachait du port. De l'autre côté de ces arbres, dans une petite clairière, elle se sentit plus en sûreté. Mais elle tremblait tant qu'elle se demanda si elle pourrait tenir debout un instant de plus.

Karl la rejoint juste à temps. Dès qu'elle fut dans ses bras, elle s'écroula. Karl s'accroupit, la souleva et s'assit avec elle. Le dos contre un palmier, il la tint contre sa poitrine.

— Chut, dit-il en lui caressant les cheveux mouillés. Tu es maintenant en sûreté. L'équipage du *Sunrise* va s'occuper des autres.

— Qu'en est-il de Peder?

— Il va bien. Je l'ai vu avant de me mettre à ta poursuite, répondit-il en lui caressant la tête pour qu'elle cesse de trembler. C'était affreux, Elsa. Mais le pire est derrière nous. Tu es en sûreté, mon ange. Tu es en sûreté.

L'espace d'un instant, ce fut comme s'ils étaient seuls au monde. Dans son soulagement et sa gratitude, Elsa ne souhaitait rien de plus que d'être près de son ami cher qui l'avait sauvée. Elle ne voulait que se concentrer sur ses yeux affectueux, ne pas penser au mal. Il était sa force, son bouclier. Elle tourna la tête et le regarda dans le doux clair de lune.

— Merci, Karl.

Ce dernier ferma les yeux un moment, puis il ouvrit ses lourdes paupières pour la regarder.

— Elsa, Elsa, gémit-il.

Elle fronça les sourcils en entendant le ton de sa voix, se demandant s'il s'était blessé. Puis, lui plaçant la tête dans le creux de son bras, Karl l'étendit sur le sol de la forêt et l'embrassa avant qu'elle ne puisse prononcer un seul mot.

Peder sentait que les combats tiraient à leur fin. Ses marins prenaient lentement le dessus sur les maraudeurs, à son grand soulagement. Bon nombre de membres de son équipage avaient été tués, d'autres blessés, et le *Sunrise* avait subi des dommages en raison du feu et de la mêlée générale. Ce qui l'inquiétait le plus, cependant, c'était qu'il n'avait pas revu Elsa depuis qu'elle était sortie de la cabine enfumée. Il avait essayé de la rejoindre, mais il avait été incapable de se libérer. Après que Karl eut plaqué Dutton, Peder avait entrevu son ami sauter à la mer. Elsa s'était-elle enfuie ? Karl s'était-il précipité à son secours ? Était-elle saine et sauve ? Il avait les mains moites de peur. Il était furieux de ne pas avoir pu se libérer assez longtemps pour veiller à sa sécurité.

Sa fureur lui insufflant une énergie nouvelle, il se tourna vers Dutton, qui était de nouveau sur pied. Peder s'empara du sabre d'un marin tombé au combat et, bien qu'il ne fût pas escrimeur, se mit à la poursuite du capitaine voyou comme un fou cherchant la bagarre. Dutton recula, se protégeant de ses coups maladroits, la surprise au visage. Il réussit un moment à rester hors de portée de l'épée de Peder.

— Tu crois que tu peux venir manger chez moi, lorgner mon bateau ? dit Peder, tendu dans l'attente d'un geste à venir de Dutton.

Les deux hommes étaient essoufflés, leurs poitrines se soulevaient en raison des efforts déployés dans cette bataille soutenue.

— Tu crois que tu peux l'incendier et le piller ?

Dutton bougea vers la gauche, soutint son regard, mais ne dit rien, respirant bruyamment.

— Mais par-dessus tout, tu crois que je vais simplement oublier la manière dont tu regardais ma femme, la manière dont tu lui as parlé ?

— Je vais faire un marché avec toi.

— Lequel ? demanda Peder en riant. Que pourrais-tu bien m'offrir ?

— Laisse-moi partir, et ta femme aura la vie sauve.

Peder se figea.

— De quoi parles-tu ? Elsa est en sûreté sur la rive, elle se cache de toi et de tes hommes vils.

— Non. S'ils tiennent à leur vie, mes hommes ont pris Elsa et ils l'ont emportée sous bonne garde à bord du *Lark*. Elle vaut cher, tu sais.

Peder serra les dents et, d'un soudain mouvement, il dépouilla Dutton de sa rapière et le cloua au sol de ses larges épaules. Ils se ramassèrent sur le pont, Peder sur le dessus, son sabre contre le cou de Dutton. Il se débattit avec l'envie de lui trancher la gorge à cet instant. Il se pencha plus près du pirate.

— Tu ferais mieux de prier qu'elle se porte bien.

— N'est-ce pas là ce que tu implores toi-même ? demanda Dutton avec insolence.

De rage, Peder le frappa. Dutton se tut en se tenant la tête.

Peder leva les yeux pour constater que plusieurs de ses hommes s'étaient rassemblés autour d'eux.

— Tout va bien ? gronda-t-il.

— Ils ont pris la fuite, capitaine, dit Stefan.

— Et le premier second ? demanda-t-il.

— Il a sauté par-dessus bord, capitaine, précisa un autre. Il s'est lancé à la poursuite des deux rustres qui pourchassaient madame Ramstad.

Peder se retint. Elsa s'était donc vraiment jetée à l'eau, suivie de deux hommes de Dutton. Était-elle sauve ? Karl l'avait-il rejoint à temps ?

— Toi, ligote Dutton et assure-toi qu'il ne s'enfuie pas, ordonna Peder. Stefan, viens avec moi. Tu n'es pas blessé ?

Stefan lui fit signe que non. Le deuxième second n'était pas particulièrement grand, mais il avait une forte carrure. Si Elsa et

Karl étaient toujours en danger, Peder aurait besoin d'une autre personne à ses côtés.

— Es-tu bon nageur?

— Oui, capitaine, je suis l'un des premiers à avoir sauté dans l'eau cet après-midi.

— Parfait. Allons nous assurer que ma femme et mon premier second sont en sécurité et qu'ils se portent bien.

Peder n'attendit pas la réponse de Stefan. Il ramassa un gros couteau de chasse d'un autre marin tombé au combat, se le mit entre les dents, et sauta par-dessus bord.

L'eau salée eut un effet de brûlure sur les coupures de Peder lorsqu'il atteignit la surface et se mit à nager, mais la douleur le raviva.

« Ô Dieu, pria-t-il silencieusement pendant que ses bras et ses jambes le propulsaient doucement et rapidement dans l'eau. Fais qu'ils aillent bien. Ne me laisse pas arriver trop tard. »

Deux coups de feu retentirent du *Sunrise*, et Peder grimaça en entendant des cris faire écho sur l'eau.

— Capitaine, cria Stefan. C'est Dutton et ses hommes! Ils s'enfuient!

— Laisse-les partir, grogna Peder en avançant dans l'eau. Nous avons d'autres priorités.

Il devait voir sa femme, puis revenir rapidement au bateau.

Bientôt, Stefan et lui avançaient furtivement sur la plage, s'appliquant à évaluer la situation avant de signaler leur présence. Il fit un signe de tête en direction des deux corps sur la plage, et Stefan alla vérifier leur état. Regardant d'un côté, puis de l'autre, Peder s'approcha de la forêt tropicale. Le *Lark* était à quatre cents mètres de la plage. Les deux marins étendus face contre terre étaient-ils les seuls à avoir pourchassé Elsa? Peut-être Karl les avait-il tués et caché Elsa! Il s'agenouilla au moment où Stefan le rejoignait, écoutant attentivement dans le but de savoir s'il pourrait déceler des bruits autres que celui de la brise dans les palmiers. Rien.

— Elsa, chuchota-t-il fortement.

Devant lui, en raison du clair de lune, il pouvait voir les traces de quelqu'un qui était entré... ou qui s'était fait poursuivre... dans la forêt.

— Elsa ! tenta-t-il un peu plus fort, le cœur battant de peur. Karl !

Karl mit beaucoup de temps à comprendre qu'Elsa le repoussait. Il était si convaincu que ses sentiments étaient semblables aux siens, si emporté par leur proximité soudaine, par l'attrait sensuel du tissu froid et humide sur leurs corps chauds, qu'il n'avait plus songé à rien d'autre. Il avait totalement cesser de penser à Alicia Hall... à Peder... Lorsqu'il revint à la raison, il se redressa vers l'arrière, et Elsa profita de cet instant pour le repousser. Stupéfié, il la regarda se lever et secouer la tête, comme pour effacer ce qui venait de se produire. Dans les ombres et les rayons du clair de lune, Elsa recula, le regardant comme s'il était l'un des pirates.

Il sauta sur pied et tendit les mains, la suppliant de comprendre.

— Elsa, Elsa, pardonne-moi ! C'était tout simplement trop pour moi ! Tu aurais pu être tuée ! Je suis désolé de t'avoir embrassée. Je n'ai pas réfléchi. J'étais seulement soulagé que tu sois en vie, indemne...

Il secoua la tête et l'observa attentivement. Ils avançaient et reculaient sur place dans la petite clairière, comme s'ils exécutaient les pas d'une danse désespérée. Elsa avait encore l'air stupéfiée. Elle s'en était sûrement doutée ! Elle avait sûrement voulu l'embrasser autant que lui !

— Elsa, tu dois maintenant comprendre. Tu t'en étais sûrement rendu compte. J'ai essayé d'oublier, de tout refouler. Mais chaque fois que tu m'approches, je n'y arrive pas, Elsa. Je suis amoureux de toi !

— Non…

— Oui ! Je suis amoureux de toi depuis que Peder et moi sommes rentrés à Bergen l'an dernier, à cet instant où je t'ai vue, là-haut dans la montagne. Tu attendais Peder. Mais tu ne m'as jamais accordé le moindre regard. C'était toujours Peder, Peder. Pourquoi ? Était-ce pour son argent ?

Elle le regarda avec une expression d'indignation incrédule.

Il se passa la main dans ses cheveux humides, effleurant les grains de sable qui s'y étaient greffés.

— Comment puis-je te faire comprendre ?

Elle secouait toujours la tête comme pour se réveiller d'un cauchemar.

— Comprends-moi, s'il te plaît, Elsa. Je ne voulais pas vivre ces sentiments. J'ai supplié Dieu de m'en soulager. Mais je ne peux m'en défaire. J'en suis venu à croire que Dieu souhaite nous voir ensemble, car…

— Arrête ! ordonna-t-elle.

Karl se figea, et attendit.

— N'ajoute rien. Tu ne fais qu'empirer la situation.

— Mais sûrement…

— Elsa ! Karl !

Peder apparut soudainement derrière lui dans la clairière, mais Karl ne se retourna pas. Il ne pouvait que dévisager Elsa, impuissant devant l'expression de soulagement qu'elle affichait maintenant sur son visage avec l'arrivée de Peder. Il avait l'impression d'assister à une scène où elle lui serait arrachée à jamais, comme un iceberg partant à la dérive sur la mer.

— Tu es sauve !

Peder se précipita vers Elsa, qui elle-même courut se jeter dans ses bras, ne regardant déjà plus Karl.

Peder la serra contre lui, puis, la regardant à bout de bras, nota la tache de sang sur le devant de sa robe.

— Elsa, tout va bien ? T'es-tu blessée ?

Elsa lui fit signe que non et regarda en direction de Karl.

— Toi, ça va, mon ami ? demanda Peder, inquiet, en observant la poitrine de Karl.

Karl remarqua pour la première fois que sa plaie avait recouvert de sang sa chemise blanche. Mais il savait que sa pire blessure était ancrée profondément en lui. À ce moment, Stefan arriva, mais Karl le vit à peine.

— Merci, mon frère, d'avoir protégé ma femme, dit Peder sobrement, en faisant un pas dans la clairière pour lui serrer la main.

Mais Karl recula sans accepter la main tendue de son ami. Il fixait les yeux d'Elsa.

C'était terminé. Tout était terminé.

Il n'y aurait pas de retour en arrière.

Par sa faute, plus rien ne serait jamais pareil.

Chapitre 22

ELSA FIT UNE PAUSE, SA PLUME ENTRE LES DOIGTS AU-DESSUS D'UNE page blanche. Elle se permit de penser un instant à Karl. Il s'était écoulé plus d'un mois depuis l'attaque du *Sunrise*, la fuite de Dutton à bord du *Lark* et la révélation des sentiments de Karl. Avait-elle toujours su ce qu'il éprouvait pour elle, ou sa naïveté l'avait-elle empêchée de voir tous les signes qui en témoignaient ? Kaatje lui avait même fait des commentaires à ce propos. Ne voulait-elle simplement pas voir la vérité ? Avait-elle davantage blessé Karl en se montrant si obstinément imperméable ?

Elle se rongeait les sangs à ce sujet, mais elle ne parvenait à rien résoudre, ni dans sa tête ni dans son cœur. Peut-être qu'écrire lui servirait de catharsis, songea-t-elle en soulevant sa plume pour la tremper dans l'encrier.

« Le 29 avril 1881

Ma très chère Kaatje,

Je prie pour que tu sois bien et que tu profites d'un bébé en santé lorsque tu recevras cette lettre. Ai-je une nièce ou un neveu honoraire ? Le courrier ne nous a pas suivis, mais nous espérons qu'un paquet nous attende à

> San Francisco. Peut-être aurai-je alors de tes nouvelles. Laisse-moi y penser… Ton petit doit maintenant avoir près de quatre mois ? J'ai peine à croire que tu sois mère depuis tout ce temps et que je n'aie toujours pas vu ce grand garçon. Ou cette grande fille, qui sait ? »

Elsa fit une pause et pensa à Tora. Était-elle maintenant devenue une vraie tante ? Elle éprouva un bref pincement de culpabilité de ne pas être demeurée auprès de sa sœur, mais elle se répéta rapidement les raisons pour lesquelles elle était partie : innocente ou non, cette fille devait apprendre, et ce serait des leçons douloureuses qui contribueraient à faire d'elle une femme. Puis, ses pensées se tournèrent naturellement vers la question récurrente de l'identité du père. Tora avait toujours refusé de la dévoiler, et Elsa, mal à l'aise devant tout ce gâchis, n'avait jamais insisté. Une image de Soren lui vint en tête, mais elle l'écarta, se sentant terriblement honteuse d'oser imaginer que des rapports illicites aient pu exister entre sa sœur et lui. Non, il valait mieux oublier les récriminations et marier sa sœur à une personne respectable, à un homme qui s'occuperait d'elle et de son enfant. Peut-être que cette expérience forcerait Tora à mûrir et à épouser Kristoffer, comme il se devait.

> « De mon côté, je n'ai toujours pas d'enfant, bien que je le souhaite ardemment — et ce n'est pas faute d'essayer. Je suppose que Dieu a des plans que je ne connais pas et que l'enfant viendra le moment venu. Dans l'intervalle, je voyage avec Peder vers le territoire de Washington ; c'est la première fois qu'il me permet de partir avec lui. »

Une fois de plus, Elsa songea à l'attaque, mais elle décida de ne pas la mentionner. Kaatje s'inquiéterait si elle croyait Elsa en danger. Et le danger était depuis longtemps révolu. Le *Sunrise* avait été réparé, et il était prêt à affronter le cap Horn avec seulement un mois de retard.

> « Nous faisons escale dans les Antilles depuis six semaines, et j'ai terminé une peinture dont Fergus Long serait fier, j'en suis sûre. Je l'adore parce qu'elle me rappellera toujours cette… »

Elsa s'interrompit pour réfléchir au mot juste.

> « … anse idyllique et les aventures que nous y avons vécues. Je ne suis triste que pour une raison, c'est ici que le chemin de notre cher ami Karl s'est séparé du nôtre.
>
> Karl nous a quittés, se sentant à l'étroit dans son rôle de premier second. Il a choisi subitement de déménager à Saint Paul, au Minnesota, pour accepter une offre de fonder sa propre entreprise de bateaux à vapeur avec un certain magnat des chemins de fer. Ce fut pour nous une surprise, puisque Peder avait prévu de construire le bateau à vapeur de Karl après son prochain schooner. Mais apparemment, il était résolu et si impatient de mettre son projet à exécution qu'il ne pouvait terminer avec nous notre voyage dans l'Ouest. Il est plutôt parti à bord d'un vaisseau marchand en direction de New York. Il devrait arriver à Saint Paul d'ici quelques semaines. J'espère sincèrement qu'il connaîtra le succès. J'ai bien peur que nous ayons fort bien peu de ses nouvelles à l'avenir. »

— Mais ce sera la seule chose qui nous sauvera, murmura-t-elle en regardant fixement ce qu'elle venait d'écrire.

Qu'est-ce qui l'empêchait de tout lui raconter ? Pourquoi cacher cette histoire à sa meilleure amie ? Mais Peder lui-même n'était au courant de rien, conclut-elle. Il l'avait regardée avec suspicion après le départ si hâtif de Karl. Mais il ne cherchait en fait qu'à trouver une quelconque raison pouvant expliquer la décision et le comportement irrationnels de son ami. Peder était passé de l'étonnement à la colère lorsqu'ils étaient rentrés au bateau et qu'il avait appris les intentions de Karl. Elsa frissonna en se souvenant de leur vive dispute dans le salon. Elle s'était recroquevillée sur le bord du lit dans la pièce attenante, incapable de s'empêcher d'écouter, terrifiée de la scène qui se déroulait entre les deux hommes.

— Que s'est-il passé ? avait rugi Peder, frustré. Quelque chose d'énorme doit s'être produit pour que tu agisses ainsi !

— Il ne s'est rien passé. Je sens tout simplement que je suis sur la mauvaise voie. Que Dieu m'invite à suivre un autre chemin. John Hall m'a offert cette chance...

— Je t'ai moi-même offert une chance ! Pourquoi ne pas rester avec des amis et te bâtir une entreprise auprès de nous ?

— Tu ne comprends pas. Il y a davantage. John aura terminé mon bateau à vapeur d'ici mon arrivée, pas dans une autre année. Je peux lancer mon entreprise maintenant.

Son ton n'avait toutefois pas été aussi convaincant.

Peder était resté silencieux un moment. Elsa avait presque pu se représenter son visage.

— Je ne comprends pas. Dans nos chantiers, tu auras ton propre navire dans un an, construit selon tes plans. Pourquoi ai-je l'impression que tu fuis quelque chose ? Pourquoi être venu jusqu'ici pour repartir ? Est-ce une question d'argent ?

— Non, non. Combien de fois devrai-je te le répéter ? Je voulais m'assurer que tout allait bien, que le *Sunrise* était en ordre. Il ne pourra sûrement rien t'arriver de pire que l'attaque du *Lark*.

Le *Sunrise* est presque réparé, et les marins blessés ou morts ont été remplacés…

— Par des hommes sur lesquels j'ai des doutes, l'avait interrompu Peder.

— Ce sont des hommes bien. Et le *Sunrise* aussi. Tout ira bien sans moi.

Peder avait hésité avant de répondre.

— Pourquoi ai-je l'impression que quelque chose a changé entre nous ? Tu es… distant.

— Je ne sais pas de quoi tu parles. Écoute, le *William Jeffries* met les voiles pour les États-Unis au lever du soleil, et j'ai l'intention de monter à bord ce soir si le capitaine m'accepte.

— Pourquoi me laisses-tu tomber ? avait demandé Peder en haussant le ton. Il y a des aspects de cette histoire que tu me caches. Jamais, au cours des dix années où nous avons voyagé ensemble, ne t'ai-je vu agir ainsi. Pourquoi ne me dis-tu pas tout, Karl ?

Peder avait semblé exaspéré.

— Mes affaires me regardent, avait répondu brusquement Karl.

— Tes affaires ? Tes affaires ? Ce ne sont pas aussi mes affaires ? N'es-tu pas lié aux chantiers Ramstad ?

— Je l'ai jadis été, avait rétorqué Karl, levant le ton tout autant que Peder, avant de changer de tactique. Les chantiers auraient-ils été un jour à nous deux, Peder ? Je veux dire, vraiment à nous deux ? Allais-tu réellement faire construire mon vapeur, ou y aurait-il toujours eu d'abord un autre schooner à mettre en chantier ? Te moquais-tu de moi, m'utilisais-tu ?

Peder avait bredouillé, et de son lit Elsa s'était imaginé son visage enragé.

— N'aborde pas ce sujet-là, Karl, lui avait-il dit. Tu vas le regretter.

— Je le regrette déjà, avait rétorqué Karl. Je regrette d'avoir choisi de me lancer en affaires avec toi. Je pars, Peder. C'est mieux pour nous deux. J'en ai marre de vivre en relevant des Ramstad comme mon père avant moi. Je suis fatigué d'être en compétition avec mon meilleur ami. Ne pouvons-nous pas nous séparer à l'amiable ?

Il n'avait obtenu que le silence pour toute réponse.

— J'aimerais que tu puisses considérer la situation de mon point de vue, Peder, vraiment.

De l'autre côté du mur, il avait semblé à Elsa que Karl se dirigeait vers la porte.

— Tu pourras me faire parvenir mes parts du *Sunrise* à une adresse à Saint Paul que je te ferai parvenir.

— Parfait. Si c'est ton dernier mot, avait répondu Peder, je préfère continuer sans toi.

Il y avait eu un autre silence. Puis Karl avait pris la parole une dernière fois, la voix basse.

— Effectivement, ce sera mieux pour toi. Au revoir, Peder. Que Dieu t'accompagne. Dis au revoir à Elsa de ma part.

Et sur ce, il était parti. Elsa n'avait même pas entrevu son visage une dernière fois, ce qui l'avait soulagée tout en la rendant mal à l'aise. Aurait-elle dû aller vers lui ? Essayer de tout réparer ? Rétablir leur amitié ? Elle secoua la tête tout en fixant d'un regard vide la lettre devant elle. Il n'y avait pas de réponse claire. Et la vie semblait devenir de plus en plus complexe.

— S'il te plaît, Père, montre-moi la voix à suivre, pria-t-elle, soudainement consciente de ce qu'elle voulait.

Peder entra dans la cabine, soulagé de fuir les rayons de chaleur éblouissants du soleil tropical. Il trouva Elsa au pupitre de la chambre, la tête dans les mains, apparemment en train d'écrire une lettre.

— Tu espères pouvoir faire envoyer une lettre à Kaatje avant notre départ ? demanda-t-il en s'assoyant sur le lit.

Il ferma les yeux un instant. Ses vertiges empiraient.

Elle retourna sa chaise pour le regarder, et il crut vaguement remarquer que son visage était soudain devenu inquiet.

— Apparemment, j'ai l'air aussi malade que je le suis, marmonna-t-il.

— Bon sang, Peder, depuis combien de temps es-tu dans cet état ?

Elle se précipita à ses côtés et l'aida à s'allonger, puis elle se pencha pour lui retirer ses bottes.

— Depuis hier. Mais nous devons continuer, Elsa, dit-il en essayant de se lever.

Elle rit.

— Pourquoi maintenant ? Nous sommes ici depuis plus qu'un bon mois. Pourquoi pas quelques jours de plus ?

— Il faut penser à la marchandise. Chaque jour perdu signifie moins d'argent gagné à la fin de l'année. Le *Sunrise* devra faire de nombreux autres voyages pour se rentabiliser.

Il poursuivit en grognant en raison des efforts déployés pour parler.

— Et avec tout ça, Karl qui est parti.

Peder porta la main à sa tête. Silencieusement, Elsa lui toucha elle aussi le front.

— Tu fais de la fièvre. As-tu la nausée ?

— Oui.

— Que crois-tu que ce puisse être ?

— Probablement la malaria. Je l'ai déjà attrapée plusieurs fois. Ce sont les mêmes symptômes. Je serai probablement indisposé pour les prochains jours, mon amour.

— Comment pourrons-nous naviguer si tu es malade ?

— Nous partirons demain matin. Le premier second prendra le commandement.

— Tu n'as pas nommé de premier second. Penses-tu offrir une promotion à Riley ?

— Non, Stefan, le deuxième second, représente le choix logique. Il sera mon premier second. J'ai découvert, réussit à dire Peder en détachant chaque mot avec difficulté, qu'il est un marin accompli. Il veillera à faire sortir le *Sunrise* du port et à lui faire prendre la mer.

— Stefan ? Riley n'est-il pas plus prometteur ?

— Ne discute pas avec moi, Elsa. Ça ne fonctionne tout simplement pas ainsi.

Elle se raidit à côté de lui.

— Ne me traite pas comme l'un de tes marins.

Peder soupira. Sa tête commençait à le lanciner.

— C'est à moi de prendre cette décision et c'est ma responsabilité. Riley est bon, mais Stefan a contourné le cap Horn deux fois plus souvent.

Elsa resta cette fois fort heureusement silencieuse devant cette observation.

— Repose-toi, dit-elle sèchement, en déposant des couvertures sur son corps frissonnant.

Il s'endormit en quelques secondes.

Deux semaines après avoir quitté les Antilles, le *Sunrise* arriva à São Salvador, au Brésil. C'était une ville portuaire animée, mais Elsa n'avait qu'un seul but : trouver un médecin. Peder était de plus en plus malade et perdait fréquemment connaissance. Elle avait fait de son mieux pour s'occuper de lui, mais elle savait qu'il était dans une situation désespérée.

Elle descendit du bateau accompagnée de quatre marins. Stefan et Riley marchèrent de chaque côté d'elle. Deux autres marins les suivaient, tous les deux armés. Dans une ville où les gens avaient la peau olivâtre ou foncée, la vue d'une femme aux cheveux pâles créait toute une commotion. Les gens tendaient la main pour toucher à sa chevelure, et malgré les tapes que les hommes leur donnaient, certains réussissaient à l'atteindre. Lorsqu'ils furent parvenus dans le centre de la ville, le chignon d'Elsa était défait. Incapable de se repeigner sans les épingles à cheveux qu'elle avait perdues, elle laissa ses cheveux retomber sur ses épaules.

— Vous devriez toujours les peigner ainsi, Elsa, dit Stefan en la regardant effrontément, le visage admiratif.

Elsa fronça les sourcils devant tant de familiarité de la part du premier second. Riley jeta un regard mauvais à Stefan et s'interposa entre les deux.

— Par ici, m'dame Ramstad.

Ils tournèrent et empruntèrent une allée étroite, guidés par un petit garçon à moitié vêtu à qui ils avaient promis deux bouchées s'il les conduisait auprès d'un médecin. Peder étant trop malade pour pouvoir se déplacer, ils n'avaient guère le choix que d'aller quérir le médecin. D'ailleurs, allez savoir les autres maladies qui pouvaient sévir dans une ville aussi mal entretenue que celle-ci ! Elsa refusait de risquer que Peder attrape une infection secondaire.

Le garçon s'arrêta devant une entrée couverte d'un drap aux couleurs vives. Il se retourna et sourit, tendant la main pour obtenir sa récompense.

— Laissez-moi entrer d'abord, m'dame, dit Riley en faisant un pas devant elle.

Il ressortit quelques minutes plus tard, la mine sombre. Il s'adressa en portugais rudimentaire au garçon. Ce dernier hocha négativement la tête. Riley regarda de nouveau Elsa.

— C'est le seul médecin en ville, j'en ai bien peur.

Elsa inspira profondément et pénétra à l'intérieur de l'entrée voilée. Des gens alignés sur des bancs gémissaient dans la petite pièce mal éclairée, où la puanteur était atroce. Une vieille femme leur fit signe de passer dans une autre pièce, et lorsqu'ils débouchèrent dans une cour ouverte, Elsa ressentit un certain espoir. Elle déchanta cependant rapidement dès que Riley leur présenta le médecin. L'homme souriait, laissant ainsi voir ses quelques dernières dents tachées. Ses ongles étaient noirs de saleté, et lorsqu'il lui prit la main pour l'embrasser, elle dut résister à l'envie de la retirer. Elle devait essayer de se montrer affable, car cet homme représentait peut-être le seul espoir pour Peder.

Puis elle regarda autour d'elle afin d'examiner attentivement la pièce. Des blattes mortes avaient été entassées dans un coin, et de la boue recouvrait le sol de stuc. La table d'examen était tachée de sang séché, et des instruments rouillés se trouvaient sur une autre table tout près. Elsa ne voulut pas en voir davantage.

— Partons, dit-elle.

— Attendez, Elsa, dit Stefan. Le médecin convient peut-être, si nous faisons abstraction de l'endroit.

Elsa regarda Riley.

— Demande-lui comment il traite la malaria.

L'abject médecin écouta Riley et sortit un masque, un genre de gros hochet, puis un pot de feuilles séchées.

— Quoi, c'est... ce n'est qu'un sorcier, commenta-t-elle, incrédule.

Soudainement, la pièce sembla se rapetisser et un sentiment d'oppression diabolique lui envahit le cœur.

— Nous partons. Maintenant.

Sans un autre mot, elle se tourna et sortit, à toute vitesse, presque à la course.

Les hommes la rejoignirent à l'extérieur dans l'allée. Elle prenait de grandes inspirations, cherchant à agripper son col haut. Son cœur battait de peur. Tout en elle lui lançait des signaux contre cet affreux endroit diabolique.

— C'est peut-être notre seule option, tenta Stefan.

— Selon moi, ce n'est pas vraiment une option, répondit Riley en regardant Stefan d'un air belliqueux. Conformons-nous au choix de la dame.

Stefan regarda le visage déterminé d'Elsa, ensuite Riley, puis il haussa les épaules.

— D'accord. Mais si le capitaine meurt, ce sera de votre faute.

— Écoute-moi bien, Stefan, dit Elsa, furieuse d'une telle insolence. Si je pensais que cet homme pouvait aider mon mari, je serais la première à le traîner à bord du *Sunrise*. Mais ce n'est qu'un sorcier. Je peux faire mieux que lui simplement à lire les livres de médecine du cuisinier.

— D'accord, dit Stefan en lui tendant le bras. Pouvons-nous maintenant vous ramener au bateau ?

— D'accord, dit Elsa qui se mit à avancer en ignorant le bras qu'il lui offrait.

Riley les quitta trois pâtés de maisons plus loin pour partir à la recherche de fruits frais, de farine de maïs et d'eau fraîche. Leurs réserves n'étaient pas encore à sec, mais puisqu'ils étaient en ville de toute manière, il avait jugé préférable d'en profiter pour refaire les stocks. Stefan avait acquiescé à son idée.

Lorsqu'ils se remirent à marcher, Stefan et les deux autres marins protégeant de nouveau Elsa de la foule, Stefan regarda Elsa avec admiration.

— Vous n'avez pas peur ?

— Non, dit-elle en donnant une tape sur une main posée sur son épaule, puis grimaçant alors qu'une autre personne lui tirait une boucle de cheveux. Ils sont tout simplement curieux.

— Vous comprenez que si nous n'étions pas avec vous, ils vous enlèveraient ?

Elle lui décocha un regard, et ce qu'elle vit dans ses yeux lui donna la chair de poule. Il la regardait comme s'il voulait lui-même l'enlever. Était-ce ce dont Peder avait peur ? Qu'il ne puisse être présent pour la protéger de marins dévergondés ? Eh bien, elle saurait se défendre. Après tout, le meilleur ami de son mari l'avait embrassée ! Si elle avait été en mesure de composer avec cette situation, elle pourrait certainement encore repousser quelques âmes mal avisées. Sur cette pensée, une idée germa en elle. Quelques séances de lecture de la Bible feraient du bien à tout l'équipage ! Elles ne pourraient que calmer ce sinistre second qui ne cessait de la reluquer !

Quelques minutes plus tard, ils arrivèrent aux quais et à leur chaloupe. Alors que les marins pagayaient pour s'éloigner de la rive, Elsa poussa un soupir de soulagement. Ils n'avaient pas trouvé de médecin, mais ils étaient au moins revenus sains et saufs. Les marins retourneraient plus tard chercher Riley et embarqueraient les fruits frais, qu'Elsa pourrait réduire en purée afin de nourrir Peder à la cuiller. De plus, elle relirait les livres de médecine du cuisinier pour voir si un remède lui avait échappé.

Plus tard ce soir-là, vêtue de sa robe de nuit, Elsa s'assit au pupitre et s'efforça de déchiffrer les mots presque effacés qui figuraient dans les pages jaunies des notes médicales contemporaines de John B. White. La lumière vacillante de la lampe à kérosène, le tangage du bateau et la respiration forte et régulière de Peder firent en sorte qu'elle s'endormit rapidement, la tête posée sur les bras par-dessus le livre.

Ce fut le craquement de la porte qui la réveilla. La lampe brûlait toujours. Elsa leva la tête. Puis elle le vit.

— Stefan ! Tu m'as fait peur ! Qu'y a-t-il ? demanda-t-elle en plaçant un châle sur ses épaules. Tout va bien à bord ?

— Ça va, dit-il en refermant la porte derrière lui.

Il se dirigea vers Peder, lui toucha le front et lui secoua les épaules. Le mari d'Elsa ne se réveilla pas.

— Depuis combien de temps est-il inconscient ?

— Il l'a été toute la journée, répondit-elle avec hésitation. Qu'y a-t-il, Stefan ? Que veux-tu à une telle heure ?

Il se tourna vers elle, un sourire se formant lentement sur son visage.

— Eh bien, vous, évidemment.

— Pardon ?

Son cœur se mit à battre à toute vitesse lorsque Stefan fit un pas, puis un autre, vers elle. Elsa se mit debout et recula. Elle leva le menton, tentant d'afficher tout le courage qu'elle ne ressentait cependant pas à l'intérieur d'elle-même.

— Vous aviez une relation avec notre premier second précédent, n'est-ce pas ? Pourquoi ne seriez-vous pas ma dame de compagnie ?

— C'est faux ! Je ne sais pas de quoi tu parles !

Il fit un autre pas vers elle, et Elsa réfléchit désespérément aux armes qu'elle pourrait atteindre pour se défendre.

— Le capitaine a fermé les yeux sur ce qui s'est passé entre vous deux dans cette île, mais moi non. Karl vous voulait. Je le voyais dans ses yeux. Vous devez l'avoir éconduit. C'est pour ça qu'il est parti.

— Comment oses-tu me parler ainsi ! Je suis outrée d'une telle audace ! Martensen, le premier second, m'a sauvée des pirates. C'est tout.

Le visage anguleux de Stefan s'adoucit, et il leva les mains vers elle dans un geste de conciliation. Ses petits yeux se posèrent sur elle, puis sur Peder.

— Allons, Elsa. Nous sommes amis, n'est-ce pas ? Votre mari est complètement à plat. J'ai cru que vous auriez peut-être besoin d'un peu de réconfort.

Elsa se cogna contre le mur du fond et recula vers le pupitre. Sur celui-ci se trouvait un coupe-papier à côté de sa plume.

— Sors, Stefan. Tu as mal interprété des événements passés et tu as pris une très mauvaise décision ce soir. Je te retire ton titre de premier second.

— Vous ne pouvez pas faire ça, dit-il avec dérision. Vous n'en avez pas le pouvoir.

Elle se précipita vers le coupe-papier et le brandit rapidement comme un couteau.

— Oh si, j'en ai le pouvoir. J'ai tout le courage qu'il me faut, je ne suis pas qu'une faiblarde attendant que tu abuses d'elle. Riley ! cria-t-elle de toutes ses forces.

En l'espace de quelques secondes, Riley et trois autres hommes surgirent dans la pièce. Ils regardèrent Stefan et Elsa avec étonnement.

— Stefan a fait des avances inappropriées à la femme du capitaine, dit-elle avec autorité d'une voix tremblotante. Mettez-le aux fers. Je le destitue de son poste de premier second et je prends le commandement du bateau. Riley, tu seras mon premier second.

Riley resta figé un moment, avant de se mettre lentement à sourire. Il rengaina un couteau qu'Elsa n'avait pas encore aperçu, puis il se tourna vers les autres.

— Vous avez entendu le cap'taine ! Mettez cet homme aux fers.

Stefan se tourna vers Elsa, et lui lança un regard où s'entremêlaient la surprise, le désarroi et la malveillance.

— Vous aurez besoin de moi pour contourner le cap Horn. Personne ne l'a franchi aussi souvent que moi. Vous aurez besoin de moi ! cria-t-il à tous tandis qu'ils l'emportaient.

Tremblante, Elsa s'effondra sur sa chaise. De la porte, Riley l'observa respectueusement.

— Une épreuve n'attend pas l'autre, hein, m'dame ? dit-il doucement, comme pour effacer ses peurs.

— En effet, Riley. Une épreuve n'attend pas l'autre. Révisons notre route avant toute autre chose demain matin, d'accord ? Je veux que tu me montres comment mieux planifier notre route sur les cartes. Je crois que je m'améliore, dit-elle.

— Oui, oui, cap'taine, accepta-t-il jovialement avant de continuer plus doucement. Reposez-vous bien, hein, m'dame ?

— Oui, Riley, promit-elle. Au fait, Riley ?

— Oui ?

— Merci.

— De rien, cap'taine.

Le chant de l'âme en peine

AVRIL – NOVEMBRE 1881

Chapitre 23

Le dégel printanier hâtif permit à Christina de recouvrer la santé, et à Kaatje et à Soren de conclure une trêve précaire. Convaincu que leurs deux parcelles de terre pourraient leur rapporter beaucoup d'argent, Soren avait acheté une paire de bœufs qu'il avait payés au comptant pour une petite partie de la somme demandée, et à crédit pour le reste. Cette dette rendait Kaatje nerveuse, mais Soren semblait savoir ce qu'il faisait et il n'aurait pas vraiment accepté qu'elle en discute avec lui de toute manière. Voulant vivre en paix, Kaatje avait choisi de ne rien dire.

Christina attachée à sa poitrine avec une écharpe, Kaatje binait la terre pour planter un potager. Elle aimait être à l'extérieur à humer l'arôme de la terre fraîchement labourée et à regarder Soren au loin qui défrichait. Il avait insisté pour d'abord labourer leur nouvelle terre, et Kaatje avait acquiescé. S'ils devaient en fin de compte choisir un terrain plutôt que l'autre, elle préférait le nouveau avec la cabane de bardeau plutôt que le premier avec leur cabane en pisé sur plancher de terre. Ce deuxième lopin de terre était de plus situé près d'un petit ruisseau et on y trouvait aussi l'étable.

La vieille Engvold avait grimacé lorsqu'elle était arrêtée ce matin-là, avant de dire sur un ton grave que les propriétaires norvégiens précédents avaient couru à leur propre perte en cédant à leur avidité folle.

— S'ils avaient commencé par un petit abri ou une maison en pisé, avait-elle dit, ils seraient toujours ici.

— Tant mieux pour moi, avait répondu Kaatje, essayant de rester d'humeur joviale.

— Cette cabane est quand même plutôt exposée aux vents, non ?

— Un peu plus que notre ancienne. Mais elle a un meilleur toit — et un plancher. J'ai vraiment de quoi être reconnaissante.

— Chacun ses choix, avait déclaré la vieille fille en donnant un petit coup de rênes sur le dos de son cheval. À la prochaine.

— À la prochaine, avait marmonné Kaatje en se forçant pour la saluer de la main.

Pourquoi cette vieille femme se montrait-elle toujours si négative ?

Kaatje repensait à cette rencontre en sarclant le sol noir. Peut-être la vieille dame se sentait-elle esseulée, amèrement esseulée, après l'hiver. Tout de même, c'était le printemps, le moment était venu d'oublier les nuages gris de la saison morte. Kaatje regarda de l'autre côté du champ en se protégeant les yeux tandis que le bébé gigotait contre elle. Le soleil de fin d'après-midi découpait la silhouette de Soren. Elle se devait elle aussi d'oublier les nuages qui avaient troublé son hiver, songea-t-elle.

Avril avait été un mois épuisant. Soren se faisait sans cesse des ampoules aux mains, même s'il enveloppait celles-ci de chiffons.

Il avait dégagé trente acres par le feu, empilé des pierres aux extrémités du terrain et labouré la terre. Le lendemain, Soren se mettrait à herser ses champs à l'aide des bœufs, Kaatje suivant derrière lui avec un sac de graines qu'elles sèmeraient à la volée.

Lorsque tout le défrichement et les semis seraient terminés, il serait alors temps de se mettre à ramasser le foin. À l'automne, leur bétail compterait dix têtes, selon les prévisions de Soren, et ils auraient besoin de presque toute cette herbe riche de la prairie pour nourrir les animaux tout au long de l'hiver.

Malgré ce travail éreintant, Soren trouvait encore l'énergie de continuer après le dîner. Presque tous les soirs, il se rendait à l'étable avec une lanterne, sortait les bœufs fatigués et labourait jusqu'à l'épuisement. Ce soir-là, cependant, Soren faisait les cent pas dans leur petite maison, trop las pour labourer, trop agité pour s'asseoir. Ses pas faisaient craquer les lattes du plancher, distrayant Kaatje qui cherchait à se concentrer sur son *hardunger.* Elle leva les yeux de son ouvrage d'aiguille pour l'observer, jusqu'à ce qu'il croise son regard.

Les larmes menaçaient de couler. Le manège se répétait, exactement comme à Bergen. Kaatje connaissait les signes : ennui, agitation, impatience. Soren deviendrait graduellement insatisfait auprès d'elle, il ferait les cent pas chez eux comme un lion au zoo de Bergen.

— Quelque chose à dire ? demanda-t-il, souhaitant de toute évidence déclencher une dispute.

— Non.

Elle reprit ses travaux d'aiguille. Christina fit entendre un bruit dans son berceau, puis elle se rendormit. À côté de Kaatje, un feu brûlait dans le poêle, projetant une chaleur réconfortante en ces soirées encore fraîches du printemps. Soren faisait toujours les cent pas.

Kaatje avait peur, elle se demandait qui serait la prochaine conquête de son mari. Claire Marquardt? Elle espérait que non, car Fred pourrait en mourir s'il l'apprenait. Ou peut-être Fred était-il comme Kaatje, si habitué aux indiscrétions du conjoint que c'en était presque devenu une routine — vagabondages, remords et pardons.

— Je dois partir, Kaatje.

Les yeux de Kaatje cherchèrent ceux de Soren.

— Qu-quoi?

— Je dois partir. J'ai réfléchi. C'est la seule solution. Les sociétés de chemins de fer paient si bien que si je pars travailler pour elles quelques mois, nous aurons assez d'argent pour vraiment tirer notre épingle du jeu.

— De quoi parles-tu? Nous avons assez de semences, non?

— Si, mais selon mes calculs, seulement pour environ quarante acres.

— Mais tu n'en as défriché que trente. On ne peut pas s'attendre à ce qu'un seul homme en fasse davantage.

Il s'approcha et s'agenouilla auprès elle.

— Tu vois petit, *elske*. Moi, je veux voir grand, je veux être un éminent fermier, pas un immigrant de pacotille. Je veux montrer à la vieille Engvold que je ne suis pas bête comme les anciens propriétaires. Je veux rembourser les bœufs et t'acheter une paire de hongres pour tirer un nouveau carrosse. Je veux démolir cette maison et te construire une confortable petite cabane de bois rond. Pour faire tout ça, j'ai besoin de meilleur équipement et d'argent pour embaucher des hommes. Et j'ai réfléchi — avec les relations que je me ferai sur les chemins de fer, je pourrai trouver un meilleur prix pour notre bétail.

Kaatje en eut le souffle coupé.

— On t'a dit que tu pourrais gagner combien d'argent?

— Beaucoup. Assez pour engager des hommes et mettre de l'argent de côté pour les récoltes de l'an prochain. De la manière dont je vois les choses, nous pourrions alors planter soixante acres l'année prochaine et acheter une faux à râteau pour couper le foin. Fini, la faucille. Qui sait ? Je pourrais peut-être même convaincre d'autres gens d'acheter une batteuse en groupe. Nous économiserions tant, si nous n'avions pas à la louer. C'est ce que font de nombreux fermiers dans ce coin, Kaatje. C'est comme ça qu'ils arrivent à joindre les deux bouts.

Kaatje sentit la rage monter en elle, et lorsqu'elle se leva, elle tremblait.

— Nous sommes finalement chez nous, Soren. Ensemble. Seuls. Et tu ne peux pas le supporter !

— Je n'ai rien dit de tel !

— Tu as l'intention de partir tout l'été ?

Soren était maintenant debout et la regardait d'un air mauvais.

— Ce ne serait pas tout l'été...

— Combien de temps ?

— Seulement jusqu'en juillet. Je serai rentré pour les récoltes.

— Eh bien, quel soulagement ! répondit Kaatje en levant les bras en l'air tout en s'étonnant du sarcasme qu'elle mettait dans le ton de sa voix. Il me semblait bien que tout ça nous resterait sur les bras, à Christina et à moi.

Le visage de Soren s'assombrit, mais Kaatje n'arrivait pas à contenir sa colère.

— Comment puis-je savoir qu'il ne s'agit pas d'une ruse ?

— Une ruse ? demanda Soren à voix basse.

— Une excuse pour aller trouver une autre femme. Comment puis-je être certaine que tu vas revenir ?

Le visage de Soren rougit alors que la fureur s'emparait de lui.

— J'ai l'intention de partir gagner de l'argent pour pouvoir offrir une meilleure vie à notre fille et à toi, et qu'est-ce que j'en retire ? Ni le respect, ni l'amour, ni la gratitude auxquels je m'attendais, cracha-t-il, mais des accusations gratuites et de l'irrespect. Tout ce que j'ai fait, dit-il en agitant un doigt en sa direction, je l'ai fait pour toi.

— Y compris ce que tu as fait avec Laila ? Et avec toutes les autres ? Qu'en est-il de Claire Marquardt ?

Les mots étaient sortis avant qu'elle ne puisse les retenir. Elle se sentit soudainement vidée, et, pourtant, soulagée d'un grand poids.

Soren leva la main, menaçant de la frapper. Kaatje se recroquevilla devant lui. Devant la réaction de sa femme face au geste qu'il venait d'esquisser, il sembla se fâcher encore plus. Sans dire un autre mot, il tourna les talons et sortit de la maison.

C'est avec un certain soulagement que Tora reçut une deuxième lettre des entreprises Storm à la fin du mois d'avril. Elle relut l'adresse de l'expéditeur et répéta le nom de Trent Storm encore et encore. Il avait une calligraphie masculine affirmée, mais facile à lire, et Tora se l'imagina comme un sauveur la délivrant de sa situation désespérée. Son bébé, Jessica, était pour une fois endormi tout à fait paisiblement dans le vieux landau. Tora refusait de céder à la fierté maternelle qui lui gonflait le cœur à l'idée de prendre soin de sa propre chair et de son propre sang, se limitant à penser que son enfant et les garçons l'éloignaient de ses objectifs, de ses véritables ambitions. Elle fronça les sourcils en les observant tous les trois.

Elle tenait Lars sur sa hanche, pendant que Knut s'employait à le taquiner, lui pinçant les orteils jusqu'à ce qu'il crie. Elle lui donna une tape sur les mains pour qu'il les retire.

— Arrête ça », lui ordonna-t-elle fermement, puis elle leva les yeux vers Judy Gimball, la receveuse des postes.

Tora avait les mains qui tremblaient lorsqu'elle avait accepté la lettre que lui tendait cette fouineuse, qui la regardait toujours comme si elle portait un A écarlate sur la poitrine, un A signifiant « adultère ». C'était ce même regard que portaient d'ailleurs sur elle tous les autres citadins. Elle en avait marre de Camden, marre d'eux tous. Tora se tourna rapidement pour partir.

Incapable de retourner à pied jusqu'à la maison sans connaître la réponse de M. Storm, elle s'arrêta devant chez le marchand, où elle s'assit dans les marches.

— Va te choisir un bonbon et choisis-en un pour Lars, ordonna-t-elle à Knut.

Ce dernier se précipita joyeusement à l'intérieur du commerce. Elle ouvrit l'enveloppe, qu'elle remit tout de suite à Lars pour le distraire. La réponse était rédigée sur du beau papier fin. Elle essuya la sueur qui lui perlait sur le front.

Elle parcourut les salutations en diagonale et lut les passages importants à voix haute. « Désolé d'apprendre votre contretemps... avons malheureusement dû nommer quelqu'un d'autre à ce poste... serez peut-être heureuse d'apprendre qu'il y aura un autre poste disponible... en mai. Présentez-vous à mon bureau au plus tard le vingt mai. » Elle leva les yeux, fixa d'un regard absent les chevaux et les bogheis qui passaient devant elle. Quel jour était-ce ? Il lui restait combien de temps pour s'y rendre ? Son cœur s'arrêta à l'idée qu'il était peut-être déjà trop tard.

— To-ra, gémit Knut, l'invitant à venir payer les bonbons qu'il avait choisis.

— Une minute, Knut, lança-t-elle par-dessus son épaule, irritée.

Apercevant un couple en apparence bien nanti qui s'approchait sur le trottoir, elle se leva.

— Pardon, monsieur, pourriez-vous me dire la date d'aujourd'hui ?

Il la regarda quelque peu avec dédain.

— Nous sommes le vingt-neuf avril, ma jeune dame.

Tora fit un grand sourire.

— Le vingt-neuf ! Merci !

Elle se tourna vers Knut, qui sourit lui aussi avec gêne de voir pour une rare fois s'illuminer le visage de Tora.

— Entrons acheter ces bonbons, dit-elle en lui prenant la main. Aujourd'hui nous allons en acheter un demi-kilo ! s'enthousiasma-t-elle.

Ils quittèrent le magasin quelques minutes plus tard, les garçons captivés par leurs bonbons et Tora plongée dans ses rêves et aspirations. Elle se souvenait des mots élogieux de Karl sur le Minnesota et la ville de Saint Paul, et s'imaginant Duluth tout aussi belle, elle se mit à préparer son départ. Les garçons pourraient être laissés aux soins de leur père, et Jessica pouvait être sevrée. Mais que faire de cette dernière ?

En passant devant les chantiers, des souvenirs de Soren et de leurs moments ensemble à bord du bateau lui revinrent à l'esprit. Oui. Elle venait de trouver la solution. Ne serait-ce pas que simple justice ? Après tout, il était normal qu'il prenne sa part de responsabilité dans toute cette histoire, décida-t-elle en regardant Jessica. Kaatje était quelqu'un de bien. Elle saurait s'occuper de Jessica. Et le Dakota du Nord n'était pas loin du Minnesota.

C'était réglé. Elle déposerait l'enfant de Soren dans les bras de Kaatje en lui racontant la vérité. Oh, il essaierait peut-être de nier, mais que pourrait-il faire ? S'ils refusaient l'enfant, elle la laisserait devant leur porte. À titre de bonne chrétienne, Kaatje n'aurait d'autre choix que de la prendre et de l'élever comme sa fille. Jessica n'avait que quelques mois de moins que le propre enfant de Kaatje, songea Tora. Et lorsqu'elle grandirait, elle porterait des signes évidents de l'identité de son vrai père. Elle ressemblait déjà plus à cet homme, avec de toutes petites bouclettes blondes et le même menton.

Tora se retenait de sauter de joie. Oui, elle se rendrait à la ferme des Janssen, remettrait Jessica à son père, puis elle partirait pour sa nouvelle vie.

— Merci pour les bonbons, dit Knut en s'approchant d'elle pour lui prendre la main.

Tora se sentit soudainement rattrapée par la mélancolie en observant Knut, Lars et sa fille. À certains moments, elle appréciait sa vie, elle chérissait sa tranquillité.

Mais elle s'empêcha d'y penser, tant elle était déterminée d'aller vivre dans le monde dont elle faisait partie.

Celui de la haute société.

Chapitre 24

KAATJE OBSERVAIT AU LOIN LE BOGHEI QUI S'APPROCHAIT, SOULEVANT derrière lui une traînée de poussière qui se propageait dans les champs de blé verts du printemps. Soren était parti travailler depuis un mois pour la société de chemins de fer Northern Pacific, mais il ne devait rentrer que pour les récoltes. Était-ce déjà lui ? C'était vraiment trop tôt pour qu'il revienne, mais Kaatje trouva tout de même le courage d'espérer. En fait, elle combattait la peur qu'il ne revienne jamais et que Christina et elle soient vraiment laissées à elles-mêmes.

Cependant, lorsque la voiture se fut davantage rapprochée, Kaatje aperçut la silhouette d'une femme. Tiens, elle ressemblait à Tora Anders ! Elle sourit. Même si elle n'aimait pas particulièrement cette jeune femme, elle était ravie de voir un membre de la famille Anders. Elsa lui manquait tant ! Que pouvait bien faire Tora dans le Dakota du Nord ? Son cœur se serra. Elsa était peut-être malade.

Tora, d'un petit « woh » lancé à son cheval, s'arrêta devant la maison. Elle portait une nouvelle tenue d'équitation bleu foncé. Elle descendit en souriant, se dépoussiéra et s'avança vers Kaatje. Étonnée, celle-ci l'accueillit à bras ouverts.

— Tora Anders, que diable fais-tu donc ici ? demanda-t-elle.

— Je me suis trouvé un emploi, répondit simplement Tora avec fierté. Ou je devrais plutôt dire que je m'attends à trouver un emploi. Et je tiens à te présenter quelqu'un.

Elle se tourna vers la voiture.

— Soren n'est pas ici ? demanda-t-elle par-dessus son épaule.

— Non, il travaille pour la Northern Pacific, il essaie d'amasser de l'argent pour la ferme.

— Oh, quel dommage, dit Tora.

Elle plongea les bras dans un gros panier qui se trouvait sur le siège — de fait, c'était plutôt un berceau en osier, reconnut Kaatje — et elle en sortit un bébé de peut-être six semaines.

— Oh ! Tora ! Félicitations ! Je n'avais pas entendu dire que tu t'étais mariée. Comment Elsa a-t-elle pu oublier ? J'ai reçu une lettre d'elle tout juste la semaine dernière, s'exclama Kaatje en prenant le bébé dans ses bras en roucoulant doucement. Eh bien, elle doit avoir à peine quelques mois de moins que ma Christina.

L'enfant était magnifique, bien formée, avec de douces bouclettes blondes qui dépassaient de son bonnet à volants.

— Je ne suis pas mariée.

Kaatje jeta un regard rapide à Tora, cherchant quelque chose à dire.

— Le père…, commença-t-elle sans conviction.

Tora soutint fixement son regard et attendit.

Kaatje fronça les sourcils. Avant qu'elle ne puisse s'en empêcher, elle pensa à Kristoffer et à d'autres hommes qui auraient pu être le père de l'enfant. Non. Non, non, non ! Elle se détacha des yeux saphir de Tora et regarda les champs aux alentours. C'était une belle journée de début mai, le bleu du ciel se mariant au vert des champs. Mais son esprit n'était pas aux conditions du temps. Elle osa regarder Tora une fois de plus, et elle sut. Soren.

Le *Herald.* Elle avait le cœur tellement lourd qu'elle se sentait oppressée dans sa poitrine.

— Elle s'appelle Jessica. Elle se doit de vivre ici chez elle auprès de toi et de Soren, déclara Tora d'un ton neutre. Je ne suis tout simplement pas prête à être mère. Toi, tu es née pour ça, ajouta-t-elle sur le même ton. Maintenant, je dois partir. Le train de seize heures quarante part dans une heure, et je dois rendre ce boghei.

Elle interrompit son froid monologue, s'approcha de Kaatje — qui se sentait comme l'un de ces oiseaux perdus qui fonçaient parfois dans sa fenêtre — et elle se pencha pour embrasser l'enfant sur le front.

— S'il te plaît, prends bien soin de Jessie, dit-elle avec un bref trémolo dans la voix.

Les yeux brillants de larmes, elle fit demi-tour et partit.

Kaatje luttait pour retrouver la voix, à peine capable de croire ce qui lui arrivait. Une mère ne pouvait pas déposer un enfant comme ça, sans aucune forme de cérémonie, et l'abandonner sans se retourner. Et pourtant, il semblait bien que si !

Finalement, elle trouva les mots que lui dictaient sa tête et son cœur.

— Non ! Tora ! Que fais-tu ! Que veux-tu dire, « ici chez-elle » ? Tora ! Je ne vais pas m'occuper de ton enfant ! Tora !

Elle courut vers elle. Mais Tora était déjà dans le boghei, à faire faire demi-tour à la jument. Elle ne se retourna pas. Elle n'avait laissé que le panier d'osier couché sur le côté au beau milieu de la route.

Kaatje était vaguement consciente que Christina, qui s'éveillait de sa sieste, pleurait dans la maison. Pourtant, paralysée par son incrédulité, elle ne parvenait pas à se détacher les yeux du boghei noir qui se dirigeait rapidement vers la ville, de plus en plus petit à l'horizon. Elle sentit le bébé gigoter dans ses bras et baissa le regard. Le bébé, encore tout ensommeillé, ouvrit les yeux. Ils n'étaient pas gris-bleu comme les siens et ceux de Christina, ni bleu profond comme ceux de Tora. Ils étaient bleu ciel comme ceux de Soren —, et son petit menton était la réplique en miniature de celui de son mari. Aucun doute possible. Soren était le père du bébé qu'elle tenait dans ses bras. Et elle en était maintenant devenue apparemment la mère.

C'en était trop. Se sentant vaciller sur ses jambes, Kaatje s'agenouilla sur la terre battue, le bébé dans les bras, sous la brise de la plaine, et elle pleura.

Tora monta à bord du train à Bismarck, et lorsqu'il se mit en marche vers Duluth, elle se sentait plus libre qu'elle ne l'avait été depuis son départ de Bergen. Sa sentence de mère était terminée, et bien qu'elle se sentît un peu perdue les bras vides, elle était transportée de joie. Tora Anders était finalement libre, pensa-t-elle en regardant la plaine infinie. Quel merveilleux endroit que l'Amérique ! Si, si ! Par comparaison, la Norvège était toute petite ! Ce pays s'étendait sans limites, et elle saurait sûrement trouver la voie qui la mènerait à la place qui lui revenait dans la haute société. Elle en était certaine.

Seule ombre étonnante au tableau, elle commença bientôt à s'inquiéter pour sa fille. Une inquiétude qu'elle chassa vite de son esprit. Après tout, Jessica était mieux auprès de Kaatje. Quel avenir pourrait avoir cette enfant avec Tora ? Si elle prenait Jessie avec elle, Trent Storm ne l'engagerait pas, et si elle trouvait un autre emploi, elle devrait verser tout son salaire à la bonne. Ni l'une ni l'autre ne pourraient aller loin dans la vie. Kaatje allait tomber rapidement amoureuse du bébé, malgré les sentiments que Jessica ferait sûrement remonter à la surface. Et

Soren verrait ce qu'il en est d'avoir à affronter une épouse enragée. Ce n'était que juste, après tout ce que Tora avait enduré.

Décidant qu'elle avait besoin de se distraire, Tora sortit la dernière lettre de Trent Storm et le contrat qui l'accompagnait. Pour travailler aux entreprises Storm, elle devait accepter de ne pas se marier au cours de l'année suivante — sinon elle devrait rendre la moitié de son salaire.

— Ce ne sera pas difficile, chuchota-t-elle pour elle-même, riant à cette idée.

Elle aurait besoin de temps pour trouver le bon candidat et gagner son cœur. Rien ne pressait, car elle voulait bien choisir. Elle devait l'admettre, Elsa avait eu raison sur un plan : si on choisissait mal, il fallait vivre avec les conséquences. Le temps qu'elle avait passé seule avec Jessica et les garçons le lui avait bien montré. Dorénavant, Tora ferait de bons choix.

Karl avait envoyé un télégramme de New York pour prévenir Bradford Bresley de ses plans et lui communiquer l'horaire de son train. Lorsqu'il arriva à la gare de Saint Paul et qu'il vit l'homme qui l'attendait, Karl sentit le premier sourire se former sur ses lèvres depuis qu'il avait quitté le *Sunrise* presque deux mois auparavant. On ne pouvait demeurer impassible devant Brad. Il avait un sourire si chaleureux, si joyeux, qu'on ne pouvait faire autrement que de se laisser gagner. Peut-être Brad et lui développeraient-ils un jour le même genre d'amitié et de relation fraternelle qui l'unissait à Peder — avant qu'il ne vienne tout ruiner à cause de son béguin destructif pour Elsa. Si seulement il avait prié plus intensément, s'il avait été plus fervent dans ses croyances, ou assez fort pour partir avant... Non, ce n'était pas le moment d'y penser. Il devait laisser le passé derrière lui. Saint Paul représentait un nouveau commencement.

Il tendit la main vers Brad, tout en lui rendant son sourire.

— As-tu fait bon voyage ? lui demanda Bresley. Tu es revenu plus tôt que je le pensais.

— Tout a bien été, répondit Karl. Je suis tout de même content de descendre de ce train après six jours. Ce ne sera jamais comme à bord d'un bateau…

— Tu es chanceux d'être arrivé ici si rapidement. Mais tu ferais mieux de t'y habituer. Travailler pour John J. Hall signifie de fréquents voyages par train.

— Oui, dit Karl en pointant ses deux malles à un porteur. Je suppose que mon avenir sera bien différent.

Brad l'examina attentivement, cherchant à savoir si le ton de son interlocuteur ne cachait pas autre chose.

— Oui, eh bien, John sera content d'apprendre que tu es revenu. Depuis ton départ, il ne cesse de râler pour que nous nous lancions dans un nouveau projet.

Karl prit sa valise et s'arrangea avec le porteur pour que les malles soient livrées à sa résidence temporaire à l'hôtel où il avait séjourné lors de son premier voyage à Saint Paul.

— J'espérais retourner sur la rivière, dit-il tandis que Brad et lui sortaient de la gare. J'aimerais acquérir de l'expérience à bord d'un vapeur.

— Je comprends ça, dit Brad, en pointant l'un des carrosses qui attendaient près du trottoir. Mais je parie que John te fera une offre qu'il sera difficile de refuser. Il est bien décidé à ce que nous nous associons pour le nouveau projet d'affaires sur voie navigable. Vu notre expérience commune, il veut que nous partions bientôt sur le terrain en éclaireurs.

— Je ne sais pas si cette offre m'intéresse, dit Karl en s'assoyant lourdement sur le banc à l'intérieur du carrosse de Hall.

Brad s'assit en face de lui et retira son chapeau melon, qu'il déposa à côté de lui.

— Je comprends. Mais, Karl, ce projet sera grandiose, dit-il en gesticulant avec enthousiasme. Trent Storm en fait partie. Ensemble, nous pourrions faire un malheur.

Karl poussa un profond soupir. Soudainement, la fatigue de ses semaines de voyage sembla le rattraper, lui donnant l'impression qu'il n'était plus capable d'en entendre davantage.

— Pourquoi moi ? Pourquoi ne pas me laisser commander mon propre vapeur sur la rivière Rouge ? Vous pourriez trouver quelqu'un d'autre ?

Brad haussa les épaules.

— Hall t'apprécie. Tu es de toute évidence un entrepreneur ; tu as fait le tour du monde. Il juge probablement que ce projet est parfait pour toi, répondit-il en se penchant vers lui. Sais-tu combien d'hommes tueraient pour être à ta place ?

— Peut-être devrais-je les laisser faire, marmonna Karl pour lui-même.

— Quoi ?

— Rien.

Karl soupira. Pourquoi hésitait-il tant ? Brad venait tout juste de dire que c'était une occasion incroyable. Pourquoi son cœur lui disait-il de fuir, alors que son cerveau lui disait plutôt d'aller de l'avant sans se retourner ?

— Je peux te demander une chose, Brad ?

— N'importe quoi.

— Es-tu entièrement à l'aise avec la manière dont Hall gère son entreprise ?

Brad regarda brièvement par la fenêtre, puis il tourna son regard vers Karl.

— Change de tactique.

— Que veux-tu dire ?

— Il est dangereux de remettre en question un homme tel que John J. Hall.

— Quoi ? Alors, pourquoi s'associer à lui ?

Brad soupira.

— Dans mon cas, les dés sont jetés depuis longtemps. Lorsque John veut attraper un homme dans son filet, il réussit. J'étais comme toi — jeune, inexpérimenté. Rares étaient ceux qui daignaient même m'adresser la parole. John m'a pris sous son aile, et voilà, trois ans plus tard, j'ai un poste convoité chez John J. Hall inc., une belle maison et du prestige. Je ne pourrais pas partir même si je le voulais.

— Mais sûrement que…

— Non.

— Même si…

— Non.

Brad soupira de nouveau, affichant l'air le plus sérieux que Karl lui avait jamais vu.

— Comme je viens de te dire, en ce qui me concerne, les dés sont jetés. Tout comme les tiens, mon ami, ajouta-t-il un sourire aux lèvres, mais le regard sérieux. La chance t'a souri, cependant. Il semble que tu as tiré des six.

Karl déglutit, sentant sa gorge devenir soudainement sèche.

Chapitre 25

KAATJE TRANSPORTAIT DEUX SEAUX D'EAU DEPUIS LE RUISSEAU POUR aller arroser les ormes récemment plantés. Il faisait inhabituellement chaud pour la mi-mai, et c'était pire encore avec deux bébés dans une écharpe contre sa poitrine. Christina et Jessica semblaient dormir davantage à la chaleur, prolongeant leur sieste d'une heure, leurs corps entremêlés. La sueur dégoulinait dans le cou et le dos de Kaatje ; les lacs frais des montagnes de Norvège lui manquaient beaucoup. D'ailleurs, elle n'aurait pas demandé mieux que de se baigner dans le ruisseau ou à tout le moins de se mettre les pieds dans l'un des seaux d'eau en bois. Elle se mit la main au-dessus des yeux et regarda autour d'elle. De cet endroit, il n'y avait pas d'autre maison de ferme en vue, que des kilomètres et des kilomètres de pousses de blé et d'herbes des prairies. Depuis combien de temps n'avait-elle pas vu de montagnes ? Elle avait le cœur brisé en songeant à son pays natal… et à Soren, malgré toute la colère qu'elle ressentait envers lui.

Comment s'y prenait-il pour qu'elle puisse l'aimer autant, lui qui amenait pourtant d'autres femmes au lit… et qui faisait même des enfants à certaines ? Elle se détestait. Elle détestait se soucier encore de lui. Kaatje fit une pause pour se rappeler la journée de son départ, ce qu'il avait l'air, ce qu'il avait dit. Alors qu'elle sentait son cœur sur le point d'éclater, il lui avait pris le visage dans ses mains et lui avait dit : « Ton travail jusqu'à mon retour sera de prier pour qu'il pleuve et t'occuper du bétail. Je serai bientôt de retour, *elskling*. Promis. »

Kaatje, incapable de dire un mot, avait seulement hoché la tête et l'avait regardé partir à pied vers la ville. De là, il prendrait un train pour le territoire du Montana, d'où le Northern Pacific faisait supposément route vers les montagnes rocheuses. Il n'avait pas inclus dans sa liste de choses à faire qu'elle devrait s'occuper de l'enfant de son amante. Kaatje grinça des dents en songeant à ce titre que les autres ne manqueraient pas d'attribuer à Jessica avec le temps. Elle ne voulait pas que Jessica ressente un jour de la colère à se faire désigner ainsi ou autrement. Elle avait beaucoup cherché, réfléchi, elle essayait de trouver une manière d'expliquer l'arrivée du bébé aux voisins et à ses amis de Bergen à l'église. Que dirait-elle ? Elle avait préféré ne pas assister à la messe la semaine précédente, le lendemain de l'arrivée de Jessica, ni ce matin-là. C'était une question de jours avant que le pasteur Lien ou quelqu'un d'autre ne vienne voir comment elle se portait.

Elle scruta encore une fois l'horizon. Ses yeux s'arrêtèrent sur l'herbe haute ondulante, bientôt prête à être récoltée. Comment diable réussirait-elle seule à s'acquitter de cette tâche si Soren ne revenait pas comme promis ? Et avec deux bébés dont elle devait s'occuper ? Kaatje sentit la panique l'envahir à cette pensée. Sans attendre un instant de plus, elle se laissa choir sur ses genoux et baissa le regard vers ses bébés. Christina avait un bras autour de Jessica. Kaatje se rendit compte qu'elle commençait à aimer l'enfant de Tora, même si elle représentait une menace pour son mariage. Jessica était innocente, après tout, et un enfant était un don du ciel. Se pliant le cou, elle embrassa la tête moite d'une des deux enfants, puis l'autre. Elles ne se réveillèrent pas.

L'herbe lui arrivait aux épaules et ondulait autour d'elle sous la douce brise. La terre était sèche, mais fraîche à l'ombre des fines tiges, et Kaatje inspira profondément.

— Mon Père, pria-t-elle à voix haute, j'ai besoin de toi. Je suis seule ici avec deux enfants qui comptent sur moi et sur mon mari absent. Aide-moi à trouver comment m'en sortir. Aide-moi.

Une boule se forma dans sa gorge, et d'énormes larmes se mirent à couler lentement sur son visage. Elle leva les yeux vers le ciel, flou au travers de ses larmes, et elle cria :

— Père ! Tu m'as amenée jusqu'ici ! Guide-moi. Mon Dieu, guide-moi.

Lorsqu'elle eut terminé ses prières, une heure plus tard, après avoir confessé sa colère profonde et les désirs coupables qui habitaient son âme, Kaatje se sentit épuisée, mais soulagée. Ses envies de laisser les arbres se flétrir, de voir le bétail mourir et de remplir de pierres le puits à demi achevé de Soren avaient disparu en elle, soulagée par son Sauveur du fardeau de sa fureur. Kaatje ne détruirait pas ce qu'il y avait de bien pour tuer le mal. Elle tiendrait bon, car elle était forte. Et elle était aimée. Non par Soren et ses ineptes tentatives à cet égard, mais par le Christ dans son véritable amour éternel. Rien ne pourrait détruire cet amour. Et Kaatje ne s'était jamais sentie plus proche de Lui.

Tora entra dans le magnifique édifice à deux étages qui abritaient les entreprises Storm, et elle se rendit à l'accueil. Un jeune homme leva le regard et lui sourit avec plaisir en voyant le chapeau de paille toscan, l'ensemble de satin couleur crème dernier cri et les délicates bottes de marche qu'elle portait pour l'occasion.

— Je viens rencontrer M. Trent Storm, dit-elle avec assurance en observant les yeux du jeune homme qui se dirigeaient maintenant vers les siens.

— Certainement, mademoiselle...

— Mademoiselle Anders. Tora Anders. J'ai rendez-vous.

— Je vois. Veuillez vous asseoir. La secrétaire de M. Storm viendra vous chercher.

— Parfait.

Elle se dirigea vers un banc de bois et s'assit. Elle était satisfaite de ses achats et elle espérait que M. Storm le serait aussi. Dans ses annonces, il avait demandé des jeunes femmes séduisantes, après tout, et elle voulait l'impressionner. À en juger par la réaction du jeune homme à la réception, tout irait bien. Elle avait mis une semaine pour trouver les bonnes choses et elle avait sérieusement rongé ses économies pour acheter cet ensemble, ce chapeau et ces chaussures, mais elle savait qu'il était primordial d'avoir bonne image. Tora inspira profondément pour se calmer. C'était un moment-clé pour son avenir ; elle en était certaine.

Quelques instants plus tard, une jolie jeune dame vint la chercher, et Tora se leva pour la suivre au bureau de M. Storm. La secrétaire était vêtue d'une simple robe grise ennuyeuse, et pendant un moment, Tora s'inquiéta d'en avoir trop fait. Peut-être M. Storm préférait-il la simplicité d'une robe de l'Ouest au chic de celle qu'elle avait choisie ! N'avait-elle pas lu qu'il était conventionnel, qu'il mettait des chaperons à la disposition de ses employées ainsi que des dortoirs bien gardés ?

Ses inquiétudes s'évanouirent, cependant, lorsqu'elle vit les yeux de l'homme s'illuminer. Elle avait peut-être réagi de la même façon face à lui, car Trent Storm était un homme de la fin trentaine étonnamment beau. Lorsqu'il se leva de son fauteuil derrière son pupitre, Tora remarqua son maintien distingué.

« Quel soulagement d'être en compagnie d'un vrai gentleman ! » songea-t-elle.

— Mademoiselle Anders, je suppose ? demanda-t-il en contournant son pupitre pour lui serrer la main.

Il mesurait environ un mètre soixante-dix. Il n'était pas très fort de carrure, mais sa forme mince et masculine devait faire le bonheur de son tailleur. Le corps parfait à habiller, songea-t-elle. Il avait les cheveux noirs de jais parsemés de quelques touches de gris prématurées, ce qui lui donnait un air encore plus distingué.

Elle tendit la main, espérant qu'il la porterait à ses lèvres. Il la serra plutôt doucement, à la manière d'un homme d'affaires. Il avait les yeux saisissants, d'un vert pâle ou noisette. Sur sa joue droite se voyait une longue cicatrice, qui l'intrigua. Tora résista à l'envie de la toucher, de lui demander comment il se l'était faite.

Elle retira délicatement sa main et lui sourit.

— Eh bien, M. Storm, j'avais imaginé que vous étiez un vieil homme courbé.

Il rit, d'un gros rire franc, et ses pattes d'oie sous les yeux lui donnèrent un air joyeux. Trent fit un geste vers le fauteuil devant son pupitre.

— Il m'arrive à l'occasion de me sentir vieux et courbé. S'il vous plaît, mademoiselle Anders, assoyez-vous.

Elle fit comme il lui demandait, puis elle l'observa qui retournait à son fauteuil, où il joignit les mains avant de l'étudier brièvement.

— Dites-moi, mademoiselle Anders, pourquoi souhaitez-vous travailler pour les entreprises Storm ?

À son tour, Tora se croisa les mains et l'examina attentivement. Quelle réponse voulait-il entendre ?

— J'ai lu vos annonces, répondit-elle simplement. Fuir vers l'Ouest me semblait excitant, c'est exactement ce dont j'avais besoin.

— Et que fuyez-vous ?

Tora hésita un moment.

— L'ennui mortel d'une petite ville du nom de Camden-by-the-Sea.

— Ah oui, l'ennui. Vous ne semblez pas du type à pouvoir supporter ce genre de calme ennuyeux. Vous recherchez l'aventure. Cherchez-vous aussi la richesse ? demanda-t-il, de toute évidence en train de calculer la petite fortune qu'avait dû lui coûter ses vêtements. Ou êtes-vous financièrement indépendante ?

— Si seulement c'était le cas, dit-elle, profitant de sa chance de discuter avec une personne intelligente.

Elle passa un doigt sur les volants de sa jupe, qui tombaient en triple cascade jusqu'au sol.

— J'aime les beaux atours, mais je n'ai pas peur de travailler pour les obtenir.

— Je vois. Eh bien, je dois dire que vous êtes magnifique dans ces vêtements dignes de la meilleure couturière en ville.

Il s'appuya dans son fauteuil, tout en continuant de la regarder droit dans les yeux.

— Voyons, M. Trent, dit Tora, prenant un air un peu outré. Que dirait votre femme ?

Les yeux de l'homme perdirent de leur légèreté, et son sourire disparut.

— Ma femme est morte il y a trois ans.

— Oh, pardonnez-moi, dit-elle, regrettant sincèrement d'avoir abordé un sujet si douloureux. Vous devez avoir beaucoup de peine.

Ses yeux cherchèrent de nouveau ceux de Tora, qui ne baissa pas le regard.

— Vous cuisinez ? demanda-t-il, fouillant soudainement dans les papiers sur son bureau jusqu'à ce qu'il trouve sa lettre dans la pile.

— Oui. Je suis même plutôt bonne, en fait.

— Oui, bon, ça tombe bien. Mais je crois en fait que vous serviriez mieux les entreprises Storm en tant que serveuse. J'ai besoin de jolis visages auprès des clients. Ça m'aide à les attirer. Je suppose que vous êtes travaillante.

— Lorsque je le décide.

— Êtes-vous bien décidée ?

— Oui.

Trent se réinstalla dans son fauteuil et il étudia Tora un long moment avant de parler.

— Je vais vous prendre à l'essai, mademoiselle Anders. Demain, vous ferez le service dans mon wagon-restaurant privé. Je reçois d'importants hommes d'affaires des chemins de fer, et ils comptent beaucoup pour mon entreprise. Si tout va bien, nous verrons à vous offrir un poste permanent dans l'un de nos relais routiers. Ma secrétaire va vous donner tous les renseignements nécessaires. Ça vous va ?

Il se leva pour lui donner congé.

— Très bien, M. Storm, affirma-t-elle en essayant de ne pas s'énerver.

Il lui donnait une chance dans son propre wagon privé !

— Bonne journée, monsieur.

— Bonne journée, mademoiselle Anders.

Karl suivit Brad dans la gigantesque maison de M. Hall, essayant de ne pas rester bouche bée au vu et au su de tous en passant devant des meubles richement ornés et des vitraux recherchés. Brad lui fit un sourire ironique.

— Tu n'as encore rien vu, mon ami. Attends de voir les plans de John pour sa nouvelle maison sur l'avenue Summit.

Karl ne pouvait pas vraiment s'imaginer quoi que ce soit de plus grandiose. Puis il aperçut Alicia. Elle se tenait au pied du large escalier, aussi jolie que dans ses souvenirs.

— Vous avez oublié de m'écrire, capitaine Martensen, dit-elle en baissant la tête et en le regardant avec coquetterie.

— Pardonnez-moi, mademoiselle Hall. Je n'ai aucune excuse. Je me rends compte que c'était une erreur, ajouta-t-il en l'observant.

Elle était vraiment agréable à regarder, et ses yeux flirteurs trahissaient une intelligence vive.

— Je suis venu m'installer à Saint Paul. Excusez-moi de ne pas avoir donné de nouvelles dans l'intervalle, mais je tenais à voir les océans une dernière fois avant de m'embarquer sur les rivières de votre superbe État.

Elle laissa le commentaire en suspens un instant, puis elle dit :

— Bienvenue chez vous, M. Martensen. Soyez prévenu que je ne suis pas le genre de femme à me languir d'un homme.

— Bien sûr que non. Je ne me permettrais pas…

— Il y en a d'autres qui ont été plus audacieux, dit-elle doucement en le dépassant. Bonne journée. Bonne journée, M. Bresley.

Les deux hommes la regardèrent disparaître dans le long couloir qui menait à l'arrière de la maison, probablement très consciente qu'ils continuaient de l'observer avec admiration. Lorsqu'elle fut hors de leur champ de vision, Brad donna une tape dans le dos de Karl.

— Bon sang, mon ami, je vais regretter que tu aies été invité au Minnesota. D'abord, tu tombes dans l'œil de John, et maintenant dans celui de sa fille. Je me sens emporté par un grand vent. Ou est-ce seulement l'air que tu déplaces dans ton ascension fulgurante ? Le souffle que tu projettes derrière toi en me dépassant ?

Son visage ne reflétait pas le côté caustique de ses remarques cependant, et Karl savait qu'il le taquinait. Avec peut-être une petite pointe d'envie. Il était en effet indéniable que John Hall appréciait beaucoup Karl. Il lui avait cédé le poste de capitaine du *Merriweather* et permis d'acheter cinquante et un pour cent des parts du navire, lui accordant ainsi les pleins pouvoirs et une bonne portion des profits lorsqu'il se mettrait à travailler sur les rivières. Sans compter, selon Brad, que Hall avait maintenant une autre offre prometteuse à lui faire.

Lorsqu'ils se remirent à marcher vers le bureau de Hall, Karl recommença à penser à certaines des questions qui continuaient de le tourmenter. Que voulait cet homme ? Pourquoi faire des offres si magnanimes à une personne qu'il connaissait à peine ? Hall n'était pas un homme enclin à faire des sottises. Chaque décision était bien calculée. D'une certaine manière, Karl avait l'impression que c'était un piège, mais il n'avait pas vraiment d'autres choix. Son argent avait été envoyé, déjà en sûreté, dans le compte de banque de Hall. De plus, pourquoi s'inquiéterait-il ? S'il voulait partir plus tard, il pourrait simplement demander à Hall de racheter ses parts. En regardant autour de lui dans la grande salle, il n'avait aucun doute qu'un homme d'affaires aussi riche puisse trouver des fonds n'importe quand.

C'était plutôt les propos de Hall, au moment de conclure leur entente, qui hantaient le plus Karl, se rappelant les accusations d'hypocrisie que lui avait déjà lancées son père. « Parfois, un homme droit se doit de prendre des décisions dans une zone d'ombre, mon garçon », avait dit John en allumant un cigare. Karl venait de lui tendre un chèque et de signer le contrat officialisant leur entente sur le *Merriweather.* « Car c'est un monde qui comporte beaucoup de zones d'ombre, beaucoup. Si tu veux toujours que tout soit noir ou blanc, tu n'iras nulle part. Apprends à vivre avec les zones d'ombre, et je te ferai faire une petite fortune. »

Chapitre 26

Elsa soupira profondément. Elle était à faire le croquis de la côte est de l'Argentine, qui se trouvait maintenant non loin à tribord du *Sunrise*. Un vent constant soufflait de plein fouet sur la hanche bâbord du voilier ; Riley naviguait au large pour aller rapidement. Ils étaient donc un peu éloignés du rivage, mais en approchant du cap Horn, disait-il, ils devraient constamment louvoyer pour tirer parti du vent et du courant.

Ce jour-là, les brises fraîches formaient déjà des vagues de presque trois mètres. À quoi fallait-il s'attendre avec les vents à venir, réputés terribles, du cap Horn ? Elsa repoussa la peur qui l'étreignait. Si seulement Peder pouvait bientôt reprendre ses forces. De son propre aveu, devenu marin sur le tard, Riley était beaucoup moins expérimenté que Stefan. Ayant fait mettre le premier second aux fers, Elsa ne savait plus comment agir. Les hommes la regardaient avec un mélange d'admiration et d'inquiétude, se demandant si ses décisions auraient pour conséquence de tous les envoyer par le fond.

Son croquis reflétant le malaise qu'elle ressentait, elle arracha la feuille de son bloc et la chiffonna aussitôt. S'ils réussissaient à survivre au cap Horn sans l'aide du premier second enchaîné, Peder reconnaîtrait sûrement qu'Elsa était assez forte pour toujours voyager à ses côtés. Elle revint sur terre. Et s'il ne se remettait pas ? Il avait accepté le traitement d'écorce de quinquina du cuisinier, mais il restait si faible qu'il n'arrivait pas encore à se lever.

Elle fut saisie d'émotion à l'idée de le perdre. Elle l'aimait. Si seulement ils avaient pu trouver un médecin ! Il n'y avait pas d'autre moyen. Elle aurait besoin de prier, à genoux, trois fois par jour, pour qu'ils puissent tous s'en sortir.

— Concentre-toi sur le moment présent, chuchota-t-elle pour elle-même.

Incapable de faire quoi que ce soit d'autre, elle s'agenouilla à côté de sa chaise pour prier doucement à voix haute :

— Cher Jésus, nous nous dirigeons vers les vents et les courants que tu as toi-même créés, même s'ils nous effraient. Je prie pour que tu sois auprès de chacun de mes marins, pour que tu leur donnes la force et la sagesse nécessaires pour faire face à ce qui nous attend. Aide-moi à croire en ta présence, même dans les moments les plus sombres. Et s'il te plaît, Père, guéris vite ton fils Peder. Je te prie au nom du Christ. Amen.

Lorsqu'elle ouvrit les yeux, elle vit que cinq marins sur le pont sous elle avaient momentanément cessé de sabler le plancher, avec une brique à pont et du sable mouillé, pour se mettre à genoux, tête penchée. Ils n'avaient pas pu l'entendre, mais ils étaient de toute évidence avec elle en pensées. Elsa sourit, et ses yeux se remplirent de larmes. Graduellement, les hommes levèrent la tête, un par un.

— Nous sommes avec vous, m'dame, dit Yancey.

— Le cap'taine va s'en sortir, vous verrez, promit un autre.

Elsa ne put que hocher la tête, trop émue pour dire mot, tandis que les hommes reprenaient leur travail.

Cinq jours plus tard, Elsa put comprendre parfaitement pourquoi Peder voulait les hommes les plus expérimentés sur le pont pour affronter les terribles tempêtes du cap Horn, au point le plus austral de l'Amérique du Sud. Le vent hurlait comme un être vivant, comme un géant rugissant qui menaçait d'écraser le *Sunrise* de ses vagues géantes devenues des serres. Elsa, trempée et effrayée, tentait de rester debout aux côtés de Riley. Ce dernier avait de la difficulté à tenir le gouvernail, incapable de le maîtriser un instant de plus alors que les vagues commençaient à passer par-dessus bord.

— Rentrez à l'intérieur, cria Riley.

Sa voix était à peine perceptible, avec les rugissements du vent, mais Elsa savait ce qu'il voulait. Peu importe qu'elle se fût octroyé le titre de capitaine, elle n'avait jamais contourné le cap Horn, et le cœur tressautant, elle se souvint de la dernière fois où elle était restée sur le pont durant une tempête. Karl Martensen n'était pas sur le bateau pour la repêcher, cette fois-ci, et Peder était encore trop faible pour quitter le lit.

Elsa se résigna à laisser le bateau entre les mains de marins compétents sur le pont. Elle ne voulait pas non plus les distraire en se mettant inutilement en danger. Elle essaya d'ouvrir la porte de la cabine, mais le vent la maintenait fermée. Elle mit un pied sur le montant de la porte, agrippa la poignée de laiton des deux mains et tira de toutes ses forces jusqu'à ce qu'elle puisse se glisser à l'intérieur. La porte claqua derrière elle. Elle haletait dans l'obscurité, se demandant si Peder était éveillé.

— Peder ? demanda-t-elle à voix haute.

Il était encore difficile d'entendre avec le bruit du vent, mais ce n'était cependant plus nécessaire de crier à tue-tête comme sur le pont.

— Peder ? tenta-t-elle de nouveau en essayant de trouver la lampe à kérosène.

— Je suis réveillé, dit-il d'un ton las, avant de laisser paraître son inquiétude. Qu'y a-t-il ? Où sommes-nous ?

— Nous contournons le cap Horn, répondit-elle en allumant la mèche.

La flamme grossit et la lumière se propagea dans la pièce. C'était comme une touche de réconfort dans cette tempête. Comme Dieu, songea-t-elle en souriant. Soudainement, elle se sentit irrationnellement rassurée que tout irait bien.

— Le cap Horn ! Qui est sur le pont ?

Son ton effaça toute l'assurance qui avait pu envahir le cœur d'Elsa.

— Riley. Il est au gouvernail. Tout semble aller bien, dit-elle en laissant tomber son ciré sur le plancher et se préparant à affronter l'impact de la vague suivante.

— Où est Stefan ? demanda-t-il avec lassitude en se frottant les yeux.

Comme il tentait de s'asseoir, Elsa s'approcha de lui, se retenant à une poignée, puis à une autre, pour ne pas être projetée dans tous les sens. Elle s'assit à côté de lui sur le bord du lit, s'agrippant à la tête de lit tandis que le bateau s'aplatissait au fond d'un creux de vague.

Peder grimaça pendant que le *Sunrise* tremblait et vacillait.

— Où est Stefan ? répéta-t-il.

Elsa hésita.

— À la cale. Aux fers.

— Aux fers ? Pourquoi diable mon premier second serait-il aux fers ?

— Parce qu'il m'a fait des avances inappropriées. J'ai dû prendre le commandement.

Le visage blanc de Peder tourna au gris.

— Qu'ai-je fait ? Pourquoi ne t'ai-je pas laissée à la maison, où tu serais en sûreté ?

Il s'affaissa de nouveau dans le lit, ses yeux tombant de fatigue. C'était la plus longue conversation qu'il avait eue depuis des semaines, et l'effort l'avait visiblement épuisé.

— Je suis en sûreté, Peder, dit-elle en remontant les couvertures jusqu'à son cou.

— Et comment donc ! marmonna-t-il. Mon premier second est enchaîné, mon deuxième second non expérimenté le remplace, et ma femme est devenue capitaine. Je ne crois pas que ce soit la solution idéale. Nous sommes en danger, Elsa, dit-il en ouvrant les yeux. Beaucoup, beaucoup de bateaux périssent corps et biens au cap Horn. Tu as besoin de tous les marins possibles sur le pont, tout particulièrement de ceux qui ont de l'expérience. Riley est bon, mais il n'a pas connu assez de mers comme celle-ci pour être au gouvernail.

Il soupira et ferma de nouveau les yeux. Il parla sans les rouvrir.

— Je veux que tu le fasses libérer.

— Quoi ?

— Fais libérer Stefan. Il saura comment faire traverser la tempête au *Sunrise*. Enferme-toi ici. Lorsque nous serons au port et que j'irai bien, je vais moi-même m'occuper de son avenir, ordonna-t-il en lui prenant faiblement la main et en réussissant à ouvrir les yeux une fois de plus. En ce moment, notre avenir dépend de cet homme et des autres. Fais-le sortir de la cale, Elsa. Promets-moi que tu vas le faire.

Il perdit connaissance avant de l'entendre promettre.

Elsa dévisagea son mari — si maigre après des semaines à n'avaler que de l'eau et du bouillon. Elle était déchirée entre exécuter ce qu'il lui suppliait désespérément de faire et s'en tenir à ce qu'elle avait elle-même décidé. Tout semblait bien se dérouler, malgré la redoutable tempête et l'absence de Stefan. Peder avait été malade si longtemps. À quel point avait-il les idées claires ? D'un autre côté, Riley avait dit que la tempête allait sûrement empirer avant de se calmer. Et Peder avait été en mer presque dix années entières. Et il était son mari.

— À l'aimer et à l'honorer, marmonna-t-elle, se rappelant ses vœux de mariage.

Elle reprit son ciré détrempé et sortit du sanctuaire relatif de leur cabine. Sur le pont, les embruns d'une vague lui donnèrent une poussée d'adrénaline.

— Riley ! cria-t-elle, tentant de rejoindre le second au gouvernail. Riley !

Elle était presque rendue à ses côtés lorsqu'il l'entendit dans le vent assourdissant. Elsa hésita à l'interrompre, tant il était concentré à tenir le gouvernail et à crier des ordres que personne n'entendait.

— Riley !

Il se tourna et lui jeta un coup d'œil.

— Retournez à l'intérieur ! Ce n'est pas un endroit pour vous !

Ils se raidirent alors qu'une autre vague relâchait le bateau, qui s'aplatit raide sur l'eau.

— J'ai parlé à Peder. Peder ! répéta-t-elle en le voyant tout estomaqué. Il veut que Stefan soit libéré ! Jusqu'à ce que nous ayons contourné le cap !

— Qui sera au gouvernail ?

— Stefan, dit-elle tristement. Il veut qu'il y soit jusqu'à ce que nous soyons passés !

Riley ne fit ni une ni deux.

— Yancey ! Yancey ! Libère Stefan ! Donne-lui les vêtements nécessaires et amène-le ici !

Il jeta un coup d'œil à Elsa.

— Et fais-le d'abord manger ! cria-t-il à Yancey.

Il se retourna vers elle alors qu'une autre vague les frappait.

— Vous, m'dame ! Retournez à l'intérieur des quartiers du capitaine et barrez la porte. Je vais venir vous chercher lorsque la voie sera libre !

— Merci, cria Elsa, et elle fit ce qu'il demandait.

Au matin, Elsa fut surprise d'entendre cogner à la porte, car elle se trouvait au milieu d'une prairie, au printemps, à observer de duveteux nuages blancs. Mais d'où provenait ce bruit déconcertant ? Elle comprit vaguement qu'elle était à bord du *Sunrise* et que le bateau naviguait de nouveau en eaux calmes.

Elle ouvrit les yeux et secoua Peder.

— Peder ! Peder ! Nous avons réussi !

Il grogna et ouvrit les yeux, souriant un peu comme un parent fier.

— Eh bien, évidemment que oui.

Elle entendit un autre coup. Elsa se leva, enfila une robe de chambre et sortit la tête. Riley.

— Je voulais que vous sachiez, m'dame, que le bateau s'en est bien tiré, dit-il. Stefan est de retour aux fers, ajouta-t-il avant de s'interrompre, bougeant d'un pied sur l'autre. C'est bien qu'il ait été sur le pont, m'dame. J'ai pensé que vous aimeriez le savoir.

Il a pris des décisions auxquelles je n'aurais pas pensé. Il nous a probablement sauvés.

— Peut-être, dit Elsa en choisissant bien ses mots. Merci à toi, nous avons mené le bateau jusqu'où nous le pouvions. Tu es un brave homme, Riley. Je vais m'assurer de raconter à Peder ce que tu as fait.

— D'accord, m'dame, répondit Riley en mettant les doigts sur sa tempe pour la saluer.

Il avait de toute évidence hâte de mettre fin à cette conversation et de retourner à ses tâches habituelles.

— J'y retourne ?

Soudainement, elle sentit la chaleur du corps de Peder à ses côtés. Il ouvrit la porte un peu plus et dit :

— Retournes-y, compagnon.

Riley sourit.

— Il est bon de vous voir debout, cap'taine. À vos ordres, monsieur.

Il se retourna vivement et partit.

Elsa, hébétée de bonheur, regarda son mari. Maintenant que Peder était debout, la tempête était peut-être vraiment derrière eux.

Chapitre 27

TÔT LE MATIN DE LA PREMIÈRE JOURNÉE DE TORA AUX ENTREPRISES Storm, Trent Storm l'aida à monter à bord de son wagon privé.

— Merci, M. Storm, dit-elle en lui décochant son sourire irrésistible.

Elle se sentait un peu bizarre d'être au bras de son patron dans un uniforme de serveuse, mais elle s'en tirait avec grâce et élégance.

— C'est un beau matin pour une excursion en train, n'est-ce pas ?

— En effet, acquiesça-t-il.

Lorsqu'ils furent à l'intérieur du chic wagon Pullman, Tora se mit à admirer les cloisons en riches panneaux de bois, les sièges recouverts de velours et les lampes à l'huile Tiffany. Le wagon de Trent était de toute évidence on ne peut plus neuf, muni de l'équipement le plus moderne. Il rivalisait clairement avec le Pullman Hotel Express, qui avait fait les manchettes en 1870 après avoir traversé le pays en sept jours.

Storm la guida vers un bar dans un coin, sur lequel se trouvait un plateau de porcelaine rempli d'une variété de pâtisseries et une superbe grosse cafetière à côté de laquelle étaient disposées des tasses de porcelaine.

— Vous allez vous tenir ici, à l'affût du moindre signe donnant à penser qu'un de mes invités a besoin d'attention. Vous croyez que vous allez vous en sortir ? demanda-t-il avec un clin d'œil.

Tora se retint d'afficher son mécontentement devant cette atteinte à sa fierté.

— Je crois que je peux, dit-elle, le menton en l'air.

— Très bien, dit-il, en lui faisant un autre clin d'œil, puis il se retourna pour aller au-devant des invités qui arrivaient.

Les premiers à entrer furent un homme bien vêtu d'âge moyen accompagné d'une femme. Tora s'avança pour prendre le sac de la dame et son léger châle. Trent fit un sourire d'approbation. Tora se tourna pour commencer à verser le café dans les tasses tandis qu'il accueillait les autres invités. Elle écouta leur conversation et apprit que le premier couple était en fait monsieur et madame John J. Hall, de John J. Hall inc., une société dont le nom ne lui disait rien. Elle aurait aimé être l'une des femmes bien habillées qui attendaient d'être servies plutôt que d'avoir à les servir. De dos au reste de la pièce, tout en déposant les tasses sur le plateau de service en argent, Tora écouta John Hall faire les présentations.

— Bradford Bresley, j'aimerais vous présenter deux de mes amis de la ligne Saint Paul, Minneapolis et Manitoba, Anton Gagnon et Rupert Conley. Messieurs, mon associé Bradford Bresley. Ah, et voici mon tout nouvel associé, Karl Martensen. Et je crois que vous connaissez mon adorable fille Alicia.

Karl ! Karl Martensen ? Tora sentit sa gorge se serrer. C'était impossible ! C'était sûrement un autre homme du même nom. Elle s'empressa de jeter un rapide regard par-dessus son épaule et en fut ébranlée. C'était Karl. Il était parmi tout ce monde. Et il pouvait tout ruiner, car Trent Storm n'engagerait pas la jeune mère d'un enfant abandonné.

Alicia Hall s'assit sur un canapé de velours et retira ses gants de chevreau. Elle lança un regard irrité à Tora.

— Jeune fille, j'aimerais que tu les ranges quelque part.

Ne voulant pas attirer l'attention de Karl, Tora inclina la tête et se précipita auprès de la jeune femme.

— Certainement, dit-elle, d'une voix à peine audible. Voudriez-vous prendre un café, mademoiselle ?

— Je préférerais du thé. Vous avez du thé pour moi, n'est-ce pas, Trent ? lui demanda-t-elle, toute flirteuse.

Tora retourna tête penchée vers le comptoir, espérant en dépit de tout qu'elle pourrait se sortir de cette situation périlleuse sans que Karl ne la reconnaisse et ne cause tout un drame.

— Bien sûr ! La serveuse va s'en occuper, lança-t-il.

Tora était irritée de se faire appeler « serveuse », mais elle était soulagée qu'il n'ait pas prononcé son nom. Peut-être s'en sortirait-elle si les hommes s'absorbaient dans leur conversation...

Avec un fort sifflement, le train se mit en branle, et Alicia poussa un petit cri de joie.

— Même si je ne suis plus une enfant, mère, je ne me lasse jamais d'une belle balade en train.

De l'autre côté du wagon, son père ajouta :

— Voilà une belle qualité chez ma fille, je dirais. Maintenant, messieurs, vous vous demandez probablement ce que j'ai en tête. Seriez-vous surpris d'apprendre que c'est un peu lié à l'argent ?

Heureusement, les hommes se mirent à converser, Karl prit un siège de dos à Tora, et elle parvint miraculeusement à apporter la petite théière d'argent et la tasse d'Alicia Hall ainsi que le café de madame Hall sans les échapper.

— Bonté divine, jeune fille. Est-ce que ça va? lui demanda madame Hall en remarquant les mains tremblotantes de Tora.

— Oh, ça va, m'dame. Merci de votre sollicitude.

Mais la dame s'était déjà détournée et regardait par la fenêtre. Combien de fois Tora avait-elle écarté ainsi une serveuse? Se passant nerveusement la langue sur les lèvres, elle retourna au comptoir et versa du café à l'intention des hommes. Par miracle, se dit-elle, elle put les servir tous, sans qu'aucun, même Karl, ne lève les yeux vers elle.

John Hall était profondément absorbé par ses plans, décrivant comment il prévoyait prolonger la ligne Saint Paul, Minneapolis et Manitoba vers l'ouest, réalisant ainsi un vieux rêve de bâtir une ligne transcontinentale jusqu'à Puget Sound.

— J'ai déjà atteint mon objectif de l'amener à la frontière canadienne, et je n'ai pas besoin de vous dire à quel point ce projet nous rapporte, dit-il en gesticulant. Mon ami Trent ici présent a compris la sagesse de ma décision, et il a récolté beaucoup d'argent. Maintenant, nous allons vers l'ouest. Le Minnesota et le territoire du Dakota vont nous accorder du financement pour le transport du blé des immigrants vers les grandes villes. De plus, nous allons vendre des terrains de nos concessions se trouvant le long de nos chemins de fer, et Karl et Bradford vont faire du commerce en bateau à vapeur sur chaque voie navigable à mesure que nous avancerons, pour que nous puissions continuer de profiter de la croissance des villes derrière nous.

Tora remarqua que les tasses commençaient à se vider, mais elle était hésitante à retourner les remplir. Elle était effrayée à l'idée de s'approcher de Karl. Cependant, elle se redressa et prit une profonde inspiration, remplit le pot de service argent à même la grosse cafetière et elle se dirigea à pas tremblants vers les hommes. Leur attention demeurait fixée sur John Hall.

— Vous voulez en savoir plus ? demanda-t-il en souriant.

— Oui, répondirent-il en chœur.

Ce John J. Hall ouvrait des portes comme personne ne l'avait jamais fait devant elle jusqu'alors, songea Tora. Si elle faisait une gaffe, son ascension vers la haute société serait fichue pour de bon.

Elle recula d'un pas au moment où Hall soulevait sa tasse pour porter un toast, comme s'il tenait une flûte de champagne, et il attendit que les autres se joignent à lui.

— Messieurs, je trinque à l'avenir. À notre avenir, dit-il en regardant attentivement chaque homme autour de lui. Au futur du Manitoba Road. Puisse-t-il un jour porter le nom de Great Northern Railway lorsque nous atteindrons Puget Sound.

Ils acquiescèrent tous par des bravos, suivirent son invitation à regarder par les fenêtres les prairies qui défilaient à toute vitesse, et ils se replongèrent dans la discussion.

Hall déposa sa tasse à café sur la table et fit un signe de tête à Tora pour qu'elle vienne la remplir. Elle s'assura de bien observer le liquide brun et chaud qu'elle versait du pot, puis releva celui-ci juste au moment où le café était sur le point d'arriver au rebord de la tasse en porcelaine. Elle passa ensuite à la tasse de Karl et se sentit rougir, certaine qu'il la dévisageait. Lorsque John Hall se remit à parler, elle osa jeter un coup d'œil à Karl. Son cœur s'arrêta lorsque ses yeux rencontrèrent les siens.

Le poignet de Tora faiblit. Le café se déversa lentement du pot, sur la table, puis éclaboussa les cuisses de John Hall.

Ce dernier poussa un juron. Tora en eut le souffle coupé. Et Karl bondit pour tendre son mouchoir à Hall.

— Oh, je suis désolée ! Je suis si désolée ! dit Tora, effrayée de ce qu'elle venait de faire.

— Mademoiselle Anders ! dit Trent d'un air consterné.

Les dames avaient cessé de parler pour observer l'horrible scène.

— Je ne sais pas ce qui s'est passé, gémit Tora. Je crois que je ne me sens pas bien.

Ce n'était pas un mensonge commode ; en effet, elle se sentait mal.

Karl prit le pot argent qu'elle tenait à la main et le déposa solidement sur la table, puis il fit tourner Tora vers l'arrière du train.

— Je vais juste m'assurer qu'elle puisse s'asseoir. John, avez-vous besoin de quoi que ce soit ?

— D'un nouveau complet, répondit-il en réussissant à rire. Je m'habille chic pour vous rencontrer, Trent, et que faites-vous ? Vous m'amenez une fille qui renverse du café sur moi !

— Je suis sincèrement désolé, John. Cette fille est nouvelle et manque d'expérience, mais je ne savais pas qu'elle était malade. Nous allons veiller à faire nettoyer votre costume.

— Parfait, parfait. Martensen ? Martensen !

Hall se retourna pour regarder Karl par-dessus son épaule avant que celui-ci ne puisse dire un mot en privé à Tora.

— La serveuse va se remettre. Viens plutôt ici écouter mes plans. Ensemble, nous allons devenir propriétaires du Great Northern ! Et Trent va nourrir nos clients !

Lorsque le train rentra à Duluth cet après-midi-là avec à bord le groupe d'invités de Hall, Karl dut résister à l'envie de tirer Tora par la main pour exiger qu'elle lui raconte son histoire. Il continua plutôt de faire ce qu'il avait fait tout au long du voyage, c'est-à-dire l'ignorer totalement. Il n'arrivait toujours pas à se défaire de l'œil attentif d'Alicia. Autant il appréciait les attentions de l'adorable demoiselle Hall, autant il se sentait surveillé comme un vautour. Selon les superstitions marines, les vautours portaient chance, mais s'ils étaient victimes d'une blessure, il en résultait la perte du bateau. Que se passerait-il s'il contrariait Alicia ?

À la gare, il débarqua du Pullman, puis prêta attention à Alicia pour l'aider à descendre les marches. Une fois à côté de lui, elle le prit par le bras. Puisqu'elle était beaucoup plus petite que lui, Karl faisait bien attention de ne pas faire de trop grands pas. Il croisa son regard et sourit. Elle était adorable et de toute évidence très intéressée. Il devait être l'homme le plus chanceux en Amérique — n'avait-il pas un excellent nouveau poste et une fille empressée à son bras ? Après des années passées dans l'ombre de Peder, l'avenir lui appartenait. Dieu devait être avec lui, se dit-il. Il était impossible que le cours normal des choses ait pu être si bénéfique pour lui. Il avait sûrement bénéficié d'une intervention divine.

Alicia lui serra le bras et le fixa intensément en traversant la gare et en marchant jusqu'à la voiture de l'hôtel qui les attendait dans la rue.

— Alors, monsieur Martensen, allez-vous me parler de cette fille ?

— Cette fille ? dit-il en feignant l'ignorance.

— La fille, dit-elle en plissant les yeux. Allez. Qui est-elle ? Une ancienne flamme ?

— Elle vient aussi de Bergen. Je l'ai connue il y a très longtemps.

Karl ne savait pas pourquoi il protégeait Tora ; il le faisait, tout simplement. Il était mal à l'aise de ne pas être totalement honnête envers Alicia, mais il avait tout de même cette forte impression qu'Alicia pouvait détruire les personnes qu'elle croyait voir se dresser sur son chemin. Comme son père avant elle, songea-t-il en se rappelant l'avertissement de Brad. Tora voulait de toute évidence repartir à neuf. Pouvait-il la priver de cette deuxième chance ?

— Eh bien, pour tout vous dire, monsieur Martensen, je suis soulagée que vous n'éprouviez pas de sentiments envers elle. C'est de toute évidence une serveuse incompétente, elle ne mérite pas que vous lui portiez attention.

— Tout le contraire de vous, mademoiselle Hall ?

— Eh bien, je n'ai même pas envie de me comparer à cette fille. Il est évident aux yeux du monde entier que vous n'en avez que pour moi. Elle en serait blessée.

Karl sourit à ces mots qu'il considérait précoces.

— Et nous ne voudrions pas ça, dit-il.

Alicia était effectivement une distraction très plaisante, songea-t-il. Avec le temps et avec cette demoiselle à ses côtés, il savait qu'Elsa disparaîtrait complètement de ses pensées, qu'elle ne serait bientôt plus qu'une petite ombre dans cet avenir éclatant qui s'ouvrait devant lui.

Chapitre 28

En juin, l'état de Peder s'était amélioré de façon remarquable. Au cours de la semaine qui venait de s'écouler, il avait même pu se tenir au gouvernail une heure par jour. Il était loin de ses six heures habituelles, mais c'était déjà beaucoup aux yeux d'Elsa. L'équipage se détendit, heureux de retomber sous la supervision de son capitaine respecté plutôt que de relever de sa femme — qui d'ailleurs se détendit elle aussi. Elle commença une nouvelle peinture, le *Sunrise* contournant le cap Horn au milieu de la tempête, s'interrompant occasionnellement pour dessiner de rares oiseaux de mer qu'elle n'avait jamais vus auparavant.

Peder et elle, chaque matin, côte à côte sur le pont, accueillaient l'équipage autour d'eux. Peder s'était mis à diriger une brève prière matinale, à la grande satisfaction d'Elsa. Apparemment, leurs aventures dans les Antilles, le départ soudain de Karl et la maladie de Peder avaient rapproché plus que jamais ce dernier de son Seigneur.

« Tu vois, songea-t-elle silencieusement, tout est bien qui finit bien. »

Si seulement elle s'était sentie plus près de son mari. Peder était devenu distant, il s'était éloigné, et ce n'était pas seulement le fait de sa maladie et de ses responsabilités en tant que capitaine. Elle devait trouver ce qui le troublait. Il y avait de toute évidence anguille sous roche.

Elle leva le nez pour humer la brise fraîche qui gonflait pleinement les voiles au-dessus d'eux. Ils voyageaient vers le nord-est, les voiles serrées de manière à profiter le plus possible du vent. Ils atteindraient bientôt la zone des calmes équatoriaux. Ils avaient connu peu de problèmes à cette latitude dans l'Atlantique. Serait-ce plus difficile dans le Pacifique ? Elle espérait que non. Soudainement, Elsa se sentit nostalgique de la terre. D'un bon repas dans un restaurant chic. De découvrir une nouvelle ville. San Francisco saurait sûrement répondre à ses attentes.

Lorsque l'équipage se dispersa, ce matin-là, Elsa prit Peder à part.

— Puis-je te parler en privé ?

Peder haussa un sourcil.

— Certainement. Dans notre cabine ?

— Non, ici en haut. Suis-moi.

Elle espérait qu'il sourirait, mais ce ne fut pas le cas.

— Qu'y a-t-il de si important pour que tu doives m'éloigner ainsi ?

Elle ignora son ton irrité et le guida à la proue, l'attirant près d'elle lorsqu'ils furent derrière le mât de misaine. Comme il était bon d'être de nouveau dans les bras de son mari ! Elle le regarda dans les yeux et remarqua que la couleur jaune attribuable à la malaria commençait à s'estomper au profit d'un blanc éclatant de santé. Même ses joues commençaient à prendre un peu de couleur. Si elle pouvait simplement arriver à le faire manger davantage…

— Elsa ? demanda Peder d'un ton irrité, en relâchant son étreinte.

Elle lui jeta un coup d'œil rapide. À n'en pas douter, quelque chose le tracassait plus que sa maladie, que le cap Horn et que son second de nouveau enchaîné dans la cale.

— Peder, s'il te plaît, le supplia-t-elle, de plus en plus inquiète en lui prenant les mains. Dis-le-moi. Qu'est-ce qui te dérange ? Qu'est-ce qui ne va pas ?

— Que veux-tu dire ?

— C'est toi. Nous. Que s'est-il passé ? Un mur s'est dressé entre nous.

— Je ne sais pas de quoi tu parles.

Il avait les mâchoires crispées.

— Mais si, tu le sais, insista doucement Elsa. Dis-le-moi, s'il te plaît.

— Pas maintenant, Elsa. Je dois m'occuper du bateau.

Il se retourna pour partir, fit une pause, puis la regarda par-dessus son épaule.

— Si ça te rend malheureuse, tu dois repenser à tes gestes.

Elsa fronça les sourcils. Elle aurait voulu pleurer de rage. À quoi faisait-il allusion ? Bien sûr qu'il devait s'occuper du bateau ! Mais pourquoi refusait-il une conversation avec elle ? Qu'est-ce qui n'allait pas ?

Elsa sentit son cœur chavirer. S'ils n'en discutaient même pas, comment pourraient-ils résoudre le problème ?

C'était la troisième fois cette semaine-là que Trent Storm venait chercher Tora, et les filles du dortoir étaient au comble de l'excitation.

— Il est amoureux ! Ce gars-là est amoureux ! avait dit Missy Alexander, installée dans le cadre de porte, observant avec envie Tora, qui se brossait les cheveux et les enroulait en un élégant chignon.

Tora ramassa le beau peigne de perle que Trent lui avait offert la veille et songea aux paroles de Missy. Cette fille réfléchissait en idiote la plupart du temps, mais elle avait peut-être raison. Si cette dernière disait vrai, un petit miracle était peut-être en train de se produire, pensa Tora, se souvenant de cette horrible journée plus d'un mois auparavant à bord du train du Manitoba.

Elle était sortie du wagon Pullman en dernier, à peine capable de retenir ses larmes. Trouver un nouveau travail lui prendrait des semaines, et elle n'avait pas l'argent nécessaire pour soutenir un tel recul. Elle devrait même vendre ses robes uniquement pour payer le gérant de l'hôtel !

Remarquant une main tendue vers elle, Tora avait levé le regard. Trent Storm, sur le quai, l'attendait pour l'aider à descendre les marches.

— Vous n'avez pas besoin de me renvoyer, M. Storm, avait-elle dit en lui prenant la main. Je sais que j'ai tout gâché. Je… je ne sais pas ce qui s'est produit. Je me suis soudainement sentie si faible.

Nullement fâché, Storm avait plutôt les yeux pleins de compassion et d'inquiétude. Où se voyait une lueur de doute.

— Vous le connaissiez, n'est-ce pas ?

— Qui ? avait-elle demandé en feignant l'ignorance.

— Cet homme. Karl Martensen.

— Son visage me disait quelque chose, avait-elle esquivé. Il m'est revenu en tête des souvenirs auxquels je préférerais ne pas penser.

Tora avait déployé ses ruses féminines, consciente que Trent lui ouvrait une porte de secours. Elle s'était éventée d'une main, comme si elle se sentait de nouveau faible, espérant le distraire.

— Si vous voulez bien m'excuser, avait-elle risqué, je vais vous laisser le champ libre, M. Storm. Vous devez probablement compter de nombreuses filles plus aptes à occuper cet emploi. Bonne journée.

Elle s'était éloignée, la tête haute, le cœur s'enfonçant à chaque pas qui l'éloignait de lui. Elle avait ralenti jusqu'à se traîner péniblement les pieds. Sa ruse n'avait pas fonctionné. Elle s'était exclue d'elle-même, sans savoir vraiment ce qu'il en était. Allait-elle apprendre un jour quand ouvrir la bouche ?

Deux pâtés de maisons plus loin, elle avait osé tourner le regard vers la gare. Trent n'était nulle part en vue. L'esprit sombre, elle était retournée lentement à l'hôtel. En montant les marches, cependant, elle avait écarquillé les yeux d'étonnement. Trent Storm était assis sur une chaise sur le porche, se balançant comme s'il avait tout son temps. Il était terriblement beau, avait-elle songé, et il avait l'air aussi dangereux que ce joueur invétéré typique des bateaux fluviaux qu'elle avait remarqué en cours de route vers le Minnesota.

— Vous allez devoir vous déplacer plus vite que ça, si vous souhaitez travailler pour moi, mademoiselle Anders.

— Tr-travailler pour vous ?

— En effet. Je ne sais pas ce que vous cachez, mais ça m'amuse de faire des suppositions.

Fâchée d'être la cible de ses moqueries, Tora avait détourné le regard, tiraillée entre son désir de lui dire ce qu'il pouvait bien faire de son poste et son besoin urgent d'avoir un emploi. Il avait souri comme s'il lisait dans ses pensées.

— M'offrez-vous sérieusement le poste, M. Storm ? avait-elle demandé, incapable de masquer l'insolence dans sa voix.

Son sourire s'était élargi, laissant voir des dents droites et blanches.

— Oui, ce sera fascinant de vous voir aller, avait-il répondu.

— Avez-vous fini de vous amuser à mes dépens ?

Elle s'était tournée pour partir.

— Une autre chose, mademoiselle Anders.

— Oui ?

— Y a-t-il une personne à qui je doive parler ? Vous voyez, j'aimerais vous courtiser.

— Moi ?

— Vous.

Tout avait tourbillonné dans la tête de Tora.

— Eh bien, M. Storm, est-ce acceptable ? Que diraient vos amis ?

Il avait ri.

— Mademoiselle Anders, je ne vis que pour moi-même. Y a-t-il donc quelqu'un à qui je doive parler ? Ou allez-vous tout de suite ici décliner mon invitation ?

Tora avait levé le nez en l'air.

— Vous pouvez entrer en contact avec qui vous voulez. Bonne journée, M. Storm.

Son rire l'avait suivie dans l'hôtel. Puis il avait crié :

— Je vous verrai demain, à huit heures, mademoiselle Anders !

Leur relation avait ainsi pris forme, dans un amalgame réunissant un employeur et son employée, un veuf avec une jeune flamme. De l'amour ? Oui, pour Tora, la chose apparaissait plausible. Mais qu'était-ce, l'amour ? Et l'homme de ses rêves pouvait-il être apparu si rapidement, si facilement sur son chemin ? Il lui semblait étrange qu'elle n'ait eu aucun effort à fournir. C'était sûrement signe qu'elle pouvait encore faire mieux, que Trent Storm n'était qu'un point d'entrée dans la haute société, grâce auquel elle pourrait rencontrer quelqu'un autre.

Elle fronça les sourcils devant le miroir. Pourquoi était-ce si difficile de s'imaginer au bras d'un autre ? Il ne la courtisait que depuis, quoi, un mois ? Pourtant, il s'était si complètement immiscé dans sa vie qu'elle ne pouvait le chasser de ses pensées.

— Missy, dit-elle, décidant de se reprendre en main. Faites savoir à M. Storm que je ne me sens pas bien et que je souhaite m'étendre. Présentez-lui mes excuses.

Elle retourna le peigne de perle dans sa main. Il était si sûr de l'avoir conquise. Eh bien, personne ne pouvait prétendre avoir conquis Tora tant qu'elle ne l'avait pas décidé. Il était plus que temps que Trent Storm apprenne qu'elle n'était pas entièrement à sa disposition.

Karl se faufila à l'extérieur de la cabine pleine de gens, où dominait une odeur étouffante de parfum, et il apprécia tout de suite l'air frais du fleuve Sainte-Croix. Les Hall organisaient fréquemment des fêtes à bord de leurs bateaux à vapeur, voguant durant des heures près des berges tandis que leurs invités buvaient jusqu'à ne plus savoir où ils se trouvaient. Karl en avait eu assez, cette soirée-là, et il se sentait un peu dans les vapes en arrivant à la balustrade. Il travaillait pour John J. Hall inc. depuis plus d'un mois, et sa carrière qui montait en flèche l'avait rendu insensible à ce qui se passait autour de lui.

Il se pencha par-dessus la balustrade et observa le glaçon se cogner contre son verre de cristal. Dans la faible lumière provenant de la cabine, le verre réfléchissait un arc-en-ciel, lui rappelant soudainement ces moments à bord du *Herald* où il observait Elsa regarder les aurores boréales. Il y avait presque un an, songea-t-il. Comme la vie avait changé en si peu de temps ! Sans une autre pensée, Karl laissa tomber le verre, le regardant jusqu'à ce qu'il disparaisse dans le sillage noir tourbillonnant du bateau.

Il se détourna de la balustrade, se frottant les yeux comme s'il voulait se défaire de cette vision d'Elsa. Il ne voulait pas penser à elle. Ni à Peder. Il s'était organisé pour que les chèques des chantiers Ramstad parviennent à un comptable en ville pour qu'il n'ait pas à correspondre lui-même avec les Ramstad. Il voulait les abandonner au passé pendant qu'il s'activait à organiser son avenir. Mais le futur lui semblerait-il toujours aussi désespérément synonyme de solitude ? Suivait-il la bonne voie ? Était-ce normal pour un chrétien de se sentir aussi éloigné de son Seigneur ?

Ou était-il devenu cet hypocrite que son père l'avait accusé d'être ? Il n'avait pas respecté le mariage de son meilleur ami en ne s'éloignant pas de lui-même avant que ne dégénère son amour obsessionnel pour Elsa. Il était resté auprès d'eux, conscient de la situation explosive, incapable de s'enlever à temps. S'il avait agi sagement, il aurait pu rester à Camden pour surveiller les chantiers Ramstad pendant qu'Elsa aurait navigué avec Peder, plutôt que d'aller se jeter dans les pattes de John J. Hall, qu'il soupçonnait d'être un diable.

— Je suis indigne, Père, murmura-t-il. Je ne mérite pas d'être ton fils. Pardonne-moi. Soulage-moi de ce fardeau. Libère-moi !

Mais il eut beau fixer l'eau noire, aucune réponse ne lui soulagea le cœur, aucune voix n'apaisa l'anxiété de son âme. Pourrait-il un jour aller au-delà de ces souvenirs qui le torturaient ? Car s'il était vraiment honnête avec lui-même, il savait que si Elsa n'avait pas mit fin au baiser qu'il était en train de lui donner, il ne se serait pas arrêté de lui-même.

« Pardonne-moi, Seigneur... pardonne-moi », pria-t-il silencieusement.

Une main féminine le surprit, lui retirant les mains du visage. Il n'avait pas entendu Alicia le rejoindre sur le pont.

— Est-ce que ça va, mon chéri ? demanda-t-elle doucement, la voix pleine de sollicitude.

— Ça va. Seulement un petit mal de tête. Je suis désolé de vous avoir laissée en plan.

— Ce n'est pas surprenant que vous souffrez. Le bruit et la chaleur sont probablement venus à bout de vous, dit-elle en passant les bras autour de sa taille, levant les yeux vers lui. Quelque chose d'autre chose vous tracasse ?

Karl baissa les yeux vers elle. Dans la faible lumière, elle était encore plus belle, les cheveux auburn encore plus sombres, mais qui luisaient çà et là comme du cuivre poli. Il examina attentivement ses yeux, si différents de ceux d'Elsa, mais tout aussi magnifiques. Alicia l'aimait manifestement. Mais lui, commençait-il à l'aimer ? Ou n'était-ce qu'une attirance mutuelle, une diversion bienvenue qui l'arrachait à Elsa Ramstad ? À l'intérieur de lui, il ne ressentait que du vide, que du désespoir. Dans ses yeux, il voyait de l'espoir, de l'avenir. Et il savait que John espérait qu'ils s'épousent. Pourquoi enfin ne voudrait-il pas de cette adorable créature dans ses bras ?

— Non, répondit-il finalement. Tout va bien. Ça m'a pris par surprise.

— Par surprise ?

— Toute ma vie, je me suis battu pour atteindre mes objectifs. Puis, quand je suis descendu du train à Saint Paul, tout était soudainement devant moi. Ma carrière, mon chez-moi, ma... femme.

Le mot lui avait échappé, et Karl était content de constater qu'il ne le regrettait pas. C'était évident, après tout, que c'était la bonne chose à faire. Elsa appartenait à un autre. Alicia était amoureuse de lui. Et avec le temps, il l'aimerait tout autant.

— Karl Martensen, est-ce une demande en mariage ?

Comme dans un rêve, Karl mit un genou par terre devant elle et prit sa petite main dans la sienne.

— Alicia Hall, si votre père nous donne sa bénédiction, me feriez-vous l'honneur d'être ma femme ?

— Avec plaisir, capitaine Martensen, dit-elle en s'assoyant sur sa jambe pliée pour l'embrasser tendrement. Je sais que nous ne nous sommes pas fréquentés longtemps, mais j'ai cru que vous ne me le demanderiez jamais.

Chapitre 29

PENDANT QUE LE REMORQUEUR S'EMPLOYAIT À TRAÎNER LE *SUNRISE* le long d'un quai du port de San Francisco, Elsa soupira de soulagement. Même du quai des marchandises, elle pouvait voir les immeubles imposants accrochés aux collines abruptes, attestant de la prospérité de la ville. Ici, dans cet endroit civilisé effervescent, ils pourraient se réapprovisionner et trouver un médecin convenable pour Peder. Il avait refusé de s'arrêter plus au sud, préférant se rapprocher de leur but. Ils passeraient l'hiver de ce côté-ci du pays si nécessaire, mais elle espérait que, puisque ce n'était que la mi-juillet, ils pourraient se rendre au territoire de Washington et retourner dans le Maine avant l'hiver. Tout allait dépendre de la santé de Peder.

Riley la regarda d'un air interrogateur, et Elsa hocha la tête. Ils relâchaient Stefan sans porter plainte contre lui. Elle avait hâte de se débarrasser de cet homme et ne voulait pas se lancer dans des discussions avec le capitaine de port ou la police. En soupirant, elle s'approcha de Stefan tout en restant légèrement derrière l'épaule de Peder, malgré le fait que l'ancien premier second portait encore ses chaînes. Il avait le teint misérablement gris, après des semaines dans la cale, et il clignait des yeux dans la lumière éclatante du soleil.

— Tu nous as aidés à contourner le cap Horn, dit-elle simplement. Je ne porterai pas plainte contre toi. Mais pars et ne t'approche plus jamais d'un bateau Ramstad.

Stefan la regarda dans les yeux tandis que Yancey le relâchait, se massant les poignets devenus endoloris par le frottement des menottes.

— Tu as entendu, dit Peder. Sois reconnaissant que je ne t'aie pas fouetté le dos jusqu'au sang pour avoir fait de telles avances à ma femme.

Stefan ne dit aucun mot. Il se contenta de sourire avec insolence, puis il se retourna, descendit la passerelle et se fondit dans la masse sur le quai. Les yeux d'Elsa le suivirent jusqu'à ce qu'elle aperçoive Riley en train de parler à un homme qui prenait force notes. De temps en temps, l'homme levait les yeux vers le bastingage pour regarder attentivement Elsa en écoutant les propos de Riley. Que lui racontait donc ce dernier ?

Peder la tira de ses pensées.

— Est-ce que ça va, ma chérie ?

— Ça va, dit-elle en se mettant les mains sur les hanches. Mais toi, tu t'en vas à l'hôpital pour te faire examiner de près, un point c'est tout. Je veux être certaine que tu es complètement rétabli.

Peder s'esclaffa et soutint son regard.

— Elsa, je vais bien. Les marins attrapent souvent la malaria. Ça fait partie du métier.

Elle continua de le dévisager, jusqu'à ce qu'il soupire.

— Si ça peut te rassurer que certains médecins soient aux petits soins pour moi, d'accord. Mais nous repartons d'ici au cours de la semaine. Compris ? Je dois me rendre au territoire de Washington chercher cette cargaison, sinon Henry Whitehall va envoyer un télégramme à quelqu'un d'autre pour qu'il le fasse à ma place.

— De ce que j'entends, il y a plus qu'assez de bois pour remplir notre bateau. Si la cargaison de Henry est partie, nous en chargerons tout simplement une autre et nous la vendrons nous-mêmes.

Peder sourit, d'une admiration béate.

— Eh bien, écoutez la femme du capitaine, dit-il aux marins autour de lui. Elle semble plus sûre d'elle-même que votre capitaine.

— Vous avez bien choisi, monsieur, dit Riley en les rejoignant dans le bateau et en serrant la main de Peder. Comme c'est bon de vous voir prêt à descendre du bateau sur vos deux jambes, cap'taine.

— Ça fait du bien de sortir. Maintenant, serais-tu assez gentil de nous guider vers l'hôpital du port ?

— Par ici, cap'taine. Ah, et la m'dame, bien sûr.

— Riley, dit Elsa, le suivant sur la passerelle, qui est cet homme à qui tu parlais ? Il m'a regardée d'un drôle d'air.

— Ah, c'n'est qu'un journaliste. Du journal *The Chronicle*. D'ici la semaine prochaine, votre nom sera connu partout, m'dame.

Ils mirent le pied sur le quai, et Elsa lui toucha le bras.

— Qu'est-ce que tu dis ?

— Ce n'est pas tous les jours qu'une dame se retrouve à la tête d'un bateau pour contourner presque tout le cap Horn. Oh, et vous allez sûrement apprécier ceci, m'dame, dit-il avec un sourire effronté.

Il lui tendit un gros paquet de lettres que lui avait remis le capitaine de port. Elsa savait que ces lettres allaient la distraire, mais elle les regarda tout de même. Elle était en manque de nouvelles de ses proches ! Elle ouvrit lettre après lettre tout en marchant avec les hommes, les lisant en diagonale pour apprendre les nouvelles les plus importantes, levant les yeux à l'occasion pour ne pas s'éloigner des autres.

Au nombre des lettres, il y en avait deux de sa mère qui avaient été réexpédiées par voie terrestre depuis le Maine. Elle les ouvrit dans l'ordre chronologique des dates d'expédition.

— Papa prend du mieux ! dit-elle à Peder en trébuchant presque sur un baril dans son excitation.

Elle marmonna « excusez-moi » en heurtant l'épaule d'un marin, puis « pardonnez-moi » en en frôlant un autre. Peder la tira près de lui pendant que Riley ouvrait un passage dans la foule.

— Et Carina et Garth sont fiancés, ils sont censés se marier à l'automne, annonça-t-elle en souriant à son mari. Peder, peux-tu croire ? Carina et Garth — mariés. Nous devons absolument trouver une façon d'y aller…

Sa voix s'estompa alors qu'elle enfonçait le nez dans la lettre suivante, à l'affût de nouvelles.

— Celle-ci est de Kristoffer. Une fille ! Tora a eu une fille, qu'elle a appelée… Elle est partie ! Oh, je savais qu'elle ne resterait pas. Mais Jessica ? Ah, Judy Gimball lui donne un coup de main pour les garçons… et voici des nouvelles pour toi au sujet des chantiers.

— Elsa ! lui dit Peder, dans un élan de frustration. Tu me rends fou avec ces bribes de nouvelles. Ralentis ! Que dirais-tu d'attendre que nous soyons à l'hôpital ? Tu pourras alors me lire chaque lettre intégralement.

Honteuse et un peu boudeuse, Elsa rangea les lettres et suivit son mari et Riley jusqu'à la rue la plus près. Ils hélèrent un fiacre et partirent à toute vitesse.

— Puis-je lire pendant le trajet ? demanda Elsa avec raideur.

— Oui, bien sûr, répondit Peder en soupirant.

Il jeta un regard mauvais à Riley, qui tentait de retenir un sourire, s'amusant manifestement de cette prise de bec.

— Je suis désolé si je t'ai fait de la peine, s'excusa-t-il à voix basse. J'ai aussi hâte que toi d'avoir des nouvelles, mais ça me rend fou de n'entendre que de petits extraits de ce qui doit être toute une saga. Lis-moi tout simplement chaque lettre au complet, si tu veux me faire part des nouvelles.

— D'accord, soupira-t-elle. Pardonne-moi. Je suis ridicule. Voilà, dit-elle en tendant le bras vers lui. Une autre de Kristoffer, adressée à toi. C'est probablement au sujet des chantiers.

Plutôt que d'ouvrir une autre lettre et de se contenter de la lire pour elle-même, elle tint le paquet contre sa poitrine et observa Peder lire la sienne. Elle mettrait toute la soirée à lire et à apprécier tout son courrier ! Pour l'instant, elle savourait son anticipation joyeuse, car les lettres, tant avec leurs bonnes qu'avec leurs mauvaises nouvelles, lui faisaient l'effet de câlins de la part d'amis et de membres de la famille éloignés.

Elle fixa son mari qui lisait la lettre de Kristoffer. Était-elle trop sensible à ses manières brusques et à son irritation ? Après tout, il était encore en train de se battre pour se remettre sur pied. Pourtant, Elsa n'arrivait pas à se défaire de cette impression que quelque chose allait très mal entre eux. À un certain moment, Peder était devenu mécontent d'elle, et bientôt, très bientôt, Elsa avait l'intention d'en découvrir la raison.

Lorsque Peder se réveilla le lendemain matin, il était en meilleure forme que depuis des semaines. Une longue nuit de sommeil réparateur dans des draps frais et propres, ainsi que les soins des médecins et des infirmières, lui avaient remonté le moral. Il n'appréciait tout de même pas faire l'objet de tant d'attention, et il était resté principalement à l'hôpital pour faire plaisir à Elsa. En y repensant bien, cependant, il se rendait compte que si c'était Elsa qui avait été malade, il aurait insisté pour faire de même. Et malgré lui, il avait profité de sa meilleure nuit de sommeil depuis très longtemps.

Lorsqu'il ouvrit les yeux et regarda autour de lui, il fut content de trouver Elsa à son chevet, les rideaux fermés autour du lit, les coupant du reste des patients qui se trouvaient dans la même salle que lui. Puis il remarqua qu'elle avait des larmes aux yeux et sur les joues.

— Elsa ? Qu'y a-t-il ?

— Papa. Il est mort, dit-elle en s'étouffant sur les mots. Le printemps dernier.

— Quoi ? Je pensais que tu m'avais dit que ta mère avait écrit qu'il prenait du mieux !

— C'était ce qu'elle avait raconté dans sa première lettre, précisa-t-elle en sanglotant, essayant de retenir ses larmes tandis que Peder attendait patiemment. Dans la deuxième, elle m'a écrit qu'il était décédé, continua-t-elle avant que sa voix ne casse encore. Elle a dit qu'il avait pris du mieux uniquement que pour elle. Il avait même réussi à sortir marcher. Puis il l'a embrassée ce soir-là, et le matin suivant il n'était plus de ce monde.

Peder s'assit et se sortit les jambes du côté du lit.

— Je suis désolé, mon amour. Si désolé. Je sais à quel point tu étais proche de ton père.

Il la tira vers lui dans son lit et la prit dans ses bras, essayant de penser à quelque chose qui pourrait la réconforter.

— Peut-être ta mère va-t-elle maintenant considérer l'idée de venir en Amérique.

Pour toute réponse, Elsa sanglota. Se sentant impuissant, Peder n'ajouta rien.

Près d'une heure plus tard, Elsa était redevenue calme, mais elle restait dans ses bras.

— Au moins, toi, tu vas bien, dit-elle doucement. J'étais si effrayée, Peder. J'avais si peur que tu meures.

Peder sourit d'un air contrit.

— Je suis désolé de t'avoir fait vivre ça.

Il s'appuya contre les oreillers et l'examina. Il était soudainement de nouveau las, tellement las. Il songea à la femme qu'il avait épousée, comparant la fille féminine et sans expérience sur les falaises de Bergen à cette femme forte à ses côtés, qui avait mûri au cours de l'année qui venait de s'écouler. S'il était mort en mer, qu'aurait-elle fait ? Aurait-elle communiqué avec Karl ? Il repoussa les pensées qui l'avaient tourmenté durant des mois, des souvenirs qui s'étaient éveillés en lui durant les affres de ses fièvres.

Elle était sa femme, et il aimait ce qu'elle devenait, la façon dont elle évoluait.

— J'ai l'impression que je commence tout juste à te connaître, lui dit-il. À comprendre la femme qui n'avait été qu'une jeune demoiselle à mes yeux jusqu'à maintenant.

Elle lui prit la main.

— Merci de m'avoir emmenée à bord du *Sunrise*, Peder. Je sais que tu doutais de la sagesse de cette décision de faire monter une femme — ta femme — à bord. Et les événements n'ont pas aidé, Mason Dutton, le départ de Karl, Stefan, le cap Horn… Je sais que ces incidents t'auront fait probablement douter. Mais c'est bien, Peder. C'est bien que je sois auprès de toi. Et j'aimerais que tu repenses à ces péripéties et que tu les considères de la même façon que moi je les ai interprétées, c'est-à-dire comme un signe que Dieu nous a souri. Il nous a montré que nous pouvons traverser toutes ces épreuves en sécurité grâce à lui. Notre arrivée ici n'en est-elle pas la preuve ?

— Je ne suis toujours pas convaincu, Elsa. J'ignore si c'est par égoïsme et par stupidité que j'ai consenti à te laisser embarquer, ou si j'ai été vraiment sage et bienveillant. Mais puisque tu soulèves la question, il y a une chose dont nous devons discuter, mon amour.

Il s'arrêta pour bien choisir ses mots tandis que ses pensées allaient de nouveau d'Elsa au départ de Karl. Il baissa le ton, conscient de la présence d'autres patients tout près.

— Une chose me tracasse depuis les Antilles, et il est grand temps que je dise ce que j'ai sur le cœur.

Elsa blêmit.

— Oui ?

Peder prit une grande inspiration et se lança. Le moment était venu pour lui de savoir.

— S'est-il passé quelque chose entre Karl et toi, quelque chose que je devrais savoir ?

Les yeux d'Elsa rencontrèrent les siens et se plissèrent. Elle secoua la tête, les sourcils froncés.

— Que veux-tu dire ?

Peder changea de position, mal à l'aise de formuler une telle question.

— Je veux dire, quelque chose… de vil. Est-ce que Karl… Sais-tu pourquoi… Cette nuit sur l'île, t'a-t-il enlacée ou retenue ? Ce que j'essaie de dire… a-t-il été discourtois de quelque manière que ce soit ?

Elle lui prit doucement la main, et Peder se prépara pour le pire.

— Peder Ramstad, je n'ai jamais été infidèle. Jamais. Tu dois me croire.

— Mais cette nuit-là, insista Peder. Karl avait cette blessure à la poitrine, et ta robe était couverte de sang. Pourtant, tu n'étais pas blessée.

Elsa baissa les yeux vers les draps qui recouvraient la poitrine de son mari comme si elle revoyait les événements de cette nuit-là. Elle se passa la langue sur les lèvres et prit la parole :

— Karl Martensen m'a sauvé la vie. Plus d'une fois, dit-elle en regardant Peder dans les yeux. Je crois que tu es au courant qu'il éprouvait des sentiments envers moi. Je... je m'en suis rendu compte trop tard, lui confia-t-elle en le priant des yeux de la comprendre. Nous tentions de retrouver notre équilibre après la bataille. Il m'a embrassée, Peder, rien de plus, puis tu es arrivé à la clairière. Je crois que c'est ce qui l'aura poussé à partir. Je suis désolée. J'aurais dû...

— Tu l'as laissé t'embrasser ?

Elsa leva les yeux, gênée de cette question personnelle posée à voix haute.

— S'il te plaît, baisse le ton. Non. Oui. C'est-à-dire, je n'avais pas l'intention...

— Quelles étaient tes intentions, Elsa ? demanda-t-il, sentant son visage rougir de colère. Moi qui me croyais à l'abri de ce genre de chose. Mon meilleur ami m'était certainement fidèle, et encore plus ma femme...

— Peder, tu dois comprendre. Je n'en ai pas pris conscience à temps. Karl m'a sauvé la vie. Je tremblais si fort que je ne tenais pas debout. Il m'a attrapée juste avant que je ne m'évanouisse, j'étais donc dans ses bras, et... Oh, s'il te plaît, Peder ! l'implora-t-elle alors que des larmes lui coulaient sur les joues. Tu dois me croire. Je ne savais pas ce qu'il allait faire. Tu sais sûrement fort bien que si je l'avais su, je ne l'aurais pas laissé m'approcher.

Peder retira son bras de ses mains.

— Va-t'en, Elsa. Laisse-moi seul un moment. Je dois réfléchir.

Elsa, la gorge serrée, essuya les larmes de son visage, puis se leva avec toute la dignité dont elle était capable. Elle avait mis sur le compte de la malaria l'attitude distante de Peder, mais son comportement avait masqué tout ce temps-là quelque chose de plus profond. Il avait soupçonné la vérité, cette nuit-là, mais n'avait rien dit.

— Je n'ai jamais voulu m'immiscer entre Karl et toi, dit-elle doucement.

Elle se retourna et sortit de la chambre sous l'œil des six autres patients qui l'observaient à la dérobée. Son mari ne prit pas la peine de la regarder.

Tora s'examinait dans le miroir du dortoir en attendant l'arrivée de Trent. Elle se tordait les mains de nervosité. Ils devaient prendre un train cet après-midi-là pour assister au mariage de la sœur aînée d'Alicia Hall. Et elle était certaine que le seul homme qui puisse lui nuire serait au nombre des invités. Karl Martensen. Maintenant fiancé à Alicia Hall. Il était au courant des secrets de Tora, et pourtant il n'avait rien dit à bord du train. Mais elle savait aussi qu'Alicia Hall avait remarqué l'attention que Karl lui avait portée. Cette Alicia avait observé la scène avec des yeux de félin, et Tora connaissait la signification de ce regard. Elle pouvait se l'imaginer sur son propre visage.

Elle ne voulait pas se frotter à Alicia Hall. Non, Trent et elle assisteraient au mariage, et elle ferait de son mieux pour se fondre dans la masse. Il y aurait sûrement beaucoup de monde dans un mariage de la haute société comme celui-là. Tora avait même pris le soin de choisir la plus simple de ses deux robes de bal, l'argentée plutôt que la rouge.

— Sitôt arrivée, sitôt partie, s'était-elle répétée pour s'encourager.

Ce furent des ricanements qui l'avertirent de la présence de Trent au rez-de-chaussée.

— Il est arrivé, dit Missy Alexander en passant la tête dans le cadre de porte, le visage orné d'un sourire ridicule. Oooh, tu es ravissante !

— Tu trouves ? s'inquiéta Tora, qui, pour une fois dans sa vie, aurait préféré ne pas l'être.

Non pas qu'elle ne voulait pas plaire à Trent, mais elle ne voulait pas que Karl ou sa fiancée ne la remarquent. Alicia et Karl pourraient anéantir ses chances auprès de Trent Storm : Karl par la connaissance de son passé, et Alicia par un mot bien placé auprès de son père. Les entreprises John J. Hall revêtaient trop d'importance aux yeux de Trent pour qu'il puisse ignorer les souhaits de cet homme. Non, Tora ne souhaitait pas provoquer le courroux d'Alicia, ni celui de Karl.

— Tora ? demanda Missy depuis le cadre de porte. Descends-tu ? M. Storm t'attend.

— Je le sais. Je descends bientôt.

Missy se retira comme si elle avait été piquée au vif.

« Ça lui apprendra à se mêler de ce qui ne la regarde pas », songea Tora.

Elle faisait les cent pas. Elle ne devrait peut-être pas porter la robe argentée. Peut-être qu'une simple robe du dimanche serait un meilleur choix. Mais ça n'irait jamais, pas pour une occasion aussi importante. De plus, une toilette aussi modeste éveillerait peut-être la suspicion de Trent. Un coup à sa porte entrouverte la fit sursauter. C'était Trent, chapeau en main.

— Excusez-moi, Tora, dit-il d'un air contrit. Si nous ne partons pas tout de suite, j'ai bien peur que nous ne manquions le train. J'ai demandé à Missy de remonter vous chercher, mais elle a refusé.

Il avait l'air perplexe.

— Oui, oui, Trent. Je suis si désolée, dit Tora en se précipitant vers la porte pour l'ouvrir complètement. Pardonnez-moi, je cherchais un… un mouchoir.

— Celui-ci pourra convenir ? demanda-t-il en sortant un carré de fine soie de sa poche.

— Oui, oui, c'est parfait, répondit-elle en lui prenant le bras et en s'obligeant à sourire. Je pleure toujours dans les mariages.

Il la regarda avec un sourire en descendant l'escalier.

— Je ne sais pas pourquoi, mais j'en doute.

Karl se déplaçait comme dans un rêve, s'habillant pour le mariage tout en songeant aux dernières noces auxquelles il avait assisté. Où étaient Peder et Elsa ? Allaient-ils bien ? Il écarta ces pensées. Les Ramstad étaient sans l'ombre d'un doute mieux sans lui. Cette pensée rassurante ne changeait toutefois rien au fait que ses meilleurs amis lui manquaient, tous comme ses autres compatriotes de Bergen. Il se sentait si éloigné de cette ville qu'il avait jadis considérée comme son chez-lui ; Bergen semblait remonter à des siècles en arrière, et les souvenirs de Camden s'estompaient dans le lointain. Il lui semblait que sa vie entière avait changé. Pour le mieux, se disait-il. Aujourd'hui, la sœur d'Alicia se mariait. Et bientôt — dès qu'Alicia parviendrait à décider d'une date —, ce serait leur tour. Ce constat lui fit l'effet d'un choc qui fit battre son cœur à toute allure.

Une image d'Elsa lui apparut à l'esprit bien malgré lui. Curieusement, c'était une image de leur enfance. Il n'arrivait pas à se souvenir précisément de l'endroit, mais il se rappelait son rire mélodieux et ses pommettes colorées lorsqu'ils couraient nu-pieds sur un monticule gazonneux en direction d'une source d'eau dans la montagne. Les garçons avaient coutume de plonger de façon insouciante dans les eaux glacées, toujours suivis d'Elsa. Il revoyait vaguement Carina rester sagement sur le bord à se tremper les pieds. Tora était probablement trop jeune pour se joindre au groupe. Mais Elsa les accompagnait, elle plongeait, s'attirant ainsi l'admiration de tous.

C'était peut-être son gracieux saut de l'ange du haut du *Sunrise* qui avait éveillé ce souvenir en lui. Heureusement, il n'éprouvait que des sentiments tendres, il ne désirait plus revivre ce passé. Commençait-il à se remettre ? Il avait prié des heures à la fois, souvent à genoux en pleine nuit, suppliant son Seigneur de le soulager. Il se sentait bien de constater qu'il avait semble-t-il finalement obtenu réponse à ses prières. Il allait en effet épouser quelqu'un d'autre dans les mois à venir. Le bonheur qu'il allait trouver dans son propre mariage effacerait peut-être les vestiges de cette quête effrénée d'Elsa Ramstad. Peut-être un jour pourraient-ils tous être amis. Cette pensée lui apporta du réconfort.

— Tu penses à ta future épouse ? demanda Brad en lui passant une brosse sur sa veste et en lui épinglant une rose à la boutonnière.

Karl remua, mal à l'aise.

— Et à d'autres choses.

Brad le regarda dans les yeux. Il resta silencieux un moment avant de répondre.

— Tu l'aimes vraiment, Karl, n'est-ce pas?

Karl cligna des yeux.

— Je crois.

Brad rit et lui donna une tape dans le dos.

— Eh bien, c'est parfait, l'ami, parce que si tu recules maintenant, le patron va vouloir avoir ta peau. Qu'Alicia Hall puisse quitter un homme, c'est une chose — et crois-moi, elle en a laissé plus d'un —, mais c'est tout autre chose qu'un homme puisse la quitter.

Une image de John le pourchassant pour afficher sa peau dans sa galerie de chasse fit apparaître un sourire sardonique aux lèvres de Karl.

— On y va?

— Cette fille est un véritable trophée, tu sais, dit Brad par-dessus son épaule en le précédant à l'extérieur de la maison.

Un cocher les attendait, qui leur ouvrit cérémonieusement la porte de la voiture. Karl bondit à bord en souriant. Brad monta derrière lui, puis donna deux coups de canne au plafond pour indiquer qu'ils étaient prêts à partir. Le fiacre démarra, et on entendit bientôt le clic-clac régulier des sabots des chevaux sur le pavé.

— Comme je disais, Alicia Hall est un véritable trophée. Mais attends de voir ma dame ce soir, lança Brad en soupirant théâtralement. Virginia Louise Parker.

Il soupira de nouveau, et Karl lui donna un coup de pied.

— Je ne blague pas, mon ami, dit Brad qui, se redressant, dessina des mains une silhouette de rêve. Si ce sentiment perdure, je vais suivre ta trace.

— Quoi? Te fiancer? Eh bien, il est temps que je rencontre cette dame, dans ce cas, dit Karl. C'est probablement une vieille fille, si elle s'est entichée de toi.

— Ah ! Eh bien, je n'ai peut-être pas l'oreille de John Hall pour le moment — comme une certaine personne ici présente —, mais je suis prêt à faire quelqu'un de moi. Non, monsieur, Virginia n'est pas une vieille fille. Elle est jolie comme un cœur, et j'ai l'intention de mettre sur le grappin sur elle.

Karl fronça les sourcils.

— Rien de discourtois, tout de même, poursuivit Brad. J'ai l'intention d'agir de manière honorable. Je ne veux juste pas attendre trop longtemps pour me faire prendre de vitesse par un autre homme qui pourrait avoir des idées à son égard.

Le cocher arrêta le fiacre devant un manoir de Saint Paul.

— Je vois que tu as l'intention de faire un bon mariage, dit sèchement Karl.

Brad bondit hors de la voiture, puis se retourna avant de remuer les sourcils en direction de Karl. Ce dernier rigola et regarda son ami monter les marches à toute vitesse, parler brièvement à un majordome, puis disparaître dans la maison. Quelques instants plus tard, il ressortit, fier comme un paon, une jolie brunette à son bras. Lorsqu'ils arrivèrent au fiacre, Karl tendit une main pour aider celle-ci à monter.

— Merci monsieur, dit-elle à voix basse, mais avec assurance, en le regardant un moment dans les yeux. Je suppose que vous êtes monsieur Martensen.

— En effet. Et vous êtes mademoiselle Parker ?

— Effectivement, répondit-elle en hochant une fois la tête.

Jolie, sans être superbe. L'air sérieux. Il l'apprécia immédiatement. Ils allaient bien ensemble. Elle serait sûrement en mesure de faire tenir tranquille ce mauvais garnement de Brad.

« Oui, ça pourrait marcher », songea-t-il.

— Vous avez rendez-vous avec Alicia ?

Karl hocha la tête.

— À l'église. Elle accompagne sa sœur. Vous la connaissez ?

— Un peu. Je suis une connaissance des Hall, mais je n'ai jamais été tout à fait acceptée dans leur cercle d'intimes.

Karl fronça les sourcils, un peu mal à l'aise de sa franchise.

— Mon père et M. Hall ont pris chacun leur chemin il y a quelques années. L'invitation à ce mariage fut en quelque sorte une surprise.

— Oh. Je vois.

Il ne pouvait s'empêcher de penser qu'il devait maintenant se ranger du côté des Hall. Après tout, il ferait bientôt partie de la famille.

— Peut-être qu'avec le temps votre père et M. Hall vont renouer…

— Non, non. Pardonnez-moi si je vous ai rendu mal à l'aise, M. Martensen. J'avais simplement l'impression que puisque Alicia est votre fiancée, vous deviez savoir qu'il a coulé beaucoup d'eau sous les ponts depuis. Si vous ne le saviez pas, la situation aurait pu être… inconfortable.

Le silence se fit, et les trois se mirent à écouter les craquements du fiacre et le rythme des pas des chevaux, jusqu'à ce que Brad prenne la parole.

— Tu peux toujours être certain que ma petite amie saura jouer cartes sur table. Tu vois pourquoi je suis fou d'elle ?

Virginia sourit et lui donna un petit coup de sac à main. Elle s'adressa à Karl.

— Il me fait rire. Et moi, je l'aide à se mettre du plomb dans la tête. Bon arrangement, n'est-ce pas ?

Karl sourit, et l'atmosphère se détendit.

— Je suis content pour vous deux, dit-il doucement.

Le fiacre s'arrêta peu après devant une immense basilique catholique. Lorsque les trois passagers descendirent, Brad tendit le bras pour payer le cocher. Au moins cinquante voitures étaient stationnées de chaque côté de la rue, les cochers et les portiers paressant dans l'humidité étouffante de juillet en attendant le retour de leurs passagers. Karl suivit Brad et Virginia, qui entreprirent de monter le superbe grand escalier jusqu'à l'intérieur de l'église.

Il fit une pause, bouche bée devant l'entrée, pendant que Brad prenait leurs chapeaux et leurs cannes avant de disparaître. Les places étaient presque toutes occupées, même au balcon. La température du sanctuaire devait avoir augmenté de cinq degrés uniquement en raison de la présence de toutes ces personnes sur les bancs.

— Qu'est-ce que c'est ? chuchota-t-il à Brad à son retour. Une noce, ou une réception d'affaires pour John ?

— Les deux, dit Brad, qui, avec Karl dans son sillage, se mit à suivre un placeur tenant Virginia par le bras. Les Hall ont pratiquement financé cet édifice en entier.

Et tandis qu'ils marchaient côte à côte dans l'allée, Brad lui murmura :

— Ta future belle-mère est beaucoup plus pieuse que John. Il a fait tout ça pour lui faire plaisir.

Karl résista à l'envie de siffler.

— J'espère qu'elle s'en est trouvée apaisée, chuchota-t-il en s'assoyant.

La cérémonie, qui comprenait une grand-messe, dura plus de deux heures, au cours de laquelle le prêtre parla en latin, pendant que les fidèles s'éventaient ou s'épongeaient le front avec un mouchoir. À un certain moment, Virginia se pencha vers Karl et chuchota en désignant les proches des mariés :

— J'espère que personne ne va s'évanouir parmi eux.

C'est au grand soulagement de tous que les deux fiancés furent déclarés mari et femme, et que l'organiste se mit à jouer l'hymne final.

Ce n'est qu'au début de la réception dans un luxueux hôtel du centre de la ville que Karl aperçut Tora, qui lui faisait signe depuis le vestiaire. Il accueillit sa présence avec toute la chaleur d'un iceberg dans le détroit de Béring. Son sourire s'évanouit, et il se dirigea rapidement vers elle dans l'unique but d'échanger quelques mots pour en finir une fois pour toutes.

— Comme je ne vois aucune trace de ton enfant, je suppose que tu l'as largué auprès de quelqu'un, dit-il sans préambule. Auprès de qui ? D'Elsa ?

— Chut, dit-elle en lui jetant un regard mauvais tout en l'attirant dans la petite pièce dont elle ferma partiellement la porte. Je lui ai trouvé un bon endroit.

— Et les garçons de Kristoffer ?

— J'ai respecté ma part du contrat. L'entente était de six mois pour payer ma traversée. Je suis restée huit mois.

— Parce que tu étais enceinte. Ne te rends-tu pas compte que Kris était amoureux de toi ?

— Peu importe tout ça, dit-elle en agitant la main pour changer de sujet. C'est le passé. Tu connais ça, le passé, n'est-ce pas, Karl ? demanda-t-elle sournoisement en gesticulant. Nous faisons tous deux notre entrée dans un monde nouveau. Tout ce que je veux, c'est que tu promettes de ne jamais dire à Trent que tu me connais. Nous ferons semblant que nous ne nous sommes jamais rencontrés.

— Pourquoi ? Ce ne sera pas un peu étrange, puisque nous sommes tous deux de Bergen ? Ce n'est qu'une question de temps avant que quelqu'un ne fasse le lien. Cette fourberie n'en sera que pire, commença-t-il avant de comprendre la raison qui la rendait si nerveuse. Ah, je vois. Trent est ta nouvelle conquête. Et tu veux t'offrir à lui dans toute ta virginité.

— Et pourquoi pas ? On a abusé de moi...

— Abusé ! Mon œil ! Tu ne peux pas me mentir, Tora Anders. Personne n'a jamais abusé de toi de toute ta vie.

Par la porte entrouverte, il aperçut un bref instant Alicia, qui, dans l'entrée de l'hôtel, était à le chercher pour qu'ils entrent ensemble dans la salle de bal.

— Je dois y aller, Tora.

— Pas avant que tu me le promettes.

— Je ne vais pas te le promettre.

— Si, dit-elle en se croisant les bras. Tu vas promettre, sinon je ferai en sorte que ta fiancée s'imagine que tes intentions n'étaient pas des plus honorables, ici, dans le vestiaire.

Karl lui lança un regard noir.

— Comme tu as déjà fait avec Soren Janssen, n'est-ce pas ?

— Promets-le-moi.

— D'accord. Mais reste hors de ma vie, Tora Anders, dit-il en agitant un doigt devant son visage. Tiens-toi loin.

Il se tourna pour partir, s'arrêta, puis lui dit par-dessus son épaule :

— Et attends cinq minutes avant de sortir de cette pièce, pour ne pas éveiller les soupçons.

— D'accord, dit-elle, de toute évidence satisfaite.

Comment diable Tora Anders avait-elle pu réussir à l'attirer dans ses mensonges ? se demanda-t-il quelques instants plus tard, se forçant à sourire en prenant le bras d'Alicia.

— Puis-je vous présenter monsieur Karl Martensen et mademoiselle Alicia Hall, cria le portier.

Les applaudissements éclatèrent dans la salle de bal comme si le couple faisait partie des membres de la famille royale.

Chapitre 30

Le 25 juillet 1881

Elsa se tenait à la proue du *Sunrise*, le nez au vent. Elle humait l'odeur forte des pins et le parfum terreux du sol fertile à moins d'un kilomètre du bateau. Son père aurait adoré cet endroit. Cette pensée l'attrista, car elle aurait aimé lui faire part de sa nouvelle vie. Au moins, elle avait encore sa mère, et peut-être qu'un jour, bientôt, Gratia viendrait vivre avec eux. Si seulement Peder pouvait être à ses côtés pour la tenir dans ses bras ! Jusqu'à un certain point, sa présence lui mettrait du baume au cœur. Il avait plutôt ancré sa colère en lui, s'accrochant à son ressentiment, refusant de le laisser aller avec la marée.

Elle se blâma de ressasser encore cette histoire. Il appartenait à Peder de trouver une façon propre de gérer ses sentiments et tout ce qui pouvait bien le hanter. Dans l'intervalle, une nouvelle terre s'étendait droit devant, et Elsa avait l'intention de profiter de chaque instant. Seattle était une petite ville marécageuse qui semblait encore cacher ses signes de civilisation, mais Elsa aimait déjà l'esprit de l'endroit. Les denses forêts de conifères lui rappelaient Bergen, et les nombreuses voies fluviales à fort débit qui débouchaient dans le Puget Sound (détroit de Puget) donnaient à penser que ce territoire était mûr pour l'exploitation du bois. Elsa s'était rendu compte que Henry Whitehall savait ce qu'il faisait. Le territoire de Washington permettrait à de nombreuses personnes de s'enrichir, et les Ramstad auraient leur part du butin.

Pendant que Peder s'approchait, elle se tourna pour observer un bateau à vapeur qui sortait de l'embouchure d'une rivière proche pour faire son entrée dans le Puget Sound, tirant derrière lui, entassés dans un grand filet, des pins fraîchement coupés.

— Tu vois? dit-elle en pointant de l'autre côté du détroit.

Si elle n'arrivait pas à rétablir le lien amoureux qui les unissait, elle pourrait peut-être l'atteindre en parlant du travail.

— Oui.

— Te rends-tu compte que nous pourrions nous construire le nôtre?

— Bien sûr.

Son ton indiquait qu'il ne comprenait pas où elle voulait en venir.

— Penses-y, Peder. Si nous construisions quelques schooners de plus et un vapeur comme celui-ci, nous pourrions fonder notre propre entreprise de bois d'œuvre.

— J'ai déjà assez sur les épaules sans ajouter une deuxième entreprise par-dessus le marché.

Il se retourna, et elle le suivit en s'adaptant à son pas lent.

— Mais qu'y aurait-il de plus à apprendre? Tu as été lié toute ta vie aux chantiers Ramstad de Bergen. Le *Sunrise* est la preuve que tu peux construire des bateaux, dit-elle en s'étirant pour lui toucher le bras, puis elle fit un signe vers la côte devant eux.

Ne sens-tu pas d'une certaine manière que c'est la bonne chose à faire? demanda-t-elle en secouant la tête. Je n'arrive pas à me défaire de cette idée. C'est comme si Dieu m'approuvait d'un sourire. Je peux le sentir.

Peder la regarda comme si elle ne savait plus ce qu'elle disait.

— Et alors? Tu veux que nous quittions Camden? La maison que je t'ai construite? rétorqua-t-il en secouant la tête. Non. Nous sommes assez occupés sans devoir en plus déménager à un endroit qui n'a même pas réclamé son statut d'État. Occupe-toi de ta peinture, Elsa. Laisse-moi les affaires.

Son ton la piqua au vif. Le visage d'Elsa s'assombrit.

— J'aimerais que tu ne te contentes pas d'écarter...

— Je suis le chef de famille. Je souhaiterais que tu ne me contredises pas.

Elle soupira de frustration.

— Et j'aimerais que tu ne sois pas autoritaire au point de m'empêcher de discuter de notre avenir — de mon avenir — avec toi.

Peder se passa la main dans les cheveux, faisant retomber une bouclette sur son front.

— Je veux bien discuter avec toi de propositions qui aient du bon sens, Elsa. Je ne crois tout simplement pas que cet endroit puisse nous rapporter quelque chose — si ce n'est que pour venir y chercher du bois puis repartir.

Elle le regarda, puis observa de nouveau la côte. C'était un endroit magnifique. Les hautes chaînes de montagnes aux sommets enneigés étaient impressionnantes, et les collines, avec leurs conifères bien fournis, paraissaient plus verdoyantes et fraîches que celles du Maine. C'était à la fois rude et invitant. C'était si... nouveau. Rude et sauvage, prêt à être transformé à leur guise.

— Donc, tu ne ressens rien? demanda-t-elle en faisant un geste vers la côte.

Comment pouvait-il ne pas ressentir la même chose qu'elle devant cette nouvelle terre?

— Tu ne sens aucun pincement au cœur?

— Tu dis n'importe quoi, Elsa, répondit-il pour changer de sujet. Si tu trouves que c'est si beau, pourquoi ne sors-tu pas tes huiles et ta toile pour en faire une peinture?

Elle ravala sa colère. Parfois, Peder pouvait se montrer incroyablement obstiné. Karl pouvait bien s'être fâché contre lui! Elle se détourna et observa le bateau à vapeur qui disparaissait au loin. Non, elle en était certaine. La vapeur et Seattle faisaient partie de leur avenir, que Peder le veuille ou non. Il ne mettrait qu'un temps pour s'en rendre compte.

Peder laissa Elsa sur le pont et se rendit dans son bureau. La pièce était remplie de matériel, dont une table sur laquelle se trouvait l'équipement de navigation standard des marins — un sablier, un sextant, un carnet de route, des cartes maritimes — ainsi qu'un énorme secrétaire à cylindre qu'il avait acheté en Chine et qui avait miraculeusement échappé à l'incendie. Il s'assit lourdement à son secrétaire, pensant à Elsa et à Karl pour la millième fois. L'île... le baiser... Dans un accès de rage, il renversa sa chaise en voulant se lever. Serrant les dents, il balaya d'un bras tout ce qui se trouvait sur la table et ressentit une certaine satisfaction de tout voir s'écraser sur le plancher, à l'exception des feuilles qui se mirent à virevolter. Il jeta un coup d'œil au secrétaire... et à l'enveloppe qui s'y trouvait.

C'est la lettre qui le fit craquer. Adressée à lui par Karl dont l'écriture sur l'enveloppe était clairement reconnaissable. Chiffonnée et lissée à maintes reprises, sans pourtant avoir été ouverte depuis qu'il l'avait reçue à San Francisco. Tombant à genoux sur le dur plancher de pin, il se mit à pleurer.

— Pourquoi, cria-t-il en levant les yeux comme s'il pouvait voir Dieu dans les moulures de bois. Comment as-tu pu laisser faire ça ? Il était comme mon frère. Comme un frère...

« Il l'est encore. »

Peder percevait la voix de Dieu, même s'il s'était coupé de son Sauveur depuis des mois.

— Non, un frère n'agit pas comme Karl l'a fait.

« Il m'appartient d'en juger. »

— D'accord. Envoie-le où il le mérite, cracha Peder. Mais que dois-je faire d'elle ? ragea-t-il, se levant et gesticulant en direction de la porte.

Il se mit à faire les cent pas.

« Sois son mari. »

— J'étais son mari, et de toute évidence, je ne suffisais pas, n'est-ce pas ?

Ses mots lui semblèrent creux, même à lui. Il n'entendit pas de réponse.

— Seigneur, Seigneur, je suis incapable d'affronter cette situation.

« Tu es fort. »

— Pas fort à ce point-là. Elle ne m'a même pas demandé pardon !

« Pardonne-lui. »

— Moi ? Mais c'est à moi qu'elle a causé du tort ! Elle n'a pas été fidèle ! Elle l'a laissé l'embrasser ! Elle aurait dû savoir qu'il le ferait !

Il était indigné. Les larmes séchèrent sur son visage brûlant. Il ne sentait plus la présence de Dieu, seulement l'humidité froide de la cabine.

— Qu'est-ce que la fidélité ? Être digne de confiance, qu'est-ce que ça peut signifier ? marmonna-t-il en replaçant sa chaise et en s'assoyant de nouveau. L'amitié…

Après un moment, il prit la lettre et la fixa, puis il leva les yeux vers son secrétaire acheté en Chine. Il observa attentivement, dans la partie supérieure, les gravures décoratives représentant des dragons, des fleurs de lotus et des oiseaux exotiques en plongeon. La partie inférieure, davantage inspirée d'une scène champêtre, était décorée de perles incrustées et représentait de douces collines, des arbres affaissés et de gais oiseaux.

Son regard retourna à la lettre.

— Étais-tu un dragon en quête de ma fleur de lotus, Karl ? grogna-t-il.

Il laissa la lettre tomber et se frotta le visage d'épuisement.

Peder savait qu'il devait réagir face à sa colère, à sa jalousie, à son amertume entretenue… qu'il devait s'élever au-dessus de ces vils sentiments. Il le savait. Mais comment Karl avait-il pu embrasser sa femme ? Comment Karl avait-il pu mettre en péril le mariage de son ami… leur amitié… ainsi que son propre avenir ? Ses perspectives de vie étaient probablement plus incertaines à Saint Paul qu'à Camden-by-the-Sea, même si leurs plans avaient beaucoup changé relativement aux chantiers. Peder aurait contribué à sa réussite, même s'il n'y avait que le nom de Ramstad sur le panneau de l'entreprise. Peder savait ce que signifiaient les mots « loyauté », « amitié ». Karl non, apparemment.

Il se sentit soudain dévasté en se rappelant sa propre faute. Il n'avait pas été tout à fait honnête avec Karl, après tout. Il s'était montré fourbe durant des mois, puisqu'il avait caché à son ami et partenaire le cadeau en argent que lui avait consenti son père. Avait-il pris la bonne décision ? N'aurait-il pas fait un meilleur choix, n'aurait-il pas été un meilleur homme s'il avait gentiment refusé l'argent de son père et respecté les plans qu'il avait élaborés avec Karl ? Leurs progrès auraient été plus lents… le *Sunrise* n'aurait pas déjà été mis à l'eau… il n'y aurait pas eu de voyage avec Elsa à bord. Pas de Mason Dutton. Pas d'île. Pas de raison qui aurait amené Karl à baisser la garde, ni Elsa.

— Ô Dieu, marmonna-t-il. Je suis aussi coupable qu'eux. Pardonne-moi.

« Pardonne-leur. »

Peder hocha une fois la tête, sachant la vérité, mais se sentant toujours incapable d'agir en conséquence.

Étaient-ce les souvenirs de conversations semblables avec Karl au sujet des bateaux à vapeur qui avaient tant fait réagir Peder plus tôt avec Elsa ? Les suggestions de sa femme et son ton prudent l'irritaient, lui montaient à la tête. Il chassa de sa tête cette suspicion qui le hantait, cette idée malheureuse qui l'amenait à croire qu'Elsa s'était entretenue en privé avec Karl, qu'elle avait accepté d'être de connivence avec lui, de convaincre Peder par en dessous. L'image des deux ensemble s'embrassant menaçait de le noyer, comme un monstre marin qui les aurait tous entraînés au fond de l'eau.

Elle était innocente. À de multiples reprises, Peder en était arrivé à cette même conclusion, se blâmant de la croire capable de quoi que ce soit d'autre. Elle était gentille et aimable envers tous, et sans l'ombre d'un doute l'une des plus belles femmes qu'il ait jamais vues. Karl, qui connaissait aussi Elsa depuis leur enfance, était tombé amoureux d'elle à distance. Les dangers qui avaient menacé leur vie dans les Antilles avaient tout fait remonter à la surface, incitant ce dernier à révéler ses sentiments.

« Dieu ne fait rien pour rien », se dit-il.

Et cette fois-ci, il devait sûrement avoir une bonne raison, marmonna-t-il en sentant la colère monter de nouveau en lui.

Animé d'une nouvelle détermination, il ouvrit la lettre pour savoir ce que Karl avait à lui apprendre.

« Le 23 juin 1881

Cher Peder,

Après tout ce temps, je suppose que tu auras appris la véritable raison pour laquelle j'ai dû quitter le Sunrise et mettre fin à notre association. Je t'ai trahi, mon ami, et je regretterai éternellement mes gestes. S'il te plaît, sache que du plus loin que je me souvienne, j'ai toujours ressenti de l'amour pour Elsa, un amour ancré en moi. En y pensant bien, je crois que je suis tombé amoureux d'elle en même temps que toi. Cet aveu n'excuse pas mes gestes irréfléchis, et il n'apaisera pas non plus la colère que tu ressens assurément envers moi. Après cette nuit sur l'île où je n'ai su résister à cette pulsion de mon corps, je savais que je n'avais plus d'autre choix. Je devais partir. M'éloigner d'Elsa. Car autant elle est entièrement dévouée envers toi, autant je doutais de moi. Pardonne-moi, Peder. S'il te plaît, pardonne-moi. Avec le temps, j'espère que tant toi qu'Elsa trouverez en vous la force de me pardonner.

Tout progresse bien, ici, à Saint Paul. John J. Hall m'a pris sous son aile, et par conséquent, j'ai profité d'occasions d'affaires sans précédent. À ce sujet, j'espère que tu puisses pouvoir racheter mes parts dans le Sunrise à ton retour à Camden, ce qui mettra ainsi fin pour de bon à notre partenariat d'affaires. J'ai confiance que le bateau continuera de bien naviguer et que ton voyage te rapportera beaucoup. Je vais utiliser ma part du butin pour investir ici. Mon avenir est ici. À preuve, hier soir, j'ai demandé la fille de Hall, Alicia, en mariage. »

Peder laissa échapper la lettre sur son secrétaire. Comment Karl pouvait-il être tombé si bas ? Henry Whitehall et James Kingsley, lorsqu'on réussissait à leur tirer les vers du nez, n'avaient que peu de bien à dire de John J. Hall. Ce dernier était connu pour ses pratiques d'affaires douteuses et ses manières impitoyables. Et voilà que Karl allait épouser la fille de cet homme ? C'était même peut-être déjà fait… Et qu'il allait investir dans son entreprise ? Peder secoua la tête. Karl suivait une voie dangereuse. Peder eut soudain l'impression de se laisser emporter. Whitehall et Kingsley n'avaient peut-être que rapporté des ouï-dire.

> «Je crois avoir agi pour le mieux, dans toute cette histoire, Peder. Nos chemins différents nous permettront peut-être tous deux de guérir, pour qu'un jour nous puissions nous retrouver comme de vieux amis. Notre religion nous demande de ne pas laisser couver des sentiments aussi amers, mais je ne veux pas non plus me sentir coupable de tourner le fer dans la plaie. Je prie pour que tu me pardonnes. J'espère qu'un jour nous pourrons revenir ensemble comme les frères que nous avons toujours été.
>
> Il faudrait aussi que tu saches que j'ai vu Tora. Elle a déménagé au Minnesota et elle serait actuellement courtisée par Trent Storm, le célèbre magnat des cafés routiers. Elle semble bien aller, heureuse de son sort, mais elle m'a clairement fait savoir qu'elle veut que personne n'ait vent de nos liens passés. Elle essaie de repartir à neuf, ici, et elle croit apparemment que son passé pourrait lui nuire. Je suis désolé d'avouer que je ne sais pas ce qui est arrivé à son enfant. J'ose espérer que toi tu le saches.

Souhaite bonne chance de ma part à tous mes vieux amis, et si jamais tu trouves un moment pour le faire, prie pour que ma fiancée et moi vivions un mariage aussi solide que le tien.

Sincèrement,
Karl Martensen »

Tora ouvrit son éventail et ferma les yeux dans un effort pour combattre une soudaine bouffée d'air chaud et humide. Vêtue pour le dîner, en route dans la voiture de Trent, elle avait l'impression qu'elle allait suffoquer de chaleur.

— Vous avez chaud ? lui demanda doucement Trent, assis en face d'elle.

— J'étouffe. Je n'ai jamais eu si chaud de toute ma vie.

— Il ne faisait jamais aussi chaud à Bergen ?

— Chaud, oui, mais jamais au point de transpirer. Ce n'est pas très digne d'une dame.

— Mais c'est plutôt inévitable. C'est pareil sur la côte est lorsqu'on s'éloigne de l'océan, dit Trent en fronçant légèrement les sourcils. Ce qui me fait penser, Tora : j'aimerais bien que vous me racontiez les circonstances qui vous ont amenée à aller vivre à Camden-by-the-Sea. Si ce n'est pas indiscret, bien sûr.

Tora se passa la langue sur les lèvres.

— Pas du tout. Tu te rappelles cette terrible nuit dont je t'ai parlé, au cours de laquelle mon bateau a péri, entraînant mes proches dans la mort, commença-t-elle en fronçant les sourcils, parvenant à verser quelques larmes.

— Si c'est trop difficile…

— Non, dit-elle en levant la main. C'est simplement que lorsque je pense à cette noyade de mes chers parents et sœurs, je me vois seule au monde et j'en suis accablée.

Trent hocha la tête, l'air compatissant, tout en demeurant un peu sur ses gardes. Elle n'avait pas encore réussi à l'attirer dans ses filets, mais il était intrigué. Tora en était certaine. Peut-être le déclic aurait-il lieu ce soir-là.

Elle sortit un mouchoir et se tamponna le visage et le cou.

— Papa était plutôt fortuné et s'était embarqué pour l'Amérique afin d'accroître ses ressources. Nous étions tous excités de partir à la découverte de ce nouveau continent.

— De quel genre d'entreprise s'occupait votre père, déjà ?

— D'une entreprise d'exploitation minière, quelque chose du genre, répondit-elle évasivement. Papa ne voulait jamais que ses filles se mêlent de ses affaires. Il pensait que c'était exclusivement un travail d'hommes.

Trent hocha la tête, acceptant apparemment son explication.

— Malheureusement, après avoir vendu tout ce qu'il possédait, il avait apporté avec lui à bord du bateau tous les lingots d'or représentant le fruit de cette vente, dit-elle.

Trent fronça les sourcils, et Tora comprit immédiatement qu'un tel geste aurait été une très mauvaise décision de la part d'un bon homme d'affaires.

— Je ne comprendrai jamais pourquoi il faisait les choses ainsi.

Une larme se forma au coin d'une de ses paupières et coula lentement sur sa joue. Elle sourit bravement.

— C'était un vieil homme têtu, et nous n'étions jamais d'accord. Néanmoins, je l'aimais, et j'aimais toute ma famille.

— Bien sûr. Mais vous, c'est un miracle que vous ayez survécu !

— Grâce à Dieu, et à un mât cassé flottant auquel je me suis accrochée.

— Quelle terrible expérience, commenta Trent en s'appuyant sur le dossier pour l'observer attentivement tandis que la voiture s'arrêtait devant le restaurant. Ce qu'il y a d'intéressant à ce sujet, c'est que je n'aie pas entendu parler d'une telle catastrophe. Les naufrages font presque toujours les manchettes.

Tora n'avait pas considéré cet aspect.

— C'était un vieux clipper, surtout utilisé pour le transport de marchandises. Nous étions pratiquement les seuls passagers à bord. Ça ne valait peut-être pas la peine d'y consacrer un article. Ou peut-être n'avez-vous pas lu le journal cette fois-là, dit-elle en se penchant vers l'avant. Mais assez de ces mauvais souvenirs. Vraiment, Trent, je préférerais que nous n'en reparlions plus. C'est tout simplement trop douloureux. Ne devrions-nous pas entrer manger ? J'espère qu'il fera plus frais à l'intérieur. Et vous allez me faire rire comme vous le faites toujours, cher Trent, plutôt que de me faire fondre en larmes comme une pauvre fille.

— En effet, acquiesça Trent.

Elle sentait ses yeux sur elle lorsqu'elle sortit de la voiture en lui tenant la main. Mais elle n'osa pas croiser son regard.

Karl se regardait dans le miroir tout en s'habillant avec lassitude pour le dîner. Alicia, ayant statué que dîner à la maison était devenu monotone, exigeait qu'ils mangent chaque soir à l'extérieur. Ne se considérant pas à la hauteur, se sentant coupable de ne pas pouvoir gâter Alice comme elle en avait l'habitude, Karl avait demandé un petit prêt à son futur beau-père pour pouvoir s'accorder certains luxes, comme dîner au restaurant tous les soirs. Ses propres investissements se mettraient bientôt à rapporter, et il serait alors dans une position plus aisée. Dans l'intervalle, il n'aurait qu'à ravaler sa fierté.

Ce qui continuait de le laisser perplexe... ce qui le troublait plutôt... c'était que Hall devait avoir vu venir cette situation difficile. En effet, Karl était passablement convaincu que John avait minutieusement fait vérifier son passé avant de l'engager. Alors, pourquoi avait-il permis à un pauvre homme de Bergen de le laisser s'approcher de sa fille quand son avenir prometteur était encore loin ? Alicia avait déjà eu des cavaliers beaucoup plus prospères, mais pour une raison quelconque, son père et elle avaient tous deux préféré Karl dès le départ. Certes, il savait qu'Alicia avait l'habitude des frivolités et que son attachement pouvait être motivé par l'amour. Mais quels étaient les motifs de Hall ? Cette question tourmentait Karl.

John appréciait certainement la stature que lui conférait un futur gendre qu'il décrivait comme capitaine prospère truculent de la marine marchande, même si Karl n'avait jamais dans les faits commandé son propre bateau avant d'arriver à Saint Paul. Mais pourquoi jouer l'avenir de sa fille avant que Karl n'ait vraiment fait ses preuves ? John avait plutôt fait comme il le faisait toujours, prenant rapidement des décisions définitives, sans plus regarder en arrière.

— Ne lui fais jamais regretter sa décision, avait dit Brad lorsque Karl lui avait fait part de ses craintes. Absolument jamais.

Karl avait ri, mal à l'aise, puis avait hoché la tête comme s'il comprenait. Mais qu'arriverait-il si son avenir n'était pas aussi doré que tous l'imaginaient ?

Ces pensées l'occupèrent jusqu'au moment de monter dans la voiture de Hall, puis une fois installé il donna un coup de canne au plafond. Alicia était adorable. Dans ses bras, il parvenait à ne plus penser à Elsa. Il éprouvait du plaisir à la côtoyer, elle le faisait souvent rire avec ses drôles de manières. Il s'était écoulé combien de temps depuis la dernière fois où il avait ri autant qu'au cours des dernières semaines ? Sans parler de ses atouts féminins si attrayants, qui lui donnaient envie des plaisirs physiques réservés aux hommes mariés. Il avait navigué assez longtemps pour bien connaître les nombreuses histoires grivoises des marins à bord des bateaux. Il avait même été tenté plus d'une fois par les femmes qui travaillaient sur les quais, mais il s'était abstenu, conscient des exigences de la foi chrétienne en matière de pureté. Pour l'instant, les quelques baisers et étreintes que lui avait permis Alicia suffisaient à le rendre fou d'impatience.

Une fois rendu au manoir Hall, pendant qu'il attendait Alicia à l'avant dans le salon, Karl refit le nœud de sa lavallière, observant ses longs doigts dans le miroir Tiffany en fer forgé. Ses mains s'adoucissaient avec la disparition progressive des cals. Il pensa à Elsa et à l'île, qui lui semblaient presque maintenant apparentés à un autre monde et à une autre vie. Les souvenirs liés à Peder l'attristaient, car il savait que si son meilleur ami avait osé embrasser Alicia comme lui-même l'avait fait avec Elsa, il aurait été fou de rage. Pourquoi avait-il été si stupide ? Si faible ? Il secoua la tête en repensant à l'invraisemblance de cette nuit-là. Il ferma les yeux un moment, cherchant Dieu dans son cœur. Pourquoi le sentait-il si distant ? Karl n'arrivait pas à comprendre.

Alicia apparut dans la pièce, splendide dans une robe d'un vert profond. Elle sourit jovialement.

— J'ai pensé que nous pourrions essayer Chez Pierre ce soir, chéri. On en parle dans toute la ville. Janice a dit qu'elle n'avait jamais rien goûté de meilleur.

— Eh bien, nous ne pourrions pas rater une telle occasion, n'est-ce pas ? demanda Karl avec indulgence en jetant subtilement des regards autour de lui avant de la prendre dans ses bras pendant qu'elle finissait de nouer le nœud de sa lavallière. À moins bien sûr que je parvienne à vous persuader de nous cuisiner un repas ici à la maison, pour faire changement.

Il sourit de voir qu'elle prenait un air exaspéré.

Elle se redressa de toute sa taille, qu'elle avait fort petite.

— J'ai bien peur que ce ne soit long avant que je vous fasse un repas. Vous pourrez cependant vous joindre à la famille quand vous voudrez, pour le petit-déjeuner ou le déjeuner.

— C'est bien ce que je pensais.

— Ce qui veut dire ?

— Que je suis mieux de manger toutes ces bizarreries Chez Pierre plutôt que d'oser goûter à un repas préparé par vous.

Alicia ricana et se détendit.

— Eh bien, Karl, je crois que vous développez votre sens de l'humour.

— Je pense qu'il était temps. On y va ?

— Oui, répondit-elle en plaçant la main dans le creux de son bras tandis qu'ils sortaient de la pièce. Mère, appela-t-elle.

Madame Hall apparut en haut de l'escalier.

— Vous allez ?

— Chez Pierre.

— Amusez-vous bien. Bonne soirée, Karl.

— Bonne soirée, madame Hall, dit-il en hochant la tête.

Après qu'ils eurent pénétré à l'intérieur de la voiture et que le cocher l'eut fait avancer dans la circulation, Karl se tourna vers sa fiancée et demanda :

— Alicia, que savez-vous des Parker ?

— Les Parker ? Pas grand-chose. M. Parker et papa ont déjà travaillé ensemble.

— Et maintenant ?

— Ils ont pris des chemins différents. Papa ne veut plus rien savoir de lui. J'ai entendu dire, continua-t-elle prudemment en regardant Karl dans les yeux, que Bradford courtise Virginia.

Karl hocha légèrement la tête.

— Est-ce que ça pose problème?

— Non, répondit-elle en haussant les épaules. Pourquoi serait-ce un problème?

— Je me demandais si ces relations pourraient déranger votre père, puisque Bradford travaille pour lui.

— Je ne saurais dire. Pourtant, je ne serais pas surprise que M. Bresley soit bientôt appelé à prouver sa loyauté envers mon père.

— De quelle manière?

— Comment suis-je censée le savoir? Vraiment, Karl, ne pouvons-nous pas parler de sujets plus intéressants que les affaires? C'est tout ce dont parle papa.

Elle prit son sac à main orné de perles, et pour la première fois il remarqua que les mains d'Alicia tremblaient. Il la regarda plus attentivement. Elle avait le visage blême.

— Alicia? Est-ce que ça va? Devrions-nous rentrer à la maison?

— Non, non. Je vais bien, dit-elle en ouvrant son sac à main pour fouiller à l'intérieur. J'ai simplement besoin de sels...

Soudainement, elle s'écroula vers l'avant, évanouie. Karl s'agenouilla, la souleva, puis il l'étendit doucement sur le siège en criant au conducteur de s'arrêter.

Le contenu du sac à main s'éparpilla sur le sol. Du maquillage, un mouchoir, des sels. Comme il s'apprêtait à ramasser les sels, la voiture s'arrêta... tout comme sa main. Là, tout au fond du sac, se trouvait une petite fiole sur laquelle était écrit « Laudanum ».

Chapitre 31

En août, le *Sunrise* avait entrepris son voyage de retour, rempli — « à ras bord », comme le disait Riley — de bois équarri. La cargaison exhalait une si belle senteur qu'Elsa avait de la difficulté à sentir l'odeur salée de l'océan qui lui était maintenant si familière. Heureusement, cette senteur lui rappelait Seattle et ses rêves de s'y installer un jour.

À son endroit habituel sur le pont, elle s'appuya sur le dossier de sa chaise et soupira devant sa toile blanche. Elle se sentait perturbée, elle avait le moral bas. Peder et elle ne s'étaient toujours pas réconciliés. Depuis qu'elle avait fait cette petite remarque à propos d'une éventuelle entreprise d'exploitation forestière, Peder l'avait évitée comme un moustique porteur de la malaria. Soudainement, elle ne voyait plus sa peinture comme un moyen d'expression, mais comme une cage. Il voulait qu'elle s'y restreigne, et préférablement à Camden-by-the-Sea. Ses peintures étaient claires. Ordonnées. Tout comme la façon dont Peder voyait la vie.

Elsa prit son pinceau et fit une longue trace noire sur la toile, se sentant de mieux en mieux à mesure que s'étirait le trait de peinture. Souriant pour la première fois depuis des jours, elle trempa ensuite son instrument dans du rouge qu'elle appliqua aussitôt sur son tableau. Puis du vert, du jaune — même si le jaune était loin d'être aussi satisfaisant que le noir profond.

Peder monta les marches pour venir la rejoindre. Elle avait hâte de lui montrer son œuvre. Peut-être serait-ce le catalyseur qui permettrait de mettre fin à leur conflit en cours. Il se tint silencieusement derrière elle, absorbé de toute évidence par la toile devant eux.

— Un nouveau style ? tenta-t-il après un moment.

— Une expression artistique, répondit-elle d'un ton sec.

— De ?

— Je crois que tu le sais, Peder.

— Ah oui ? Tu devrais peut-être me le rappeler.

Elle soupira et se leva pour lui faire face.

— Je suis frustrée. Je suis désolée de l'être, mais c'est ainsi. Nous formons un partenariat, toi et moi. Tu n'es pas un roi, et je ne suis certainement pas ta servante.

— Quand me suis-je déjà comporté…

— Je sais que je suis une femme chanceuse, Peder. Vraiment. Et je l'apprécie. Mais tu fais si souvent des choix sans d'abord m'en parler. Camden-by-the-Sea est chouette, mais ce n'est pas nécessairement l'endroit où j'ai le goût de m'installer pour toujours, surtout si je suis pour être seule. Je sais que ton rêve est de continuer à construire des voiliers plutôt que des bateaux à vapeur, mais ce n'est pas nécessairement sage, je crois. Je reconnais, dit-elle en levant les mains devant Peder, qui commençait à bégayer une réponse, rouge de fureur, que c'est ton entreprise et que tu peux donc faire ce que tu veux. Mais lorsque j'ai une idée, je ne veux pas que tu l'écartes d'emblée. Je te demande simplement le respect auquel j'ai droit.

Peder grogna.

— Tu ne crois pas que je te respecte ? Ce que je t'ai donné, ce que je t'ai fourni, ce n'est pas assez ? Notre maison ? Tes cours de peinture ? T'emmener en mer ?

Il la regarda comme si elle était une enfant gâtée.

— Tu m'as donné beaucoup, Peder. Ce n'est pas ce que je veux dire. Je parle de ce que nous avons, de ce que nous faisons, ensemble — notre avenir. Ce sur quoi ou ce vers quoi nous travaillons, ensemble. Je veux que ce soit notre rêve à nous deux, Peder, précisa-t-elle en s'étirant pour lui toucher la main, ce qui sembla le calmer. Je veux être ta partenaire pour ces rêves-là aussi, ton amie. Ta meilleure amie. Je sais que Karl te manque. Et je sais que tu as toujours de la difficulté à me pardonner. Puis-je faire quoi que ce soit pour aider ?

Peder soupira et regarda la mer.

— Tu es ma femme, non pas ma partenaire d'affaires. La place d'une femme est à la maison, à s'occuper du foyer et des enfants. Tu vois ce qu'a donné ma décision de t'emmener ? Davantage de mécontentement. Sans mentionner que tu as presque été tuée.

Elsa retint les mots qu'elle avait sur le bout de la langue.

— La place d'une femme, Peder, est auprès de son mari. Pourquoi dire que ça apporte du mécontentement ? C'est peut-être faire preuve de vision.

— Nous ne pouvons poursuivre deux rêves, Elsa.

— Non, dit-elle en tentant de placer son bras autour de sa taille. Mais nous pouvons poursuivre notre rêve.

Peder se dégagea.

— Je t'ai donné tout ce qu'il y avait à donner. Si ce n'est pas assez, tant pis.

Elsa regarda son mari redescendre et aller réprimander un pauvre marin qui avait fait un nœud plat plutôt qu'un nœud de chaise. Se mordant la lèvre inférieure, elle reprit son pinceau et fit une grosse trace noire par-dessus la première.

Des jours plus tard, cette dispute entre Peder et Elsa n'était toujours pas réglée. Il ne pouvait se défaire de la bile qui lui montait à la gorge chaque fois qu'il songeait à exprimer ses regrets. Il était déchiré. D'une part, il était persuadé d'emprunter la voie qui assurerait le succès des chantiers Ramstad, d'autre part il aimait sa femme — devait-il pardonner, ou s'accrocher à sa colère justifiée ? Il commençait à croire qu'il n'y aurait jamais de fin aux suggestions et aux demandes de son épouse, ce qui l'exaspérait. Était-ce ça le mariage ? Peut-être était-il capitaine depuis trop longtemps.

Il traversa le pont de la proue à la poupe, songeant aux propos que lui avaient tenus Elsa, ne pouvant s'empêcher de constater que l'atmosphère oppressante des calmes équatoriaux reflétait également ses états d'âme. Le temps était mortellement calme, depuis des jours d'ailleurs, et incroyablement chaud et humide. Pas le moindre souffle de vent dans l'air, et les voiles pendaient comme de tristes draps sales sur le point d'être envoyés à la lessive. Ces journées-là, Peder détestait la vie de marin. Il avait toujours hâte d'arriver à sa destination suivante. Karl lui aurait dit : « Profite du voyage, mon ami. Profite de chaque journée, car chacune a été créée pour toi. » Dès le départ, Karl avait semblé avoir plus que lui développé une relation profonde et intense avec Dieu, même si Peder était chrétien depuis toujours et Karl, un converti. C'était comme si, en entrant dans le cœur de Karl, le Christ s'était rapproché davantage de lui que de Peder. Ou peut-être Karl reconnaissait-il simplement davantage l'œuvre de Dieu au quotidien.

C'était difficile pour Peder de voir Dieu ce jour-là. Il avait l'impression de vivre un après-midi sans âme, ce qui ne faisait que le contrarier, car il trouvait la vie encore plus dure à supporter. Il s'essuya la sueur des sourcils et s'aéra la poitrine en agitant sa chemise humide pour chasser la transpiration. Il regarda la surface de la mer, où les seules ondulations étaient provoquées par les nageoires dorsales des poissons sous la surface. Verraient-ils la fin de ce temps mort ? Ils étaient déjà en retard, désespérés d'arriver rapidement à la maison, de décharger leur cargaison et de mettre le *Sunrise* à l'abri pour l'hiver. Il réprima l'envie de crier de frustration. Sûrement que s'il pouvait ramener Elsa à Camden, elle s'installerait dans leur maison et se préparerait à l'arrivée d'un bébé.

Oui ! Un bébé était la réponse à leurs problèmes. L'enfant résoudrait tout, car Elsa serait trop occupée pour penser aux affaires. Peder serait libre de faire ce qu'il voulait. Pourtant, même si Elsa s'était montrée parfois exaspérante — et malgré les disputes que la présence de sa femme avait causées —, Peder avait-il déjà connu plus grande joie que de voyager à ses côtés ? Il ne le croyait pas.

« Le temps est venu d'un nouveau départ. D'un nouvel horizon. »

Le moment était venu de pardonner.

« Ça m'empêche d'avancer, songea-t-il. Ça me paralyse depuis des mois, hein, Père ? »

« Repars à neuf, mon fils. Repars à neuf. »

Sans s'arrêter pour réfléchir, il donna l'ordre suivant :

— Laissez tomber les cordages ! Tribord !

Les marins somnolents se dépêchèrent de procéder, un peu étonnés, mais quand même obéissants.

Peder enleva sa chemise et monta sur la balustrade de tribord.

— Le dernier à l'eau pèlera les pommes de terre durant un an !

Il plongea dans le vide, résistant à l'envie grisante de s'esclaffer, sachant qu'il aurait besoin de tout son souffle pour remonter à la surface. Juste avant de toucher l'eau, il entendit de nombreux cris de joie et perçut l'agitation des hommes se précipitant sur le côté du navire.

Ses doigts fendirent l'eau, et Peder se laissa glisser dans le liquide turquoise, savourant de sentir son corps se rafraîchir. Il ne fallait pas s'étonner que si peu de poissons n'osent sauter hors de l'eau. C'était trop merveilleux sous l'eau pour désirer remonter à la surface. Conscient des bruits successifs provoqués sur l'eau par l'impact des autres marins qui venaient à leur tour de plonger, Peder se détendit et laissa ses poumons gonflés soulever son corps inerte à la surface. Il avait l'impression de voler… il remonta de trois, de cinq mètres jusqu'à ce que son visage ne ressorte à l'air libre, et il inspira profondément. Se sentant finalement soulagé de l'angoisse existentielle des derniers jours, des dernières semaines, des derniers mois, il se frotta les yeux et poussa un cri auquel tous autour de lui firent écho.

Lorsqu'il ouvrit les yeux, il remarqua Elsa tout près, qui le regardait comme un enfant pris à faire un mauvais coup. Elle avait vraiment l'air effrayée, s'attendant de toute évidence à une réprimande sévère après ce qui était arrivé la dernière fois qu'elle avait sauté à l'eau.

— Eh bien, je n'avais pas envie de peler les pommes de terre durant un an, dit-elle bien sagement, le menton en l'air, pendant qu'elle continuait de faire du sur-place.

Peder se mit à rire. Il rit profondément. Était-il assez fou pour se permettre de gaspiller de précieuses journées alors que sa merveilleuse femme se trouvait à ses côtés ? Devait-il encore gaspiller d'autres journées ? Peu importe les différends, la vie était trop courte. Il ne perdit pas une seconde de plus.

— J'ai été ridicule, Elsa. Pardonne-moi d'avoir agi comme un vieux capitaine têtu. Pardonne-moi de ne pas avoir su être ton mari. Pardonne-moi de ne pas avoir su être ton ami.

Elle sourit de surprise, et ses sourcils se déplacèrent vers le centre comme si elle voulait pleurer.

— Oh, Peder, se limita-t-elle à dire, le tirant sous l'eau pour l'embrasser longuement.

Ils pouvaient entendre les sifflements et les cris assourdis des hommes. Mais il importait peu à Peder d'afficher un comportement inapproprié. Il avait retrouvé sa femme. De plus, il se sentait de nouveau comme un mari.

Le même soir, Peder et Elsa restèrent attablés devant des plats froids, durant des heures, à parler. Chaque fois que le cuisinier entrait pour les desservir, Peder jetait un regard mauvais au pauvre homme, lui faisant savoir qu'il les dérangeait. Finalement, l'homme cogna et entra une fois de plus. Avec une rapide révérence, il s'avança et prit les plats sans attendre la permission de Peder.

Peder sourit.

— Ton lit t'appelle, mon cuisinier?

Celui-ci l'ignora.

— Pardonne-nous d'avoir pris tant de temps, dit Elsa. Tu peux laisser les plats ici jusqu'à demain matin.

Le cuisinier l'ignora.

— Je ne l'ai jamais vu laisser traîner de la vaisselle sale jusqu'au matin, expliqua Peder.

— Nouvelle journée, nouvelle vaisselle, dit finalement le cuisinier en fermant la porte derrière lui.

Peder et Elsa rirent.

— Bon principe de vie, dit-elle en regardant Peder avec un regard éloquent.

— En effet, acquiesça Peder en lui rendant son regard.

Comme c'était merveilleux de s'entendre de nouveau avec son mari ! Elsa se sentait étourdie de soulagement.

— Peder, je dois te demander, commença-t-elle, en tendant la main vers l'autre côté de la table pour prendre la sienne. Qu'est-ce qui a fait que tu m'as finalement pardonnée ?

— Ça me rongeait. Je me suis adressé au Seigneur à de nombreuses reprises et je l'ai supplié de me montrer la voie de la justice. J'ai dû emprunter une voie difficile, un parcours ardu que je méritais. J'avais l'estomac noué. Je n'ai pas dormi plus de cinq heures à la fois depuis des mois. Et je n'arrivais pas à faire la paix avec la situation, car j'avais l'impression qu'on m'avait fait du tort. Mais j'ai bien vu que tu étais innocente, mon amour. Que je te punissais pour un péché que tu n'avais jamais commis. En m'accrochant à cette idée de péché, j'ai créé un monstre qui a fini par nous englober tous deux.

Elsa baissa les yeux.

— Je suis désolée, Peder, murmura-t-elle.

Il lui lâcha les mains pour lui soulever le menton.

— Pour quelle raison ?

— Pour ne pas avoir deviné ce qui s'en venait. J'aurais peut-être pu…

— Je comprends ce que tu ressens, mon amour, l'interrompit-il. N'en dis pas plus. Nouvelle journée…

— Pardon ?

— Nouvelle journée… reprit-il.

— Nouvelle vaisselle, ajouta-t-elle.

Plusieurs jours plus tard, le *Sunrise* avait quitté les calmes équatoriaux et se dirigeait à toute vitesse vers le cap Horn. L'automne s'en venait rapidement, et ils avaient moins de quarante jours pour rentrer en toute sécurité. Après ce délai, chaque instant pouvait mettre le *Sunrise* en danger, tant la cargaison que l'équipage, lorsqu'ils arriveraient plus au nord. C'est donc à contrecœur que Peder ordonna de serrer quelques voiles, pour que puisse le rattraper un brigantin qui, faisant route derrière son voilier, s'était mis à le héler. En après-midi, le *Connor's Day* rejoignit le navire, et le capitaine fit hisser un drapeau blanc pour signaler son intention de parler à son homologue du *Sunrise*.

Il était rare qu'un navire marchand fasse une pause en plein voyage pour que l'équipage puisse fraterniser avec celui d'un autre navire. Les baleiniers le faisaient souvent, car ils partaient en mer des mois à la fois, mais les capitaines des navires marchands avaient hâte de livrer leur cargaison au port pour réclamer leur dû. Peder observa le bateau et le drapeau avec un certain scepticisme. Était-ce un piège ? Son expérience avec le *Lark* l'avait rendu méfiant. Tout de même, il pouvait clairement apercevoir dans sa longue-vue une femme qui se promenait sur le pont, et Elsa apprécierait probablement une compagnie féminine. Ils attendaient déjà depuis quelque temps que le *Connor's Day* les rejoigne. Que seraient deux heures de plus ?

— Serrez toutes les voiles ! ordonna-t-il à Riley.

— Serrez toutes les voiles ! relaya son premier second.

L'équipage répéta l'ordre à l'unisson.

— Hissez le drapeau de bienvenue, dit-il, puis il se tourna vers Elsa. Nous allons avoir de la compagnie, Elsa. Tu pourrais peut-être demander au cuisinier de préparer des rafraîchissements.

— Hissez le drapeau de bienvenue ! cria Riley.

Elsa hocha la tête une fois, puis elle disparut, tandis que Peder se retournait pour observer le *Connor's Day*. Une chaloupe fut descendue sur le côté, avec à bord, présuma-t-il, le capitaine du bateau, sa femme et quatre membres de l'équipage. Les marins maniaient une longue rame avec une précision exquise, et ils atteignirent le *Sunrise* en quelques minutes.

— Ohé ! cria le capitaine depuis la chaloupe, levant les yeux vers Peder. Nous demandons la permission de monter à bord de votre fier vaisseau, monsieur.

— Ohé, les salua-t-il. Montez.

Ils grimpèrent dans les filets jusqu'à la balustrade, et Peder lui-même se pencha pour aider la dame à l'enjamber.

— Bienvenue à bord du *Sunrise*. Je suis le capitaine, Peder Ramstad. Et voici ma femme, Elsa, ajouta-t-il en voyant celle-ci qui les rejoignait.

— Enchantée, s'exclama la dame. Vous ne pourriez jamais vous imaginer depuis combien de temps nous sommes à votre poursuite. J'ai dit à mon Otto — mon mari, Otto Keller — : nous devons absolument les rattraper. « La dame a reçu des lettres », ai-je dit. N'est-ce pas, Otto ? Et je sais ce que signifient des lettres pour une femme en mer, dit-elle en tendant un épais paquet d'enveloppes. Elles étaient à San Francisco. Le capitaine de port nous a dit que vous étiez déjà venus et repartis et qu'il ne s'attendait plus à ce que vous y retourniez. Puisque vous faisiez cap dans la même direction que nous, j'ai pensé que je pourrais vous les apporter.

— Merci, dit Elsa. Merci, madame Keller.

— Ah, s'il te plaît. Appelle-moi Emma. C'est un diminutif d'Emmaline. C'est trop long pour moi, par contre. Tout le monde m'appelle Emma.

— Emma, dit Elsa en souriant à sa nouvelle amie.

D'un seul regard sur son visage, Peder sut que les Keller resteraient à dîner.

Bien plus tard, une fois le dîner terminé, les deux bateaux ayant repris leur route, Peder s'assit avec Elsa pour lire les lettres. La plupart provenaient de Kaatje, une de Tora, et une autre de Kristoffer adressée à Peder. Celui-ci lut la lettre de son ami, marmonnant à la lecture de ce que Kris lui apprenait sur l'état d'avancement du schooner à venir, sur les problèmes avec les travailleurs, et sur les délais occasionnés par les mauvaises conditions atmosphériques. Pendant ce temps, Elsa parcourait les lettres de Kaatje, dont la plupart semblaient trop personnelles pour être lues à voix haute.

— Elsa... Kris me donne des nouvelles de Tora..., commença-t-il, s'arrêtant net devant l'expression de son visage. Tu as de mauvaises nouvelles ?

— Oui, répondit-elle. Ce rustre de Soren est parti travailler aux chemins de fer. Il l'a laissée seule sur son immense terre avec un bébé — ou « des bébés », comme elle dit, bien que j'aie de la difficulté à la suivre. Ils ne peuvent pas déjà en avoir eu un autre !

— Cet enfant lui demande peut-être des efforts comme deux, étant donné qu'elle est seule dans la prairie.

— En effet. Si ce n'avait été de ses voisins et des compatriotes de Bergen, elle n'aurait pas réussi à ramasser leur première récolte.

— Il n'est pas rentré l'aider ?

Elsa parcourut les lettres de nouveau à la recherche d'une réponse.

— Non, il n'est jamais rentré.

— Tu crois qu'il l'a quittée ?

— Elle parle peu de lui dans sa dernière lettre. La seule bonne chose qui se dégage de tout ça, c'est qu'elle dit : « Je me suis retrouvée sur les genoux, mais je ne sais trop pourquoi, je me sens plus grande. La grâce de Dieu est une chose merveilleuse, Elsa. Il vit en moi. Je l'avais oublié pendant longtemps. Mais m'en souvenir m'a rendue forte. » Ah non, elle ajoute aussi : « Prie pour moi et pour mes filles. Le Seigneur est tout-puissant, mais la vie est dure en ce monde. Ton amie fidèle, Kaatje ». Elle dit « mes filles » ! Une autre ! Si rapidement ! Et ce rat de Soren les a sèchement abandonnées !

— Il va peut-être revenir.

— Peut-être. Mais je ne sais pourquoi, j'en doute ! ajouta-t-elle, honteuse de cette pointe de sarcasme, mais incapable de s'en empêcher. Peder, nous devons lui envoyer de l'aide. Pourrions-nous lui transférer des fonds ? Un petit quelque chose pour l'aider à passer l'hiver ?

— Certainement. C'est comme si c'était fait. Nous allons prendre les dispositions nécessaires à New York lorsque nous déchargerons la cargaison de Whitehall. L'argent lui parviendra plus rapidement.

— Tu es si bon, Peder. Merci.

Elle prit la dernière lettre, une note de Tora. Peut-être sa sœur avait-elle de meilleures nouvelles. La courte lettre, non datée, avait été rédigée de cette belle main d'écriture typique de sa sœur, une écriture comme on en voit dans les parchemins.

— Dommage que la beauté de sa calligraphie ait toujours dépassé celle de son âme, murmura Elsa.

> « Chère sœur,
> Depuis le temps, Kristoffer t'aura assurément fait part de la bonne nouvelle. Tu as maintenant une nièce nommée

> Jessica. J'ai une nouvelle encore meilleure, je l'ai confiée à une mère aimante et je suis partie à la poursuite de mon rêve. Je crois y être parvenue. Je suis amoureuse d'un homme merveilleux ! Il s'appelle Trent Storm, et j'ai l'intention de faire en sorte qu'il me demande bientôt en mariage. Il est très riche. S'il te plaît, sois heureuse pour moi. S'il te plaît, ne sois pas trop fâchée que j'aie donné mon enfant à une autre. J'admets que ce fut plus difficile que je ne l'avais prévu, mais c'est mieux pour nous deux. Kaatje va bien s'occuper de Jessie... »

Après avoir lu la fin de cette phrase, Elsa eut le souffle coupé, sa gorge se serra et elle se sentit l'estomac tout à l'envers.

Peder leva les yeux de sa propre lettre, l'air inquiet.

— Quoi ? Qu'y a-t-il ?

— Tora, répondit-elle, l'air hébété.

— Qu'a-t-elle encore fait ?

— Elle a laissé son bébé à Kaatje. Ce bébé est la deuxième fille à qui Kaatje faisait allusion.

— Kaatje ? Bon sang, mais pourquoi...

— Soren. Soren est le père de l'enfant.

Peder donna un coup de poing sur la table et poussa un juron à voix basse.

— Comment a-t-elle pu ? Comment a-t-elle pu faire ça à Kaatje ? C'est la seule qui n'avait rien à se reprocher !

— Tora se sera servie d'elle pour parvenir à ses fins, dit Elsa. Elle voulait punir Soren. Alors, elle a abandonné son enfant. Son cher petit bébé...

Elsa se détourna de la lettre, attristée de la douleur que sa sœur avait fait s'abattre dans la vie et la maison de Kaatje.

Peder prit la lettre et continua la lecture.

« Kaatje va bien s'occuper de Jessie, et Jessie sera auprès de son père. Je n'étais pas faite pour être mère, Elsa. Ce fut plus difficile que prévu, mais au moins c'est du passé. Ce qui est fait est fait, comme ils disent, et je doute que qui que ce soit puisse être une meilleure mère que ta Kaatje adorée. Dis à maman que je vais bien. Je vais lui écrire quand j'aurai atteint le rang qui m'attend depuis toujours dans la société. — Tora. »

Chapitre 32

Trent Storm ne se montrait plus aussi empressé dans sa manière de lui faire la cour ces derniers temps, avait décidé Tora. La seule façon de faire agir un homme était de lui forcer la main. Et elle songea qu'elle savait fort bien comment y parvenir. Comme d'habitude, elle entra dans son bureau en passant devant sa secrétaire, sans attendre la permission.

— Mademoiselle Anders ! lança la secrétaire à voix haute, de toute évidence contrariée d'avoir été ignorée une fois de plus. Mademoiselle Anders ! Il est en réunion !

— Ne vous inquiétez pas, ma chère, dit Tora. Ça ne le dérangera pas, puisque c'est moi.

Elle ouvrit les doubles portes en bois massif et elle fit un doux sourire lorsque Trent se leva et dit :

— Mademoiselle Anders, je suis désolé. Je suis en pleine entrevue.

Tora jeta un coup d'œil à cette pauvre femme assise dans un fauteuil devant le pupitre de Trent et sut immédiatement qu'elle serait affectée à la cuisine d'un morne restaurant de gare.

— Je dois vous parler, M. Storm. Dès que vous aurez terminé ?

La jeune femme se leva.

— Si vous préférez, je peux revenir…

— Non, non, nous n'en aurons que pour une minute, dit Trent, irrité, avant de se tourner vers Tora et de la tirer fermement par le bras à l'extérieur de la pièce. Vous devez cesser. Je vous apprécie, certes, mais ce que vous venez de faire est impoli.

Tora leva le menton et fronça un sourcil.

— Je suis désolée de vous avoir dérangé, monsieur Storm, mais je dois absolument vous parler tout de suite.

— D'accord, d'accord, dit-il en se passant la main dans ses ravissants cheveux gris. Donnez-moi cinq minutes, et je vous rejoins pour un déjeuner en bas dans la rue.

— Cinq minutes, répéta-t-elle d'un ton qui en disait long.

Quel sentiment délicieux que d'avoir de l'emprise sur un homme tel que Trent Storm ! Elle quitta les lieux rapidement et descendit les marches, réfléchissant à ce qu'elle allait exactement lui dire et au ton de voix qu'elle emploierait pour l'occasion. L'étape à venir devrait être minutieusement orchestrée, et il lui fallait procéder rapidement. Tora avait reçu une invitation d'Alicia Hall qui la conviait à un bal la semaine suivante. Elle avait l'intention de partir avant que cette femme ne découvre la vérité. Lorsqu'elle aurait la bague de Trent au doigt, elle pourrait affronter n'importe qui.

Fidèle à sa parole, Trent arriva au restaurant cinq minutes plus tard. Il s'assit et l'observa attentivement à la table.

— Qu'avez-vous en tête ?

— Que voulez-vous dire ?

— Vous savez exactement ce que je veux dire. Tora, vous ne faites jamais rien sans y avoir réfléchi à deux fois. Pourquoi cette scène ? Pourquoi cette entrée majestueuse et cette urgence secrète dans votre voix? demanda-t-il en s'appuyant et en dépliant méthodiquement sa serviette sur ses cuisses.

La serveuse surgit à leur table pour prendre leur commande. Tora choisit d'ignorer ses questions.

— Ces derniers temps, j'ai beaucoup réfléchi à nous deux, Trent. Même si j'aime votre compagnie, je ne suis toujours pas parvenue à l'objectif que je m'étais fixé à mon arrivée aux entreprises Storm.

— Et quel était cet objectif?

— Voir l'Ouest. Vous me faites toujours travailler ici près de vous, sous vos yeux le jour et à votre bras le soir. Je crois que si nous sommes pour vivre davantage qu'une amourette passagère, je dois partir pour découvrir qui est Tora Anders... de quoi elle est faite.

— Et vous devez partir dans l'Ouest pour ça? Tout ce temps-là, j'ai cru que vous saviez exactement qui vous étiez.

Tora remua. Ça ne se déroulait pas comme prévu.

— Bien sûr. Peut-être me suis-je mal exprimée. Je suppose que je veux en connaître davantage. Sur moi et sur ma vie. Vous m'avez offert tout ce qu'il y a de mieux ici à Duluth. Mais je veux vivre l'aventure. Je veux vivre par moi-même, prouver au monde que Tora Anders est forte et indépendante.

— Je vois, dit Trent en regardant l'assiette de nourriture que la serveuse déposait devant lui. Et je vous empêche de faire tout ça?

— Eh bien, oui. Même si j'ai immensément apprécié votre compagnie, Trent, dit-elle, et qu'il est difficile pour moi de partir, je sens qu'il faut que je le fasse. Envoyez-moi tout au bout de n'importe quelle ligne de chemin de fer que John Hall s'emploie à faire construire en ce moment. Je veux être présente lorsque sera construite cette ville au bout de la voie ferrée, je veux avancer avec le train. Je veux être la première, Trent. Je veux être là. J'ai un certain sens des affaires. Je pourrais être votre représentante et tout y installer comme vous le feriez. Je vous connais mieux que la plupart des gens, ajouta-t-elle.

— En effet. Mais si je vous disais que je serais déçu de vous voir partir ?

Tora sourit.

— Ne soyez pas ridicule, Trent. Ne pourriez-vous pas venir me voir quand bon vous semblerait ? De plus, vous ne m'avez pas fait part de vos intentions.

— C'est ça le prétexte ? Me forcer la main ?

Une sonnette d'alarme retentit dans la tête de Tora. Elle devait immédiatement désamorcer la situation.

— Certainement pas, répondit-elle en fronçant les sourcils. Je n'énonce que des faits. Et les faits sont que vous m'avez promis un poste dans l'Ouest, mais vous vous êtes mis à me courtiser. Je ne sais pas quelles sont vos intentions. Je suis seule au monde, Trent. Et je dois veiller à mes intérêts.

— Et pourquoi ne serait-ce pas dans vos meilleurs intérêts de rester ici à vous faire courtiser par l'un des hommes les plus riches de Duluth ? Souhaitez-vous vous débarrasser de moi, mademoiselle Anders ? Si c'est le cas, vous n'avez qu'à me le dire. Ne craignez pas pour votre poste. Je suis un homme d'honneur et je vous permettrais de continuer de travailler pour les entreprises Storm.

Tora soupira et avança ses bras pour prendre ses longs doigts dans les siens.

— Ce n'est pas du tout ce que je dis. Ne me laisserez-vous pas partir un certain temps, Trent ? Vous pourrez clarifier vos intentions, je pourrai vivre l'aventure, et lorsque nous serons de nouveau réunis, nous discuterons de notre avenir, si nous devons avoir un avenir en commun.

— Si directe, si sérieuse.

Tora grimaça.

— Je sens que je n'ai guère le choix. Les gens commencent à jaser. Il n'est pas convenable qu'un employeur voie une employée en dehors du travail. Vous vous en rendez sûrement compte. Je dois partir. Et si vous ne m'affectez pas vous-même à un poste, je devrai parler à Fred Harvey.

Trent haussa un sourcil.

— Vous faites des menaces, maintenant, Tora ? Vous devez vraiment vous sentir acculée au mur.

— Je crois que je n'ai pas beaucoup de choix.

— Je vais vous trouver un endroit, ma chère. Mais un endroit où je pourrai vous surveiller de près.

— Je n'ai pas besoin d'un père, Trent.

— Vous avez besoin de quelqu'un.

— Et vous, Trent ? Avez-vous besoin de quelqu'un ?

Il sourit.

— Oui. N'est-ce pas ainsi pour tout le monde ?

Ils finirent leur repas du midi en discutant d'endroits où Tora pourrait aller, et de divers nouveaux emplacements possibles pour un autre restaurant Storm.

— Quelle heure est-il ? demanda Tora pendant que la serveuse les desservait.

Trent sortit sa montre de poche.

— Il est plus d'une heure.

— Je dois y aller. Je ne voudrais pas être en retard au travail, dit-elle avec un clin d'œil. Le patron pourrait me renvoyer.

— Ou vous inviter à dîner. Ce soir ? À huit heures ?

— Je suis désolée. Je ne termine pas avant neuf heures, et c'est un peu tard pour dîner. Demain ?

— Demain, donc. J'irais bien vous reconduire au travail, mais on m'attend à l'autre bout de la rue.

— C'est parfait. Bonne journée, Trent.

Trent Storm observa Tora disparaître dans toute sa sveltesse derrière les portes de l'hôtel et au-delà des larges fenêtres. C'était tout un phénomène, celle-là, et elle avait davantage en tête que ce qu'elle voulait bien admettre. Quand serait-elle honnête avec lui ? Quand lui dirait-elle la vérité ? Tora Anders lui cachait quelque chose. Il en était certain. C'était à la fois frustrant et intrigant.

Trent se leva, déposa de l'argent sur la table, prit son chapeau et sa canne, puis partit. Il regarda à l'est et à l'ouest, réfléchissant à deux fois à ce qu'il allait faire. Persuadé qu'il n'avait pas d'autre choix, puisqu'elle était prête à partir, il déambula jusqu'à un édifice en brique de trois étages, à l'intérieur duquel il monta l'escalier jusqu'en haut. Il cogna à une porte vitrée sur lesquels étaient peints les mots « Détective privé » et il entra sans plus attendre.

— Monsieur Storm ! lança le petit homme avec enthousiasme en se levant derrière son énorme pupitre de bois.

Les murs étaient couverts de cartes, et sur plusieurs d'entre elles se trouvaient des lignes rouges, qui semblaient tracer des chemins.

— Que puis-je faire pour vous aujourd'hui ?

— Bonjour, Joseph. J'aimerais avoir des renseignements sur la famille d'une employée. Apprenez tout ce que vous pouvez à son sujet.

— Elle vous cause des ennuis, monsieur ?

— On pourrait dire ça. Je veux tout savoir. Et vite.

— Je vais faire ce que je peux, monsieur. Comment s'appelle-t-elle ?

— Tora Anders. Du moins, c'est ce qu'elle m'a dit, répondit-il en lançant à l'homme un bout de papier qu'il sortit de la poche de sa veste. C'est sa dernière adresse connue.

— À Camden-by-the-Sea, dans le Maine, hein ? Allocation de dépenses illimitées, comme d'habitude ?

— Tout ce dont tu auras besoin. Tant que tu me donnes les renseignements le plus rapidement possible.

— Parfait, monsieur Storm. Je vous informe de tout dès que je le pourrai.

Trent hocha la tête et se dirigea vers la porte. Il regarda pardessus son épaule.

— Euh, Joseph ?

— Oui, monsieur ?

— Elle ne doit absolument pas découvrir votre existence.

— Compris, monsieur. Je serai comme une ombre dans le noir. Oui monsieur, une ombre dans le noir.

Karl aurait voulu pouvoir se fondre dans l'ombre de la bibliothèque de John Hall, partir et oublier ce qu'il venait tout juste d'entendre. Alicia l'avait prévenu… il avait déjà reçu des indices de ce dont Hall était capable, mais tout de même, il était aussi abasourdi que Brad d'apprendre ce que son ami avait reçu ordre de faire.

— Tu m'as entendu. Je veux que tu descendes sur les quais et que tu offres du bel argent à tous les clients de Parker sans exception pour qu'ils mettent fin à leurs relations d'affaires avec lui. Dis-leur que John J. Hall va les faire vivre de ses propres cargaisons. En fait, il va leur faire gagner le double d'argent pendant un an s'ils acquiescent.

— Vous allez causer sa faillite, John, tenta de nouveau Brad. Il a une famille, des employés…

— Tout comme moi, dit John en se levant derrière son bureau sans jamais quitter Brad des yeux. Si Parker ne voulait pas la guerre, il n'aurait jamais dû faire irruption sur mon territoire. Nous avons coexisté durant des années — jusqu'à ce qu'il fasse affaire avec les entrepôts Sullivan.

— Une seule entreprise, John ? Est-ce une raison suffisante pour lui déclarer la guerre ? demanda Brad.

— Mets-tu en doute mon autorité ? demanda Hall. Tu es certainement plus intelligent que ça, peu importe avec qui tu te tiens.

Brad plissa les yeux. Karl résista à l'envie de se retirer. Il dit plutôt :

— Pourquoi ne pas nous concentrer sur les nouvelles affaires en cours, John ? Vous avez vous-même dit que notre avenir passe par l'Ouest et les chemins de fer. Brad et moi partons demain pour le territoire du Montana dans le but de commencer à repérer des voies fluviales propices au commerce. Pourquoi s'acharner sur un entrepôt ici ?

Les yeux de Hall ne quittèrent pas Brad.

— Ce n'est pas qu'une question d'avenir pour nos affaires. C'est une question de loyauté. D'honneur.

Brad s'esclaffa.

— Vous dites que la corruption est honorable ? Vous plaisantez, John. Vous voulez vous débarrasser de moi parce que je fréquente Virginia Parker ? Pourquoi êtes-vous si méfiant… si suspicieux ? Je travaille pour vous depuis, quoi, huit, neuf ans ? N'est-ce pas là une preuve suffisante de mon dévouement ?

— Je crois que tu en as assez dit, laissa doucement tomber Hall. Ta décision est claire. Tu peux vider ton bureau et rendre ta clé ce soir. Je veux que tu partes. Et que tu ne reviennes plus.

— Comme ça, sans plus ? demanda Brad, incrédule.

— Comme ça, sans plus.

Karl sentit sa gorge se serrer, incapable de croire ce qu'il entendait. John bluffait sûrement. Brad lui avait fait faire des centaines de milliers de dollars grâce aux bons coups qu'il avait réalisés pour son patron.

— Ça va, dit sèchement Brad en se dirigeant vers la porte. J'en ai marre de vos zones grises et de vos transactions presque toujours à la limite de contrevenir aux règles d'éthique et à la limite de la légalité. Je me lave les mains de vous et de John J. Hall inc. Merci d'avoir pris cette décision à ma place.

Il jeta un coup d'œil à Karl d'un air qui signifiait « Viens-tu ? », puis il se rendit compte que Karl était désespérément empêtré.

— À plus tard, Karl, le salua-t-il en claquant la porte derrière lui.

— Je ne veux pas que tu le revoies, mon garçon, dit John en contournant son bureau pour lui mettre une main sur l'épaule.

— Vous ne pouvez me demander ça. Brad est mon ami.

— Il nous a trahis.

— Trahis ? Il a simplement hésité à faire ce que vous lui demandiez.

— Tu vas bientôt faire partie de la famille, Karl. Tu dois te comporter en conséquence.

Karl bégayait, cherchait ses mots, lorsque John sortit une épaisse enveloppe d'une poche de son veston.

— Ta première part dans l'entreprise de bateaux à vapeur, capitaine Martensen, dit-il doucement en retournant de l'autre côté de son bureau.

Karl hésita. Les créanciers étaient à ses trousses. Ses efforts pour courtiser Alicia à la hauteur du train de vie auquel elle était habituée le ruinaient à petit feu. L'enveloppe d'argent comptant allait certainement l'éloigner de Brad. Mais il n'avait pas le choix. Il devait se taire. La gorge toujours serrée, il s'apprêta à quitter la pièce, honteux de ne pas avoir défendu Brad, de ne pas s'être élevé contre ce qu'il croyait injuste.

— Oh, Karl, dit Hall, comme s'il venait de penser à quelque chose.

— Oui ? réussit-il à répondre de manière civilisée.

John se leva et contourna une fois de plus son bureau.

— Je veux que tu ailles voir les clients de Parker toi-même. Maintenant que Bradford n'est plus là, tu deviens mon bras droit. Félicitations. Je te fais vice-président. Avec une augmentation de salaire à l'avenant, bien sûr.

Il lui tendit la main.

Hébété, Karl lui tendit à son tour la main, qu'il avait cependant froide et moite.

— Alicia s'en réjouira, mon garçon, dit John.

— Elle s'en réjouira, en effet, marmonna Karl.

Il se tourna pour s'enfuir de la bibliothèque sombre avant de se sentir avalé tout entier. Il ferma les doubles portes derrière lui, respirant fort comme s'il venait de monter, en courant, l'immense escalier qui se trouvait devant lui. Il entendit parler Alicia qui à l'étage donnait des ordres à une bonne. Avait-elle pris son laudanum, aujourd'hui ? se demanda-t-il amèrement. N'était-ce que pour des raisons purement médicales comme elle le prétendait ? Il jeta un coup d'œil par-dessus son épaule. Et qui était réellement John J. Hall ? Avait-il pactisé avec le diable ? Dans quoi venait-il de s'embarquer ?

Il se frotta bien fort le visage. Il se sentit soudainement très seul et très perdu.

« Père, tenta-t-il. Père, es-tu ici avec moi ? »

Mais comme ces derniers temps, il se sentait très loin de Dieu. Comment expliquer qu'il se sentait si distant de son Sauveur lorsqu'il en avait le plus besoin ? Qu'est-ce qui le bloquait de la présence réconfortante du Christ ? Il ferma les yeux, résistant à l'envie de s'écrouler sur le plancher de marqueterie luisant.

— Karl ? demanda Alicia, se tenant soudainement devant lui. Est-ce que ça va, chéri ?

Karl ouvrit les yeux et la dévisagea.

— Je ne peux pas vous parler maintenant, dit-il. Je vous verrai plus tard.

— Mais chéri… dit Alicia en le retenant par la main. N'est-ce pas merveilleux ? Papa m'avait dit qu'il vous l'annoncerait ce soir.

— M'annoncer quoi ?

— Qu'il ferait de vous le vice-président, évidemment.

Karl fronça les sourcils, réfléchissant à toute vitesse.

— Il le savait ? Quand vous l'a-t-il dit ?

Il se tourna et la prit par les bras, il voulait la secouer.

Elle grimaça.

— Aïe. Lâchez-moi, Karl, ça fait mal !

Il laissa immédiatement tomber ses mains.

— Pardonnez-moi. Mais s'il vous plaît — quand vous l'a-t-il dit ?

— Ce midi, au repas. Pourquoi ?

Elle semblait déconcertée, innocente.

— Il le savait ! lança Karl en poussant un juron à voix basse. Ne voyez-vous pas ? demanda-t-il à Alicia. Il a congédié Brad pour me faire une place. Il avait tout planifié ! Il a demandé à Brad…

— C'est normal, Karl. Il veut tout ce qu'il y a de mieux pour vous. Pour nous.

— À quel prix ? demanda Karl, exaspéré en faisant des signes vers les portes de la bibliothèque. Je n'ai rien demandé.

— Non. Mais moi, si.

— Quoi ?

— Je l'ai demandé. Il se trouve que je sais que vous éprouvez des difficultés financières ces derniers temps, et j'ai voulu vous aider.

— Alors, vous lui avez vraiment demandé de congédier Brad ?

— Bien sûr que non. J'ai simplement parlé du problème et je savais qu'il s'en chargerait. Je laisse les affaires aux hommes de ma vie.

Karl rit sans joie.

— D'accord. Écoutez, Alicia, je dois partir. J'ai besoin de temps pour réfléchir à tout ça.

— Je n'aime pas ça. Ne partez pas ainsi, Karl, dit-elle en faisant un pas vers lui, les bras lui encerclant fermement la taille.

Il fronça les sourcils vers elle. Elle semblait avoir besoin de beaucoup d'attention, désespérée de s'accrocher à lui. Il se libéra de ses bras menus et se détourna.

— Karl ! cria-t-elle. Karl !

Mais il ne se retourna pas. Il se rendit à la porte d'entrée, résistant à l'envie de courir une fois à l'extérieur. L'air était d'une fraîcheur réconfortante, et Karl inspira comme s'il venait de se débattre sous l'eau avec un requin.

« C'était peut-être le cas, songea-t-il en silence. C'était peut-être le cas. »

Kaatje tomba à genoux sur les dures planches de sa petite maison et elle se mit à pleurer. La récolte avait été bonne pour les Janssen, et plutôt décente pour les voisins — même ceux qui habitaient sur des terres plus sèches. Le lendemain, elle avait prévu d'aller livrer le blé au marché avec ses compatriotes de Bergen, mais les circonstances en avaient décidé autrement. Le bourdonnement s'était fait entendre le matin même à huit heures, et Kaatje était sortie pour aller voir ce dont il s'agissait. Un gros nuage noir de sauterelles affamées et attirées par le blé sec arrivait à toute vitesse sur sa ferme. Quatre heures plus tard, elles avaient tout mangé, y compris le manche de bois de la fourche que Kaatje avait inutilement brandie pour les faire fuir.

Les filles pleuraient dans leurs berceaux en osier derrière elle.

Qu'allait-elle faire ? Tout avait disparu. Elle n'avait pas de réserves, et elle n'avait pas eu de nouvelles de Soren depuis des mois. Elles mourraient de faim. Toutes les trois. Ou elles seraient à la merci de la générosité de leurs voisins.

Elle pleura sans pouvoir s'arrêter, incapable d'entendre autre chose que sa propre douleur. Soren était parti. Ses amis l'avaient aidée à faire les récoltes, mais il ne restait maintenant plus rien. Elle perdrait la ferme. Où iraient-elles ? Toute la douleur des derniers mois ressurgissait, et Kaatje se sentait perdue dans sa peine.

— Seigneur ! Seigneur ! cria-t-elle encore et encore, incapable de quoi que ce soit d'autre.

Elle ne sut pas quand elle s'endormit, là sur le plancher. Mais elle se réveilla lorsque la porte s'ouvrit soudainement, et elle loucha dans la lumière aveuglante du soleil couchant. Les filles gémirent dans leur berceau, trop épuisées pour émettre des pleurs.

Nora Gustavson soupira et se dépêcha d'aider Kaatje à se remettre sur pied.

— Ah, Kaatje, dit-elle. C'est la même chose partout. Nous avons tous perdu le fruit de notre dur labeur. Certaines fermes çà et là ont été épargnées. Mais nous, les gens de Bergen, nous avons tout perdu. Les pauvres moutons et chèvres de Birger auront même de la difficulté à se nourrir dans les parages, dit-elle en menant Kaatje au lit avant d'aller s'occuper des enfants.

Elle portait sur son corps ample son propre nouveau-né, retenu à l'aide d'un foulard. Elle sortit une bouteille de lait frais de son panier et remplit rapidement les biberons des filles.

— Ma vache Jersey ne produira plus beaucoup de lait, poursuivit-elle. C'est une bonne chose que nos enfants soient presque prêts à manger des aliments solides, hein?

— Si nous arrivons à en trouver, commenta misérablement Kaatje.

— Ne t'inquiète pas, dit sévèrement Nora. Tu peux compter sur tes compatriotes de Bergen. Là où nous irons, tu nous accompagneras.

Elle tendit un biberon vers les mains impatientes de Jessica, et l'autre à Christina, puis elle changea rapidement leurs couches souillées et leurs draps trempés.

— Ce soir, nous nous réunissons avec le pasteur Lien pour décider des mesures à prendre, dit-elle. Le banquier a déjà dit qu'il ne ferait pas de prêts. Une région sinistrée, qu'il appelle ça, comme si nous ne le savions pas! Aucun d'entre nous n'a les fonds nécessaires pour aider les autres à passer l'hiver. Nos hommes doivent partir travailler aux chemins de fer. Ils ont l'intention de faire avancer le Northern Pacific vers l'ouest au cours de l'hiver. Et tu vas venir avec nous.

— Je ne veux pas être un fardeau, s'opposa misérablement Kaatje.

— Ne dis pas de sottises, répondit fermement Nora. Ce sinistre s'avérera la meilleure chose qui nous soit jamais arrivée. Tu verras.

Kaatje grogna d'incrédulité.

— Comment peux-tu ? Nora, nous venons de tout perdre ! Comment peux-tu être aussi joyeuse ?

— Il faut regarder en avant, ne plus baisser les yeux.

— Ni regarder en arrière.

— Exactement. Regarde droit devant. Ne baisse plus les yeux une seconde de plus.

Kaatje détourna le regard, toujours paralysée par les pertes qu'elle vivait. Sa récolte. Son mari. Son avenir. Tout avait disparu.

— Nous allons trouver une manière de survivre à l'hiver. Et au printemps, les hommes trouveront une meilleure terre, pas aussi aride, lui dit Nora. J'ai entendu dire que dans le territoire de Washington, ils n'ont jamais à prier pour de la pluie ! Il pleut toujours beaucoup !

— Mais Soren...

— Nous allons laisser un message pour qu'il sache où te trouver. Nous n'avons pas le choix. Tu n'as pas le choix, Kaatje. Tu ne peux pas rester ici, seule, avec deux jeunes enfants. Viens avec nous, ce soir. Tu écouteras ce que les hommes prévoient faire.

Kaatje se sentait engourdie, indifférente. Nora, comme les sauterelles, la grugerait jusqu'à ce qu'elle accepte.

— J'irai les écouter. Maintenant, laisse-moi seule, Nora. Laisse-moi me remettre en paix.

Chapitre 33

APRÈS AVOIR TRAVERSÉ UNE TEMPÊTE PRÈS DES CÔTES CHILIENNES, l'équipage de Peder se préparait maintenant à en affronter une autre deux jours et demi plus tard. Une période de calme plat avait suivi le premier coup de tabac — amenant Peder à espérer qu'ils pourraient peut-être contourner le cap Horn sans avoir encore à lutter contre les éléments déchaînés —, lorsque surgit le premier vent violent des quarantièmes rugissants. Il envoya immédiatement ses hommes chercher leurs cirés dans leurs quartiers. Ils se les attachèrent aux chevilles, à la taille, aux poignets et au cou, non pas dans le but de rester au sec, mais plutôt pour se protéger contre le froid.

Elsa regarda par la fenêtre de la cabine tandis que Peder revêtait son propre ciré.

— De la neige. À quoi peut donc bien ressembler l'hiver à cette latitude-ci ?

— Je préférerais ne pas le découvrir. Certains capitaines risqueraient leur équipage et leur bateau pour contourner le cap une fois l'hiver venu, mais je ne suis pas prêt à faire de même, dit-il en la regardant sans hésiter. Tu vas rester ici ?

— S'il te plaît, Peder. Je me suis entraînée — tu as vu comme je me débrouille avec le gréement. « Comme un vieux loup de mer », dirait Riley. Tu pourrais avoir besoin d'une autre paire de bras.

— Crois-moi, ce sera mieux si je n'ai pas à m'inquiéter de ta sécurité. S'il te plaît, Elsa, dit-il en lui prenant la joue dans la paume de sa main. Fais-le pour moi. Reste ici. Dis-moi que je n'aurai pas à m'inquiéter pour toi.

— Tu n'auras pas à t'inquiéter pour moi. Je vais rester ici, dit-elle, grimaçant en voyant la mine qu'il affichait. Je te le promets. Je ne m'aventurerai pas à l'extérieur. Sois prudent, Peder.

— Comme toujours, mon amour. À la première occasion, je viendrai voir comment tu vas.

Un coup à la porte les surprit tous deux. Peder ouvrit et vit Riley, qui se tenait au cadre de porte pour contrer le tangage et le roulis du bateau.

— Cap'taine ! L'ancre est passée par-dessus bord, côté tribord, avant que nous ayons pu la fixer en place. Deux hommes sont blessés !

— Amène-les ici ! cria Peder pour se faire entendre malgré le vent. Elsa va s'en occuper !

Il se tourna vers elle pour lui donner un rapide baiser, les embruns d'une énorme vague se répandant autour de lui, puis il courut vers le beaupré, où les hommes continuaient de se débattre avec l'ancre géante.

Quelques minutes plus tard, deux marins avaient été déposés sans cérémonie dans la cabine, et Elsa s'était mise au travail. L'un était inconscient et saignait d'une blessure à la tête ; l'autre gémissait en raison d'un bras fracturé. Frissonnant dans l'air glacial qui soufflait par la porte, elle jeta un coup d'œil à l'extérieur. Trente hommes juchés dans la mâture s'affairaient tous à ferler la voile de misaine tout en la frappant pour en faire tomber la glace. Il y en avait quinze autres à tribord, qui s'accrochaient de toutes leurs forces — à l'aide des cordes, qui, nouées autour de leurs corps, les retenaient au bateau —, et quinze à bâbord. Elsa frissonna et se demanda comment ils arriveraient tous à survivre à un tel déchaînement de la nature. Serrant les dents, elle claqua la porte avant que l'eau n'entre davantage dans la pièce.

Elle espérait que les hommes aient pensé à tendre les filets par-dessus le bastingage. Ces filets avaient sauvé quatre hommes, au cours de la tempête précédente. Se souvenant de sa terrible expérience où elle avait elle-même glissé sur le pont avant de bénéficier de l'intervention salvatrice de Karl, Elsa pria en retournant avec détermination auprès des deux blessés.

— Dieu mon Père, murmura-t-elle, veille sur mon mari et sur tous ces bons hommes. Garde-nous en sûreté et fais-nous traverser la tempête.

Elle regarda l'un des marins, puis l'autre, incertaine de la manière de procéder. Le cuisinier, qui gérait habituellement les situations semblables, devait être en train de travailler comme un fou à préparer de la nourriture pour les hommes voraces, qui passeraient se chercher une petite bouchée dès qu'ils en auraient l'occasion. Elsa n'avait que peu de connaissances médicales, alors elle décida de faire simplement ce qui était évident.

Elle prit une couverture propre de son lit, la plia une fois et l'étala sur le plancher de bois du bureau. Puis elle détacha le ciré de l'homme inconscient pour faire évacuer l'eau, et tapota les vêtements mouillés jusqu'à ce qu'ils ne soient plus qu'humides. Il ne pouvait s'empêcher de trembler. Décidant que le moment était mal choisi pour les convenances, elle lui enleva sa chemise, espérant faire remonter sa température corporelle qui était dangereusement basse. Elle le souleva pour le traîner dans le bureau, près du poêle de fer. Après l'avoir déposé sur la couverture, elle déchira une lanière d'une vieille robe de coton et l'enroula autour de la tête du pauvre marin blessé. C'était une vilaine entaille.

— Tobias ! cria-t-elle à l'autre marin, qui gémissait toujours à cause de son bras. Comment s'appelle cet homme ?

Elle savait presque tous les noms. Mais ce marin lui était inconnu. C'était de toute évidence une recrue embauchée au dernier port chilien où ils avaient fait escale. Il avait les cheveux noirs de jais et les sourcils fournis, un beau menton et une jolie bouche. Il n'avait probablement pas beaucoup plus que seize ans.

— Adolfo ! lui répondit l'autre marin.

— Eh bien, Adolfo, dit-elle en le réinstallant sur le drap, je crois que c'est tout ce que je peux faire pour toi.

Elle le couvrit d'une autre couverture, puis déposa doucement une main sur son front.

— Mon Père, je te demande de manifester ta présence protectrice dans le bateau et de garder Adolfo en sécurité dans tes bras. Rends-lui la santé, Jésus. Je prie en ton nom sacré. Amen.

— Amen, répéta Tobias du cadre de porte en la regardant avec un air presque émerveillé. Personne n'a jamais prié ainsi pour moi, m'dame.

— As-tu déjà été victime d'un atroce accident comme Adolfo ? demanda-t-elle en se levant pour venir lui examiner le bras.

— Non, m'dame. Celui-ci est probablement mon pire.

Elle lui examina le bras, remarquant l'angle inusité d'un os qui faisait saillie dans son avant-bras à l'endroit de la cassure, formant une grosse bosse sous la peau.

— Je suppose que nous devons redresser cet os si nous voulons sa guérison, dit-elle à Tobias.

Cette pensée lui donnait la nausée.

— Oui m'dame.

— Comment devrions-nous procéder, penses-tu ?

— Comme vous jugerez approprié, m'dame.

— D'accord. Ce serait mieux sur une surface dure. Pourquoi ne t'étendrais-tu pas à côté d'Adolfo dans le bureau ? Ainsi, si tu t'évanouis, je n'aurai pas à te déplacer, et tu seras au chaud. Attends une minute. Je vais aller chercher une autre couverture à mettre sur le plancher.

— Ce n'est pas nécessaire…

— Allons, Tobias. Tu mérites un peu de confort, dit-elle en lui faisant un sourire triste.

Elle se sentait comme un bourreau qui emmenait un prisonnier à la potence. Elle adoucirait le coup autant que possible. Il la suivit comme un enfant obéissant, se couchant sur la couverture de laine lorsqu'elle lui fit signe.

Elle s'agenouilla à côté de lui, se retenant tandis que les vagues à l'extérieur atteignaient de nouveaux sommets.

— Agissons au plus vite avant que nous ne puissions plus rester en place assez longtemps pour intervenir.

— Quand vous serez prête, m'dame.

Elsa examina son bras costaud, le regardant sous tous les angles avant de décider ce qu'elle ferait. Tobias ne détacha pas ses yeux d'elle.

— Si vous me permettez, m'dame, c'est un honneur de me faire soigner par vous.

Elsa lui sourit.

— Merci, Tobias. Mais tu changeras peut-être d'idée après ce que je vais devoir te faire.

Il resta silencieux tandis qu'elle promenait ses doigts sur sa peau, tâtonnant doucement ici et là. Se décidant, elle lui prit l'avant-bras, appuyant d'une main sur l'extrémité de l'os qui faisait saillie, pendant que de son autre main, un peu plus bas, elle exerçait une pression vers le haut. Tobias hurla. Elsa fut prise de vertige. Après un moment, il ouvrit les yeux.

— Désolé, m'dame, dit-il péniblement. Vous avez bien fait. Le capitaine garde-t-il de quoi boire qui soit plus fort que de l'eau ?

Elsa grimaça et lui fit signe que non.

— Désolée.

— Dans ce cas, pourquoi pas une de vos prières ? demanda-t-il, un peu dans les vapes. Je dormirais bien. Je me sentirai... peut-être mieux en me réveillant.

— Certainement. J'en ai une quantité illimitée.

Elle pria tout en lui enveloppant le bras dans des lanières de robe et des ustensiles de service en argent. Lorsqu'elle eut terminé, il leva un peu la tête pour regarder.

— C'est la plus belle attelle que j'aie jamais vue, marmonna-t-il, puis il perdit connaissance.

Peder avait rarement vu d'aussi furieuses tempêtes que celle-ci. Il avait contourné le cap Horn vingt-deux fois dans sa carrière de marin, mais cette fois-ci, des températures glaciales, d'effrayantes vagues de vingt mètres et des vents terrifiants menaçaient son équipage. Les trois cents câbles et cordes émettaient des bruits semblables à ceux d'animaux torturés, tandis que tout le bateau semblait se plier, se tendre et grogner en se débattant contre la mer houleuse. Il se rendit à la proue, voulant s'assurer que l'ancre restait bien retenue en place. Aussi intimidé qu'admiratif, il observa le beaupré, normalement à quinze mètres au-dessus de l'eau, fendre une vague sournoise qui les prit tous par surprise. La vague s'éleva bien au-dessus du pont, comme un grizzly géant et furieux debout sur ses pattes arrière.

Peder saisit la corde la plus près et la noua autour de sa taille, priant pour que ses doigts gelés et raidis puissent faire rapidement deux demi-clefs avant que la vague ne l'engouffre. Il réussit juste à temps, prenant une inspiration qui contenait autant d'eau que d'oxygène. Il toussa violemment, se demandant s'il allait suffoquer avant même l'arrivée de la vague et s'il allait avoir le temps de prendre une nouvelle respiration.

Après ce qui lui sembla des minutes, sa tête émergea de la vague ; il avait la taille brûlée à l'endroit où était nouée la corde qui le retenait au mât malgré la force extraordinaire de la vague. Il regarda autour de lui, certain que le *Sunrise* avait chaviré sous la force de l'impact, mais Dieu soit loué, il se tenait toujours à flot. Inondé, mais à flot. Il sentit un élan de fierté le traverser, heureux de constater que ce bateau Ramstad tenait bon. Son bonheur fut de courte durée.

— Un homme par-dessus bord !

Yancey était à moins de trente centimètres de Peder, mais il devait crier pour se faire entendre, en raison du vent. Peder hocha la tête et le suivit au milieu du navire. Un mousse était effectivement passé par-dessus bord, mais il avait réussi à s'accrocher au filet de sécurité de bâbord. Il était désormais trop terrifié pour bouger. Riley était en train de se diriger vers lui. Peder cligna des yeux dans les embruns, désespéré pour ces hommes, sachant qu'il restait bien peu de temps avant qu'une autre vague ne déferle et les emporte tous deux dans les flots.

Ce fut le regard du mousse qui l'avertit de l'arrivée d'une autre vague derrière eux, mais elle frappa avant qu'il ne puisse se préparer. Il se précipita vers la balustrade, s'accrochant fermement, mais la vague l'attira par en dessous, le poussant fortement sur le pont au-delà de ses propres marins.

Miraculeusement, deux hommes bien attachés surgirent chacun de part et d'autre de lui pour l'attraper et le retenir par le manteau et la taille jusqu'à ce que fut passée la vague. En grommelant, il grimpa sur le rebord pour regarder sur le côté extérieur du navire. Riley était accroché au filet par une jambe. Le mousse avait disparu. Criant de fureur comme s'il voulait faire peur au diable, Peder courut vers l'arrière, et, sans réfléchir, il se lança dans le gréement par-dessus le filet. Agrippant la vergue, il se fit glisser une main après l'autre jusqu'à son extrémité la plus éloignée, puis il se suspendit comme un acrobate de cirque sur un trapèze en mouvement.

— Riley ! cria-t-il à tue-tête dans le vent. Riley !

Il saisit la corde qui pendait à côté de lui et la laissa dérouler complètement jusqu'au niveau ou presque de la taille de Riley. Derrière le second, les vagues se soulevaient et lui encerclaient la tête comme des requins curieux en chasse. C'était comme regarder un homme ayant déjà un pied dans la tombe, un homme qui ne voulait pas mourir, mais qui ne voyait pas d'autre solution.

— Riley ! cria Peder, dont la bouche s'emplit immédiatement d'embruns salés.

Comme s'il entendait la voix de Dieu, Riley regarda en direction de Peder avec lassitude. Haussant les sourcils, il s'étira pour saisir la corde. Après avoir réussi à l'agripper, il se hissa jusqu'aux filets, dans lesquels il se laissa retomber. Il jeta un coup d'œil à Peder, communiquant silencieusement avec lui. Il ne leur restait qu'une chance avant de mourir tous deux. Il s'élança vers le haut et attrapa la main de Peder.

Les deux hommes vacillèrent sur le coup et sous la force des grands vents. Leur détermination absolue et leur force brute les empêchèrent de lâcher. Utilisant Peder comme échelle, Riley grimpa par-dessus son capitaine, atteignit la vergue et, en s'agrippant une main après l'autre, il revint à bord du bateau. Peder le suivit, et des marins leur tendirent à chacun une corde alors qu'une autre vague s'abattait encore sur eux.

Lorsque celle-ci fut passée, Riley se pencha vers lui.

— J'ai perdu le mousse !

— Mais nous ne t'avons pas perdu, répondit Peder.

— Vous avez abandonné le bateau ! cria Riley, secouant la tête d'étonnement. Je vous dois la vie !

« Je n'avais guère le choix », songea Peder, affichant un air sévère.

Qu'était-il censé faire ? Rester assis à regarder son premier second suivre le mousse dans les bouillons de cette mer mortelle ?

Peder courut à l'arrière, espérant apercevoir le mousse pour pouvoir lui lancer une corde, mais il ne vit rien. Le jeune avait disparu, et dans les eaux froides de cette mer géante, il était assurément déjà mort.

Le jour suivant, le *Sunrise* naviguait à toute vitesse. À environ quatorze nœuds, si Elsa avait bien compté lorsque les marins avaient ramené à bord la corde à nœuds servant à mesurer leur vitesse de progression. La tempête était terminée, et une fois encore le *Sunrise* avait brillamment fait état de sa capacité de naviguer. Contrairement aux autres capitaines, qui considéraient que la perte d'un homme en mer faisait simplement partie des risques du métier, Peder dirigea un court service funéraire pour Edmundo, le mousse disparu. Le cœur d'Elsa se gonfla de fierté de voir son mari agir ainsi. Il recevait beaucoup de respect en retour de son dévouement envers ses marins, qui l'affectionnaient grandement. Chacun d'eux aurait donné sa vie pour le sauver.

Elle supposa que c'était là la raison pour laquelle Riley lui avait raconté ce que Peder avait fait pour lui durant la tempête. Même si Peder estimait avoir une dette envers Riley, qui avait contribué à sauver le bateau lors du premier passage du voilier au cap Horn et qui avait en plus tiré sa femme des griffes de Stefan, était d'avis que le sauvetage effectué par Peder comptait deux fois plus. Peder avait négligé sa seule tâche de capitaine : ne jamais abandonner le navire. Il avait risqué tout ce pour quoi il avait travaillé. Les marins avaient besoin de croire que leur capitaine serait toujours là pour eux. Peder avait agi de façon aussi spontanée qu'Elsa lorsqu'elle avait plongé dans ce port des Antilles. Pourtant, son geste comportait cent fois plus de conséquences. Tous à bord le savaient.

Avant le service commémoratif plus tôt ce matin-là, après la fin de l'orage et le retour du *Sunrise* en eaux calmes, Riley avait remercié Peder. Elsa, bien emmitouflée, avait été témoin de la chose, après avoir finalement eu la permission de sortir sur le pont.

— Cap'taine, avait dit Riley en s'approchant de Peder et d'Elsa. Je vous dois la vie, monsieur.

— Tu dis n'importe quoi, l'ami, avait répondu Peder en secouant la tête. J'ai fait ce que tout homme aurait fait pour toi, et pourtant j'ai manqué à mon rôle sur le bateau. Je ne retire aucune fierté de mon intervention, s'expliqua-t-il en remontant les épaules et en fixant les yeux du second. Nous n'en reparlerons plus. Dis-le aux hommes. Plus un mot, jamais.

Riley avait hoché la tête d'approbation en même temps que s'éloignait Peder. Elsa avait insisté auprès de Riley jusqu'à ce qu'il lui ait tout raconté, sans oublier le moindre détail. Elsa avait senti son cœur battre de peur pour son mari, pour Riley. Elle se rendait compte avec effroi à quel point ils étaient tous deux passés près d'aller rejoindre Edmundo dans les profondeurs de l'océan.

— Je vous ai raconté les événements, m'dame, et maintenant je vais tenir la promesse que j'ai faite au capitaine, jura solennellement Riley. Ne lui dites jamais ce que je vous ai confié. Mais selon moi, il est bon qu'une femme sache de quel bois se chauffe son mari. Notre cap'taine est un homme bon.

— Je le sais, Riley. Ne t'inquiète pas. Je garderai ton secret.

Elle regarda Peder, l'observant pousser un profond soupir en fixant la mer. Il réfléchirait durant des années à venir à cette décision qu'il avait prise sur le coup du moment. Mais aucun de ses hommes n'en entendrait plus jamais parler.

Chapitre 34

Tora et Trent avaient été invités à une fête des récoltes, mais peu de gens présents avaient déjà manié le râteau ou semé quelque graine que ce soit, songea-t-elle. Pas plus qu'elle, d'ailleurs. Elle trouvait tout simplement la situation ironique. C'était comme baptiser un bateau sans bateau. Malgré l'ironie de la chose, et conformément à la tradition dans la haute société de Saint Paul, le bal avait lieu au manoir des Gutzian et il était organisé par des gens de goût. Elle déplorait que cette réception fût sa dernière dans cette ville, mais elle allait faire quand même de son mieux pour ne pas le laisser savoir à son compagnon.

Surprise déplaisante, Trent avait acquiescé à sa demande de la laisser partir dans l'Ouest. Pourquoi n'avait-il pas réagi comme elle l'avait prévu ? Tora était certaine que sa menace le pousserait à la demander en mariage. Peut-être bluffait-il, peut-être jouait-il sa dernière carte. Peut-être que lorsqu'elle mettrait le pied à bord du Northern Pacific le lendemain, il s'agenouillerait pour lui demander d'être sa femme. Oui, c'était ça, décida-t-elle. Il n'avait sûrement pas l'intention de la laisser partir. Il était simplement curieux de voir si elle-même bluffait.

« Eh bien, je vais lui montrer. Je vais me rendre jusqu'au territoire du Montana, s'il le faut, pour gagner son respect. »

Elle était tour à tour excitée et horrifiée à cette idée. Tora se voyait bien s'acquitter de la tâche dont elle avait parlé à Trent, c'est-à-dire agir à titre d'agent de liaison pour les entreprises Storm dans le but de mettre en place de nouvelles installations dans de nouvelles villes. Pourtant, elle avait aussi lu des romans bon marché ces derniers temps, entre autres *Captives of the Wild Frontiers**, et les tireurs, les Indiens et la cavalerie des États-Unis occupaient maintenant ses pensées. Était-elle prête à affronter les dangers à venir ? Elle avait certes le goût de relever le défi qui l'attendait — bien sûr qu'elle pouvait s'en tirer —, mais elle avait quand même désormais du mal à dormir dans l'expectative de cette affectation.

— Eh bien, bonsoir, monsieur Storm, dit une blonde toute coquette lorsqu'ils passèrent devant elle.

— Bonsoir, mademoiselle Grant, répondit Trent avec bienveillance.

Tora n'avait pas mis beaucoup de temps à remarquer que son petit ami attirait l'attention de toutes les jeunes femmes disponibles des villes jumelles et même au-delà, et que toutes ces femmes évitaient soigneusement de la regarder. Elles la détestaient. Elles la détestaient pour ce qu'elles n'auraient jamais : Trent Storm. Et pourtant, s'il ne la demandait pas en mariage, était-ce parce qu'elle n'avait pas réussi à le charmer vraiment ? Ces questions la rongeaient de l'intérieur. Avait-elle fait le bon choix en décidant de partir ?

Elle le regarda dans les yeux tandis qu'il l'emmenait sur la piste de danse. Le petit orchestre, un groupe très uni vêtu avec

* N.d.T.: Roman populaire d'Edward Ellis publié aux États-Unis en 1860. Cet ouvrage faisait partie d'une série dont les exemplaires étaient vendus 10 cents chacun à l'époque. Traduction libre du titre : *Prisonniers de l'Ouest sauvage*.

élégance pour l'occasion, jouait une adorable valse apaisante. Trent la tenait avec tant d'assurance, la regardait si intensément, que Tora n'arrivait plus à penser à qui que ce soit d'autre. Que se passait-il en elle ? Elle s'émerveilla de cette sensation qui, d'une part, la dégoûtait et, d'autre part, lui donnait l'impression de flotter comme un cerf-volant dès qu'elle se tenait simplement au bras de Trent. C'était au-delà de ce qu'elle avait pu ressentir pour Kristoffer. Avec ce dernier, elle avait plutôt développé de l'amitié. Mais dans le cas de Trent… Elle s'éloigna abruptement de lui.

— Quoi ? Qu'y a-t-il ? Vous êtes blême, Tora.

— Pardonnez-moi, Trent, dit-elle alors qu'il l'escortait hors de la piste de danse. Je crois que je dois m'asseoir un moment. Pardonnez-moi, je vais un instant au salon des dames.

— D'accord.

« Que m'arrive-t-il ? » se demanda-t-elle en s'éloignant de lui.

Elle devait peut-être manger quelque chose. Cognant brièvement à la porte de ce quelle croyait être le salon des dames, Tora entra. Trois jeunes femmes levèrent le regard en sa direction : Alicia Hall, Giselle Gutzian et Audrey Campbell.

« Oh Seigneur. »

Elle était tombée sur un salon privé, pas sur celui à la disposition de la plupart des invitées. Alicia se déplaça pour lui bloquer la vue sur la table basse, mais pas avant que Tora n'ait pu apercevoir un tas de poudre blanche.

— Pardonnez-moi, s'excusa-t-elle avec hâte. Je cherchais le salon des dames et tout le nécessaire.

— Par là, dit Audrey en faisant un signe de tête vers une porte.

Ses yeux étaient brumeux comme si elle avait sommeil.

Tora passa devant elles à toute allure et referma la porte. Après avoir versé de l'eau d'un pichet dans une bassine, elle s'aspergea le visage, puis elle se sentit un peu mieux. Elle observa ses traits dans un miroir au cadre doré, se demandant ce que Trent voyait en elle. Les filles à l'extérieur ricanaient, mais Tora les ignora. Elle devait comprendre ce qu'elle ressentait. Était-ce de l'amour ? Elle voulait à tout prix rester avec Trent, et elle était donc furieuse qu'il la laisse partir. Elle voulait plus que cette autorisation de partir, décida-t-elle avec une certaine surprise. C'était lui qu'elle voulait. Elle était en train de tomber amoureuse de Trent Storm !

Tora sourit et vit une lueur dans ses yeux qu'elle n'avait jamais vue auparavant. De la joie ? Était-ce ce qu'elle avait cherché tout ce temps-là ? Un coup à la porte la surprit.

— Une petite minute. Je sors bientôt.

Elle ouvrit son sac à main perlé et s'appliqua de la crème à lèvres et de la poudre. Puis, prenant une inspiration, elle ouvrit la porte.

C'était Alicia. Ses yeux étaient voilés de cette même brume vaporeuse que celle des yeux d'Audrey.

— La place est libre, dit Tora en l'effleurant pour sortir.

— Pas tout de suite, dit Alicia en ricanant. Nous avons des questions à vous poser.

Tora se tourna pour lui faire face. Alicia était environ de la même taille qu'elle. Elle sentit les autres femmes s'approcher par-derrière et se sentit coincée.

— Je vous demande pardon ?

— Oh, détendez-vous, chérie, voulut l'amadouer Alicia. Pourquoi ne viendriez-vous pas d'abord avec nous partager le butin ?

Son ton était invitant. Ses mots étaient clairs, quoiqu'un peu mal articulés. Trop de champagne ? se demanda Tora. Elle se mourait d'en prendre elle-même un verre, mais Trent ne buvait jamais d'alcool. Peut-être avaient-elles une bouteille en leur possession. Les Gutzian n'avaient sans l'ombre d'un doute acheté que les meilleures importations de France.

Alicia l'amena par le bras jusqu'à la table basse. Tora se sentait méfiante, mais elle éprouvait en même temps l'envie de profiter de cette occasion pour établir un contact avec ces femmes dont elle voulait se faire amie, qu'elle ne voulait pas combattre comme ennemies. Mal à l'aise, elle jeta un coup d'œil à la poudre blanche sur la table.

— Il me faudrait vraiment retourner auprès de Trent.

— Trent ! gloussa Audrey. Eh bien, ça doit vraiment être très sérieux, si vous en êtes à vous appeler par vos prénoms.

— C'est effectivement très sérieux, répondit Alicia. Notre petite Tora Anders a ravi le cœur du cher Trent. Vous devez nous dire comment vous y êtes parvenue, Tora. Nous sommes émerveillées par votre talent.

Tora lui étudia le visage, mais elle semblait souhaiter honnêtement le savoir.

— Mais d'abord, pour faire partie de notre cercle, Tora, vous devez partager ceci avec nous.

Alicia lui tendit un tube d'argent comme si elle tenait pour acquis que Tora saurait comment l'utiliser. Constatant la confusion de Tora, Alicia lui expliqua généreusement.

— Par le nez, chérie. Reniflez un bon coup de laudanum. Inhalez aussi profondément que vous le pouvez. Ça fera partir votre mal de tête.

— Je n'ai pas mal à la tête, rétorqua Tora.

Pour la première fois de sa vie, elle sentait qu'elle ne maîtrisait pas du tout la situation. Elle regarda dans la pièce comme si elle cherchait une ancre.

— Allons, bien sûr que non, idiote, dit Audrey. D'ailleurs, aucune d'entre nous non plus, et certainement pas jusqu'au matin ! Voyez ça comme une mesure préventive.

Elle baissa la tête et rigola.

Audrey semblait libre, décontractée, heureuse. Si toutes ces superbes femmes de la haute société le faisaient — peu importe ce qu'elles faisaient —, pourquoi pas elle ? Elle essayait de se faire accepter d'elles depuis des mois, et elles l'accueillaient enfin. Elle pencha la tête et inhala.

La poudre la brûla en pénétrant dans sa narine. Elle remua le nez, puis frissonna. Les femmes piquèrent un fou rire hystérique. Quelques secondes plus tard, Tora se sentit étourdie et libre. Elle ricana avec elles, et lorsqu'Alicia la prit par le bras, elle ne chercha pas à se dégager.

— Dites-nous, lui souffla Alicia sur le ton de la conspiration. Racontez-nous la vérité, Tora. Comment êtes-vous arrivée au Minnesota ? Et comment avez-vous fait pour emberlificoter Trent Storm ? Nous voulons tout savoir, chérie. Commencez par le commencement. Je parie que c'est votre adorable accent qui l'a séduit. Norvégien, n'est-ce pas ? Eh oui, ça ressemble à celui de mon propre bien-aimé.

Une sonnette d'alarme retentit au loin dans la tête de Tora. Mais dans son état, rien ne pourrait lui faire mal, décida-t-elle. Elle avait soudainement l'impression de tout avoir — la richesse, la beauté, et apparemment, par leur réaction, de l'esprit. Elle était la bienvenue ! Elle faisait partie du groupe. Et, donc, Tora se mit à leur narrer l'histoire comme si elle s'adressait à ses sœurs, essayant vaguement de s'en tenir à la version qu'elle avait racontée à Trent.

Alicia soupira et se rapprocha d'elle sur la causeuse comme si elles étaient de vieilles amies.

— Mais avant ça, chérie. Avant cet horrible naufrage en mer. Vous êtes de Bergen, n'est-ce pas? Je crois que vous avez jadis connu mon fiancé, Karl Martensen.

« Qu'y a-t-il de mal à répondre? » se demanda Tora, qui avait de plus en plus de difficulté à se concentrer.

Elle ricana.

— Bien sûr. Il était amoureux de ma sœur, dit-elle.

Elle fronça les sourcils pendant qu'Alicia se levait, plissant les yeux. Qu'avait-elle dit? Pourquoi était-elle si fâchée?

— Votre sœur..., entendit-elle vaguement répéter Alicia. Eh bien, n'est-ce pas intéressant?

Puis Tora tomba dans un sommeil profond et béni.

Karl s'approcha du groupe d'hommes entourés d'un anneau de fumée provenant de leurs cigarettes orientales turques préférées. Dans leurs bureaux, la plupart semblaient chiquer du tabac, mais les femmes préféraient les voir fumer plutôt que cracher en leur présence. Karl ne fumait et ne chiquait pas, et il refusa le verre de whisky Monongahela que John lui mit en main.

— Non merci, dit-il en refilant le verre à un serveur.

— C'est n'importe quoi, l'ami, dit John, lui retenant la main en riant. Si vous êtes pour travailler avec ces hommes, dit-il en faisant un signe en direction du groupe d'hommes d'affaires, vous devez boire avec eux.

Karl ne dit rien, se contentant simplement de tenir son verre. Les hommes rirent, mal à l'aise, et levèrent leur verre pour porter un toast silencieux. Après un moment, ils avaient de nouveau oublié Karl.

— Comme je le disais, John, j'ai trouvé surprenant que Parker laisse tomber si rapidement l'entente avec les entrepôts Sullivan.

Le ton de l'homme était plein de sous-entendus.

« Il ose le dire parce qu'il ne fait pas directement affaire avec John », songea Karl.

C'était ridicule de la part de ce type d'oser défier son futur beau-père. Tôt ou tard, tous les hommes d'affaires de Saint Paul auraient à se frotter à John J. Hall.

— En effet, répondit John avec bravade. Je dis toujours qu'un homme doit veiller à ses actifs chez lui avant de vouloir conquérir un sol étranger. C'est ce que j'appelle le « principe des murs de la forteresse ».

Karl réfléchit à cette image, et il repensa à une histoire que son père lui avait racontée lorsqu'il était enfant. Il se souvenait peu de la légende, mis à part qu'elle faisait état d'un roi norvégien qui, après avoir conquis une ville, avait ordonné comme châtiment pour les habitants qui s'étaient défendus que dix hommes soient tués puis enterrés à l'intérieur des murs de sa nouvelle forteresse. Brad et Parker étaient-ils des victimes destinées à reposer en paix dans les murs de la forteresse de John ? Karl recula d'un pas et observa Hall parler, comme s'il le voyait en rêve.

« Que suis-je devenu ? se demanda-t-il. Le chevalier d'un roi maléfique ? »

Motivé par l'argent et la réussite, il avait fait ce que John lui avait demandé.

Il se surprit à frissonner lorsque Trent Storm s'approcha du groupe.

— Tout va bien, l'ami ? demanda Trent à voix basse.

Karl hocha la tête.

— Dites donc, la demoiselle que je courtise a disparu dans la chambre d'Alicia. Avez-vous vu votre fiancée depuis peu ?

— Non, dit-il en s'étouffant sur ce mot.

« Tora et Alicia dans la même pièce ! »

— Je vais demander à une bonne, dit-il.

Apercevant la bonne attitrée d'Alicia qui passait avec un plateau de champagne, il attendit jusqu'à ce qu'il réussisse à attirer son regard. Elle s'approcha à toute vitesse.

— Jonquil, pourriez-vous aller vérifier où se trouvent mademoiselle Hall et mademoiselle...

— Anders, l'interrompit Trent, présumant que Karl ne le savait pas.

— Oui, mademoiselle Anders. Nous ne les avons pas vues depuis un certain temps et nous voudrions nous assurer qu'elles vont bien.

— Certainement, monsieur Martensen.

Elle fit une légère révérence, puis se dépêcha d'obéir à ses ordres.

Quelques minutes plus tard, Jonquil sortit du salon, suivie peu après des autres femmes. Karl fronça les sourcils tandis qu'elles s'approchaient. Quelque chose le tracassait. Quelque chose le tracassait beaucoup. Alicia souriait, mais seulement des lèvres, pas des yeux. Tora semblait fatiguée, dans les vapes, comme si elle avait... Karl se mit à observer sa fiancée. Elle évita son regard, mais il avait déjà deviné. Alicia avait de nouveau pris du laudanum, et selon toute vraisemblance, Tora aussi.

— Mal à la tête, ma chérie ? demanda-t-il à voix basse.

— Non, répondit Alicia en riant, le regardant comme pour le mettre au défi. J'avais mal plus tôt, mais c'est parti. Karl, mon chéri, avez-vous déjà rencontré Tora Anders ? Votre compatriote de Bergen.

— Eh bien, oui, dit-il sans sourciller. Nous nous sommes revus au mariage de votre sœur.

« Tiens-t'en à la vérité », s'ordonna-t-il.

— Vous savez, mon chéri, elle m'a fait part d'un fait plutôt amusant, dit Alicia, avec des yeux de chat.

L'espace d'un instant, Karl crut même voir une queue cingler l'air derrière elle.

— Tora dit que vous avez déjà été amoureux de sa sœur.

Karl rit pour tourner la chose en plaisanterie, espérant être convaincant.

— Mon amour ! Je connais toute la famille Anders, mais je ne peux dire que je sois l'ami d'aucun de ses membres. Quoi, Tora n'était qu'une petite fille quand je suis parti, loin de la jeune femme qu'elle est maintenant devenue. Peut-être était-ce le fruit de son imagination de petite fille.

Karl détestait le ton défensif de sa voix. C'était elle qui aurait dû avoir à répondre à des questions, pas lui.

Soudainement, il se sentit comme dans le bureau de John lorsque Brad s'était fait congédier. Les ombres s'obscurcissaient, menaçant de l'avaler. Mis à part son travail, dans quoi s'était-il embarqué auprès d'Alicia ? Était-elle la femme qu'il voulait comme épouse ? Cette idée semblait ridicule. Pourtant, qu'allait-il faire maintenant ?

— Je suis simplement curieuse, chéri. Pourquoi n'y a-t-il pas eu de retrouvailles entre vous deux ? J'aurais cru que nous serions déjà allés dîner avec Trent et Tora depuis le temps, puisqu'il y a tant de choses que vous pourriez vous rappeler.

Son ton était innocent. Son air ne l'était pas. Alicia, tel un chat, avait une idée en tête, et elle n'abandonnerait pas.

Il ne serait pas la souris, toutefois. Karl fit un sourire désolé à Trent.

— Tora et moi avons un passé en commun, mais il n'en reste plus rien.

Il jeta un coup d'œil à Tora, mais elle semblait désorientée. Combien de laudanum Alicia lui avait-elle donné ?

Trent partageait apparemment son inquiétude, car il se pencha et murmura un mot à l'oreille de Tora. Celle-ci secoua la tête.

— Pardonnez-moi, monsieur, ajouta Karl à l'intention de Trent, et veuillez excuser les mauvaises manières de ma fiancée ce soir. Pardonnez-nous.

Sur ce, il tira Alicia vers la porte et descendit dans un coin reclus de l'entrée.

— C'est terminé, lui dit-il.

— De quoi parlez-vous ? demanda Alicia, semblant décontenancée.

— Nous ne sommes pas faits l'un pour l'autre, Alicia. C'est terminé, répéta-t-il en faisant les cent pas devant elle.

— Effectivement, renchérit son père, apparaissant dans les ombres du couloir.

Il expira la fumée de sa cigarette qui se mit à danser devant son visage qui restait caché dans cette relative obscurité.

Alicia bégaya, indignée, mais Karl ne pouvait détacher les yeux de John.

Karl n'avait eu peur de rien depuis très longtemps.

Mais soudainement, il était très effrayé.

— Je suis blessé et découragé de constater que vous avez été malhonnête envers moi, mademoiselle Anders, déclara Trent le matin suivant. C'est la raison pour laquelle vous avez renversé le café dans le wagon, n'est-ce pas ? Vous aviez reconnu Karl Martensen. Pourquoi cacher les liens qui vous unissent ?

— Je croyais que c'était déplacé, plaida-t-elle. Par la suite, c'était devenu délicat. Qu'aurions-nous pu faire ? S'il vous plaît, Trent. Je ne savais pas que vous le prendriez ainsi.

Trent tendit le sac de Tora au portier et lui remit une pièce de monnaie.

— Je veux que mademoiselle Anders soit installée dans votre plus belle cabine de luxe, ordonna-t-il.

— Oui, monsieur Storm.

L'homme disparut.

Trent se tourna de nouveau vers Tora.

— Qu'y avait-il entre vous deux ? Étiez-vous amoureux ?

Tora rit.

— Non. Il était amoureux de ma sœur.

— Celle qui est morte ?

Elle secoua négativement la tête. Comment allait-elle arriver à se déprendre de la toile qu'elle avait tissée autour d'elle ? Trent était maintenant fâché. Que ferait-il s'il découvrait un jour la vérité ?

— Trent, je…

Le train siffla, et elle perdit courage.

— J'ai quelque chose à vous avouer. Quelque chose que je ne vous ai pas dit.

— Dites-le.

— Vous voyez, je, euh… Eh bien, je voulais… oh, peu importe.

— Dites-le, Tora. Dites-le-moi maintenant.

Le train siffla de nouveau.

— Mademoiselle Anders ? fit le portier derrière elle. Puis-je vous montrer…

— Dans une minute ! l'interrompit-elle.

Elle se pencha par la porte et embrassa Trent en plein sur la bouche, sous le regard de tous ceux qui avaient la tête tournée en leur direction. Mais Tora ne voyait que Trent.

— Trent, peu importe ce qui arrivera, souvenez-vous de ceci. Je vous aime, Trent. Je ne savais pas qu'il pouvait en être ainsi, et je n'ai jamais voulu vous faire de mal.

Il avait la mâchoire pendante, les yeux remplis de douleur. Le savait-il ? Avait-il une idée des secrets qu'elle portait en elle ? Le train siffla une troisième fois et commença à avancer lentement. Trent marcha à côté d'elle en lui tenant la main.

— Je viendrai bientôt vous visiter, Tora. Nous parlerons davantage à ce moment-là.

— À bientôt, Trent.

— À bientôt, mon amour, dit-il si doucement qu'elle se demanda plus tard s'il avait vraiment prononcé ces mots.

Chapitre 35

LE *SUNRISE* FIT SON ENTRÉE DANS LE PORT ANIMÉ DE NEW YORK par une journée de fin novembre, tout juste avant qu'un nordet ne balaie le nord de la côte est. Il semblait à Elsa que la ville entière attendait leur arrivée, car dès que Peder eut amarré le *Sunrise* au quai, ils furent assaillis par les journalistes.

— Que diable… commença-t-elle en sortant de leur cabine avec sa valise.

Peder criait des ordres à ses hommes pour qu'ils repoussent ces journalistes, mais lorsqu'Elsa sortit, ils se déchaînèrent.

— Madame Ramstad ! Je voulais vous parler de…

— Madame Ramstad ! Parlez-nous du cap Horn !

— Madame Ramstad ! Nous voulons savoir…

Peder revint à toute vitesse vers elle, le visage partagé entre l'inquiétude et la joie. Il lui tendit un numéro du *New York Times*, ouvert à une page où apparaissait une image qui la représentait en train de regarder héroïquement à l'avant d'un bateau, telle une figure de proue. L'article était intitulé « L'héroïne du cap Horn rentre chez elle ».

— Mais que diable…, répéta-t-elle, ahurie.

Elle regarda de nouveau les journalistes, et ce simple regard suffit à les faire hurler de nouveau.

— Il semble que tu sois devenue une célébrité. La première femme à la barre d'un bateau pour contourner le cap Horn. Les nouvelles ont dû voyager par voie terrestre depuis San Francisco. Tu te souviens lorsque Riley a parlé au journaliste là-bas sur le quai ? Ils t'attendent depuis des semaines.

Peder rit comme s'il songeait à une bonne blague.

— Ce n'est pas drôle, Peder ! Que sommes-nous censés faire… eh bien, faire d'eux ?

Elle fit un signe en direction des journalistes comme si c'était une meute de loups.

— Faire comme si nous devions contourner le cap Horn, dit-il en soulevant sa valise et en la prenant par le bras. La seule manière d'y parvenir, c'est de foncer.

Et sur ce, il la mena vers la passerelle. Les marins séparèrent la foule à la manière de Moïse sur la mer Rouge. La bonne humeur était contagieuse, et Elsa se mit bientôt à rire avec Peder. Ils se dépêchèrent de gagner la jetée et de traverser le terminal d'expédition. Ils avaient hâte d'arriver à une voiture avant que les marins ne réussissent plus à retenir les journalistes.

Peder jeta un coup d'œil par-dessus son épaule.

— Oh oh, dit-il, nous ferions mieux de nous dépêcher.

Ils se précipitèrent à l'extérieur.

— Cocher ! cria Peder.

Mais le cocher passa à leur hauteur sans s'arrêter, apparemment déjà réservé pour une autre course.

— Cocher ! cria de nouveau Peder d'un ton insistant.

Les journalistes s'étaient mis à courir, déterminés à les rattraper. Une élégante voiture s'arrêta devant eux, joliment peinte d'un bleu profond et tirée par un couple de chevaux blancs identiques.

— Montez ! lança de l'intérieur un homme élégamment vêtu qui avait ouvert la portière à leur intention.

Elsa regarda Peder, qui haussa légèrement les épaules puis la suivit à l'intérieur, juste comme les journalistes les encerclaient et leur criaient des questions. L'homme donna un coup de canne au plafond, et ils démarrèrent.

Elsa poussa un soupir de soulagement, toujours incrédule devant ce qui lui arrivait.

— Nous vous serons éternellement reconnaissants, monsieur, commença Peder.

— Allez, allez, va, répondit l'homme grisonnant avec un grand sourire chaleureux. Eh bien, quoi ! C'était une ruse. Permettez-moi de me présenter. Je suis Alexander Martin, rédacteur en chef du *New York Times*.

Elsa rit de surprise.

— Je dirais que ça va de mal en pis.

— Je ne dirais pas ça, ma chère. J'ai l'intention de vous emmener dans la plus belle suite de l'hôtel Marquis. Pour une journée, pour une semaine, à votre guise.

— Nous avons uniquement l'intention de..., commença Peder.

— En échange, je ne vous demande que l'exclusivité pour mon journal.

— Peut-être souhaitons-nous seulement, monsieur, répondit fermement Peder, qui reprenait la maîtrise de la situation, garder nos histoires pour nous.

— Balivernes ! répondit jovialement Martin. L'image de votre femme est dans tous les journaux au pays. C'est l'héroïne du cap Horn ! N'est-ce pas un bon titre ? Je l'ai trouvé moi-même. En tout cas, nos lecteurs revendiquent son histoire à grands cris. Ils veulent savoir comment c'était là-bas, comment elle a vécu la chose. Soyez bon joueur, et laissez-la me raconter les détails.

Peder secoua la tête, de toute évidence aussi sidéré qu'Elsa pouvait l'être.

— La décision revient à ma femme. Si elle est d'accord, ça me va. Si elle refuse, je vous saurais gré de nous laisser descendre sans plus de cérémonie.

Martin l'étudia en silence un moment.

— D'accord, acquiesça-t-il en se tournant vers elle. Ma chère dame ?

— Mais pourquoi… pourquoi diable mon histoire est-elle si fascinante ?

— Vous avez conquis le cap Horn ! Une femme ! Et vous avez survécu pour pouvoir raconter votre histoire. Vous avez pris la relève du capitaine à la barre du *Sunrise* alors que votre mari était dans l'incapacité de travailler et que le premier second était aux fers ! Pensez-y bien, madame Ramstad. Vous êtes magnifique, lui dit-il avant de se tourner vers Peder. Si je peux me permettre de le lui dire, Monsieur, puis il se tourna de nouveau vers Elsa. Et forte. Vous incarnez l'esprit américain. Nos gens veulent en savoir davantage !

— Mais je suis Norvégienne.

— Vous êtes maintenant Américaine, précisa-t-il. Ma chère, vous êtes l'Amérique.

Elsa secoua la tête et se toucha un sourcil.

— C'est trop en une seule…

— Il y a plus.

— Écoutez, l'interrompit Peder. Peut-être n'est-ce pas une si bonne idée.

— J'ai parlé à un bon ami, Fergus Long. Je crois que vous le connaissez ?

— Fergus ! Bien sûr !

Elsa se détendit un peu en présence d'un homme avec qui elle avait un ami en commun. Si Fergus l'appréciait, Alexander Martin devait être digne de confiance, songea-t-elle.

— Fergus m'a dit que vous êtes une artiste talentueuse et que vous espérez voyager avec votre mari pour des projets futurs.

Elsa jeta un coup d'œil à Peder.

— C'est ce que je souhaite, si Peder est d'accord.

Peder se renfrogna, comme s'il était acculé au pied du mur.

— Cette question ne concerne que nous.

— Bien sûr, bien sûr, le tranquillisa Martin. Je voulais seulement offrir une occasion unique à madame Ramstad.

— Laquelle ? demanda Peder.

Ils penchèrent tous sur le côté alors que la voiture tournait à un coin de rue.

— J'aimerais obtenir un récit de première main de ses voyages à vos côtés, monsieur. Avec illustrations, évidemment.

Elsa rit, incrédule.

— Vous voulez que moi, moi, je fasse des comptes rendus pour le *Times* ?

— Oui, ma chère. Je crois que c'est une idée fantastique.

Elsa secoua la tête, incapable de croire ce qu'il lui offrait. Elle regarda Peder, qui lui sourit.

— Il semble que tu en aies envie, dit-il doucement. En es-tu sûre, Elsa ? Voyons voir. Es-tu certaine que tu ne veux pas rester chez nous, à Camden-by-the-Sea ? Il n'y a rien qui puisse t'intéresser à cet endroit ?

Elsa lui prit les mains dans les siennes et le regarda profondément dans les yeux.

— Je ne souhaite rien de plus, Peder, que de voyager avec toi. Autour du cap Horn, peu importe. Je ne veux être qu'avec toi.

— Alors, c'est réglé ! s'enthousiasma Alexander Martin.

Le regard sévère de Peder l'intimida.

Peder se tourna vers Elsa, qui retint son souffle. Les yeux de Peder s'adoucirent.

— Je crois que si ! dit-il doucement, puis il rit. Je ne me serais jamais douté que l'héroïne du cap Horn partagerait ma cabine, la taquina-t-il.

— Arrête ton baratin ! l'avertit Elsa. Alors, dites-moi, monsieur Martin. Dites-moi exactement quelles sont vos attentes.

Une semaine plus tard, la rencontre inattendue d'Elsa avec Alexander Martin commençait à s'effacer de sa mémoire, mais l'impact de sa décision lui trottait toujours dans la tête. Après avoir laissé Peder au lit, elle errait en robe de nuit dans leur petite maison de Camden. Elle s'installa finalement dans la tourelle, où elle se mit à observer le doux clignotement des étoiles au-dessus des eaux froides de l'Atlantique par une nuit sans lune. Elle était incapable de dormir, elle réfléchissait à son voyage suivant avec Peder. À leur destination, à ce qu'elle dessinerait, à la façon dont elle s'y prendrait pour écrire une histoire en mesure de captiver l'imagination des Américains…

Et s'ils pouvaient retourner chez eux? Peut-être qu'au printemps Peder considérerait l'idée d'un voyage en Norvège. Comme il serait merveilleux de revoir mama ! Et la chère Carina. Les pensées d'Elsa se tournèrent vers Tora, puis de nouveau vers son père. Comment serait-ce de rentrer à Bergen sans qu'il ne soit là à l'attendre à bras ouverts? Comme elle aurait donc voulu lui parler, lui raconter ses aventures et ce qu'elle avait appris durant un an ! Malgré les désirs qu'il avait de la savoir en sûreté à la maison, Elsa croyait qu'Amund Anders aurait finalement accepté à contrecœur qu'elle prenne un autre chemin que celui qu'il lui avait tracé.

— C'est la bonne voie, papa, murmura-t-elle.

Elle était à genoux à la fenêtre, les coudes appuyés sur le rebord, le menton dans les mains. Ses cheveux lui tombaient sur les épaules, et elle se sentait de nouveau comme une petite fille. L'air froid s'infiltrait par les carreaux, pressant Elsa d'aller retrouver la chaleur de son lit, mais elle hésitait à le faire. L'eau était inhabituellement calme pour une nuit d'hiver, et Elsa observait encore et encore le bleu indigo du ciel nocturne et le noir d'encre de l'eau de l'océan. La mer l'avait appelée. Aux côtés de son mari, peu importe l'endroit du voyage.

Au nord, à l'horizon, une lueur verte apparut au-dessus de l'eau dans un mouvement d'ondulation. Elle crut un instant avoir été victime d'une hallucination, mais elle en vit tout de suite une deuxième. Elsa sourit, et des larmes lui montèrent rapidement aux yeux. Au bout de quelques minutes, dans une combinaison de turquoise fluorescent et de bleu brillant, il y eut en sa direction un déploiement d'aurores boréales qui semblaient l'appeler, lui parler. Elsa rit à travers ses larmes, pensant à son rocher et à sa famille, à Kaatje et à Karl. Par-dessus tout, elle pensa à son père.

— Bonsoir papa, murmura-t-elle en riant silencieusement, essuyant ses larmes. Tu m'as manqué.

Remerciements

Je désire témoigner toute ma reconnaissance à ceux et celles qui ont gracieusement accepté de lire la première ébauche de ce roman et qui m'ont fait part de leurs commentaires : Lois Stephens, Joy Trachsel, Jana Swenson, Leslie Kilgo, Rebecca Womack, Ginia Hairston, Mona Daly, Cara Denney, Liz Curtis Higgs, Francine Rivers, Rebecca Price, Dan Rich, Jeane Burgess, Diane Noble et mon mari, Tim. De plus, Paul Daniel, aux archives de l'Église évangélique luthérienne des États-Unis à Saint Paul, m'a aidée à trouver des vœux de mariage authentiques et des descriptions de services funéraires de l'époque. Et je ne saurais oublier Judy Markham, éditrice extraordinaire. Judy et les éditrices qui l'ont précédée — Shari MacDonald et Anne Buchanan — m'ont aidée à devenir une meilleure écrivaine. Vous m'avez tous et toutes aidée à rendre ce livre meilleur. Merci.

Chers amis, chères amies,

Merci d'avoir lu *La femme du capitaine.* Mon plus gros projet à ce jour. La rédaction de ce roman historique fut une première pour moi, ce qui m'aura permis de découvrir une toute nouvelle partie de mon cerveau ! Raconter les histoires de tous ces personnages à la fois s'est avéré un véritable casse-tête. J'ose espérer que mes lecteurs et lectrices de la première ébauche, ainsi que mes éditrices, m'auront aidée à tout clarifier.

Je sais, je sais. C'était méchant de ma part de vous laisser avec autant de questions en suspens. Mais heureusement, les tomes II et III de la série Les aurores boréales sont maintenant offerts, prêts à être dévorés ! Je vous invite donc à vous procurer À bon port (le deuxième tome) et *Le soleil de minuit* (le troisième tome), si vous voulez connaître la suite des aventures des compatriotes de Bergen.

En suivant leurs histoires, j'ai pu me rendre compte que le péché n'affecte pas seulement celui ou celle qui le commet, mais aussi les personnes innocentes de leur entourage. C'est comme lancer un galet à l'eau ; les cercles concentriques ne font que grossir et grossir. J'ai pu y réfléchir davantage dans *À bon port*, et encore plus dans *Le soleil de minuit*. Vous verrez ! Tora Anders pourrait bien n'obtenir que ce qu'elle mérite. Qu'est-ce que cela pourrait signifier pour elle ? Découvrira-t-elle comment vraiment parvenir à bon port ? J'avais hâte de terminer mon histoire et de le découvrir moi-même.

Au moment de la rédaction de *La femme du capitaine*, mon premier enfant n'avait que deux ans et demi. Mon deuxième bébé, Emma, est maintenant rendu au même âge. Comme le temps passe vite. Avec eux, mon mari et un emploi dans l'édition que je quitte finalement, il m'aurait été difficile d'écrire plus rapidement que je l'ai fait. Mais la vie est belle, riche et douce. Dieu m'a vraiment bénie, et je suis heureuse d'être une épouse du Christ. J'espère que chacun et chacune d'entre vous apprécierez d'apprendre que, vous aussi, vous êtes quelqu'un de précieux, d'important, de cher. Et la plus croyante d'entre tous souhaite continuer d'avancer auprès de vous. Quelle joie !

Que Dieu vous bénisse,
Lisa Tawn Bergren

Visitez le site Web de Lisa
www.LisaTawnBregren.com
ou écrivez-lui à l'adresse suivante :
c/o WaterBrook Press
2375 Telstar Drive, Suite 160
Colorado Springs, CO 80920

Ne manquez pas la suite

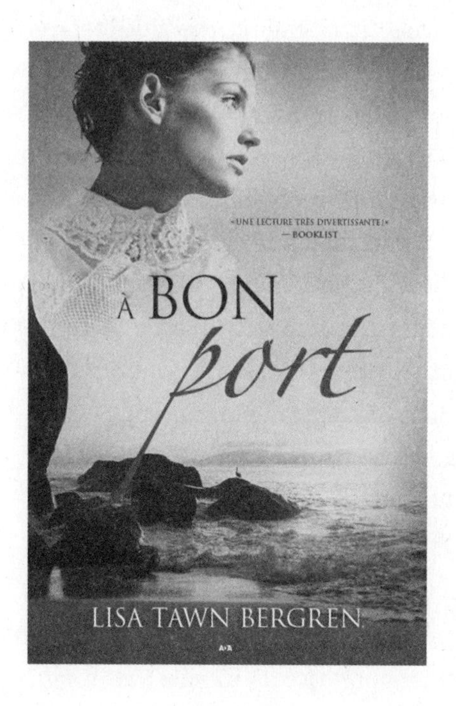

Chapitre 1

Lorsqu'elle entendit deux coups rapides et francs à la porte, Tora sentit son cœur s'emballer et sa gorge se serrer. Elle se réinstalla dans son fauteuil de manière à ce que Trent puisse la voir sous son meilleur profil et que les volants de sa polonaise puissent tomber parfaitement bien sur le plancher. Elle sentit sa présence avant qu'il n'arrive, et elle s'émerveilla de cette petite sensation dans son cœur, cette petite sensation qui refusait de disparaître, qu'elle ressentait pour lui plus que pour tout autre. Quel était donc cet effet que lui faisait Trent Storm ?

Il entra dans la pièce comme s'il était chez lui, élégant dans ses nouveaux habits. Il retira ses gants et l'observa calmement.

— Tora, dit-il en hochant la tête, puis en lui adressant un léger sourire.

Il avait une lueur dans les yeux qui permettait d'espérer, au grand bonheur de Tora.

— Trent ! fit-elle comme si elle était surprise, comme si elle avait oublié qu'il viendrait, et elle se dirigea vers lui.

Il se pencha pour lui faire un baisemain, mais il garda sa main dans ses longs doigts chauds et ils se regardèrent l'un l'autre. Tora réagit la première.

— Ça fait longtemps, Trent.

— Oui, eh bien, j'ai été plutôt occupé chez moi. Et je vous rappelle qu'Helena n'est pas à la porte de Duluth.

— Veuillez vous asseoir, dit-elle avec un grand geste.

Elle espérait qu'il remarquerait les meubles néo-rococo qui venaient d'arriver de France. Il s'assit sans hésiter.

— Oui, mais nous ne nous sommes pas vus depuis quoi ? Cinq mois ? poursuivit-elle.

— Vous les comptez, ma chérie ?

Tora fronça les sourcils. Trent semblait la défier du regard. L'atmosphère devenait soudainement plus lourde.

— Non, pas du tout. Je ne faisais qu'une simple remarque. J'étais déjà assez bien occupée avec vos nouveaux restaurants relais sans avoir en plus à me soucier de compter les heures précédant votre visite.

Elle espérait que cette pointe de sarcasme ferait éclater ce dangereux abcès qui grossissait entre eux.

— En effet. Les installations sont impressionnantes, dans la région. Sans parler de cette maison, ajouta-t-il en regardant autour de lui. Très jolie. J'ai tout à fait confiance que vous l'avez payée uniquement de vos deniers.

Tora se renfrogna. Ces retrouvailles ne se déroulaient pas du tout comme elle l'avait prévu.

— Bien sûr, Trent, dit-elle, n'aimant pas se retrouver sur la défensive. J'ai fait construire cette maison dans le dessein d'y accueillir d'importants invités, mais avant tout pour qu'elle me serve de chez-moi. J'ai dû emprunter une certaine somme à la banque, mais on s'est montré heureux de pouvoir m'aider dans un projet aussi important...

— Pour qu'elle vous serve de chez-moi ? l'interrompit Trent.

Il se leva et se dirigea vers une fenêtre qui s'élevait du plancher au plafond sur plus de trois mètres et demi. Il écarta les rideaux de velours et regarda à l'extérieur.

— Hum. Un chez-moi. Pour vous rappeler Bergen ?

Tora sentit le sang lui quitter le visage.

— Bergen ? Ça fait des années que je n'ai pensé à la Norvège. Non, je pensais à un endroit comme...

— Comme Camden ?

— Camden-by-the-Sea ? réussit-elle à demander sans que sa voix n'augmente d'une octave.

Où voulait-il en venir ?

— Non, ce que j'allais dire, poursuivit-elle, c'est que...

— Vous aviez besoin d'un chez-moi, compléta-t-il.

— Oui, dit-elle en soutenant son regard pendant qu'il l'observait.

— Un genre de domicile.

— Oui, je suppose.

— Un domicile qui vous permette d'avoir conscience de qui vous êtes, et qui permette aux autres de bien le constater. Voilà ce qui explique cette grande maison prestigieuse, n'est-ce pas ? La maison reine Anne tape-à-l'œil à trois étages du phénix des relais Storm ?

Tora se leva, maintenant tout à fait inquiète.

— Trent, mais qu'avez-vous ? J'avais tant espéré que vous l'aimeriez, je chérissais l'idée que vous voudriez peut-être...

— Quoi ? Vivre ici ? dit-il en secouant résolument la tête une fois. Non, Tora. Je ne sais même pas qui est le phénix des relais Storm. Vous ne m'avez pas laissé savoir. Comment pourrais-je décider de vous épouser ? De venir m'installer avec vous ? Vous avez pris vos distances depuis le temps où je vous ai connue, vous vous êtes enfermée dans votre vision de ce que devait être votre avenir et vous vous êtes empêtrée dans un tissu de mensonges.

— De... de mensonges ?

Trent sortit une feuille jaunie de la poche intérieure de son veston et il la déplia en silence.

— L'héroïne du cap Horn, lut-il à voix haute en la dévisageant. Elsa Anders Ramstad. Votre sœur depuis longtemps disparue. Assez drôle, tout de même. Elle ne se souvient apparemment pas s'être perdue. En fait, elle semble avoir une idée très précise de qui elle est et d'où elle vient.

— Vous... vous lui avez parlé ?

Il ignora sa question.

— Vous m'avez dit qu'elle était morte. Croyez-vous qu'elle prétend la même chose de vous ?

Tora s'assit, lourdement.

— Peut-être que oui, dans un sens, marmonna-t-elle à moitié pour elle-même.

— C'est la première chose honnête que je vous entends dire depuis longtemps.

Tora soupira et regarda par la fenêtre. Elle savait que c'était la fin ; voilà pourquoi Trent s'était éloigné tout ce temps-là. Il savait. Il savait depuis longtemps. Et ce voile de mystère qu'elle avait tissé autour d'elle avait éloigné Trent, de plus en plus, alors qu'elle avait voulu l'attirer.

— Comment avez-vous découvert ?

— Grâce à un détective. J'ai tellement souhaité que vous vous confiiez à moi, Tora.

Il s'adressait à elle comme s'il parlait d'une autre personne, d'une relation distante.

— Pourquoi ne pas me l'avoir dit ? Pourquoi tout ce mystère ? N'étais-je pas digne de confiance ? Qu'y a-t-il de si humiliant dans votre passé pour que vous ne puissiez simplement me raconter la vérité ? Vous n'en avez pas eu assez de jouer la comédie ? Tora Anders, poursuivit-il en secouant la tête et en soupirant, vous auriez fait une belle carrière comme vedette de scène. Vous avez fait toute une performance ces quatre dernières années. Durant un certain temps, je me suis dit que ce n'était pas important, que vous deviez avoir vos raisons. Probablement une histoire de fierté ridicule ou quelque chose du genre. Mais ça ne cessait de me dévorer de l'intérieur, et je n'arrivais pas à oublier. Le mois dernier, j'ai décidé que c'en était assez. Que si vous ne pouviez être honnête avec moi, il n'y avait certainement pas beaucoup d'espoir à fonder sur un avenir en commun.

Il se tourna en sa direction, la voix remplie d'angoisse.

— Pourquoi, Tora ? Pourquoi ne pas me l'avoir dit ?

Elle sentait son regard, mais elle ne trouvait pas la force de le regarder elle-même dans les yeux.

— Vous l'avoir dit ? Vous étiez mon employeur ! C'était plus facile, plus pur, de me présenter comme orpheline. Et pour Camden et le bébé, je n'aurais pas pu tout vous dire. Trent Storm n'aurait jamais embauché une mère célibataire.

Comme il ne répondait pas, Tora lui jeta rapidement un coup d'œil. Son visage accablé en disait long. Il ne le savait pas ! Il n'avait pas tout appris ! Paraissant soudainement plus vieux de dix ans, Trent s'assit sur le canapé. Tora se leva et s'approcha de lui, s'agenouillant à ses pieds et déposant son visage sur ses cuisses. Les larmes coulèrent à flots.

— Trent, je l'ai fait pour survivre. Si vous aviez su que je n'étais pas cette femme parfaite que vous souhaitiez engager dans votre entreprise, m'auriez-vous embauchée, m'auriez-vous courtisée ? Je devais me taire ! Je voulais faire quelque chose d'important dans ma vie. Pour m'offrir ceci, dit-elle en faisant un signe autour d'elle. Et rapidement, je me suis mise à le souhaiter autant pour vous que pour moi.

— Aux dépens d'un enfant, dit-il d'un air hébété. Où est-il, Tora ? Où avez-vous laissé votre enfant ?

— Dans une bonne famille, répondit-elle simplement.

— Regardez-moi, dit-il sèchement, lui levant le menton de force. L'enfant est vivant ?

— Je l'espère, murmura-t-elle.

Pour la première fois depuis des années, Tora se sentit soulagée de partager son secret avec une autre personne.

— Cette décision vous hante-t-elle encore ? lui demanda-t-il sans cligner les yeux.

— À l'occasion. Mais pas depuis un certain temps. Ma vie est tellement plus remplie maintenant…

Trent rit sans joie et se leva comme s'il voulait s'en laver les mains.